ENTRETIEN DE SIMON-PIERRE
AVEC JÉSUS

SOURCES CHRÉTIENNES

N° 364

GEOFFROY D'AUXERRE

ENTRETIEN DE SIMON-PIERRE AVEC JÉSUS

*INTRODUCTION, TEXTE, TRADUCTION
ET ANNOTATION*

PAR

Henri ROCHAIS

*Ouvrage publié avec le concours
du Centre National de la Recherche Scientifique*

LES ÉDITIONS DU CERF, 29, bd de Latour-Maubourg, Paris 7ᵉ
1990

La publication de cet ouvrage a été préparée avec le concours de l'Institut des « Sources Chrétiennes » (U.R.A. 993 du Centre National de la Recherche Scientifique)

INTRODUCTION

Geoffroy ou Bernard ?

Les études préparatoires à l'édition critique des œuvres de saint Bernard ont beaucoup contribué à préciser, améliorer et développer la connaissance que nous avions de Geoffroy d'Auxerre et de son œuvre.

Il n'y a pas lieu de revenir ici sur ce qui a été dit de l'un et de l'autre dans la présentation générale de l'édition des œuvres complètes de Bernard.

Je rappelle seulement de façon succincte quelques éléments utiles pour comprendre l'état de la question relative au *De Colloquio*.

En 1952, dom Jean Leclercq, présentant « Les écrits de Geoffroy d'Auxerre [1] », posait les jalons chronologiques de sa biographie comme suit : entrée de Geoffroy à Clairvaux en 1140 ; abbé d'Igny après 1153 ; abbé de Clairvaux en 1162, déposé ou résigné en 1165 ; abbé de Fossa Nova, 1170 (1171 d'après F. Gastaldelli) ; abbé d'Hautecombe en 1176 ; mort après 1186 [2].

---

1. Dans un article paru dans la *Revue bénédictine* 62, 1952, 274-291. Cet article a été repris dans *Recueil d'études sur saint Bernard et ses écrits* I, Rome 1962, 27-46. L'auteur y fait mention (p. 27, n. 3) de la contribution de W. Wiliams à l'identification de Geoffroy d'Auxerre (alias : d'Hautecombe, de Clairvaux, d'Igny) dans *St Bernard of Clairvaux*, Manchester 1935, p. 376-382, et de celle de H. Grundmann, « Zur Biographie Joachim von Fiore und Rainers von Ponza », dans : *Neues Archiv* 16, 1960, 507-508.

2. F. Gastaldelli, qui a depuis édité les commentaires de Geoffroy sur l'Apocalypse (Rome 1970) et sur le Cantique des cantiques (Rome 1974), a montré à l'évidence que Geoffroy vivait encore en 1200. Voir l'article rectificatif du même auteur : « Precisazzioni sul Dictionnaire des Auteurs cisterciens a proposito di Gofredo d'Auxerre e di Galland di Régny », dans *Salesianum* 39, 1977, 103-105.

Puis, ayant donné la liste des ouvrages de Geoffroy édités, dom Leclercq s'attardait longuement sur « les écrits inédits » : commentaires sur le *Cantique des cantiques* et sur l'*Apocalypse* (tous deux édités depuis par F. Gastaldelli) et sur le commentaire d'Ecclésiaste 12, 1 *(Memento creatoris tui in diebus juventutis tuae, antequam veniat tempus...)*, enfin sur les sermons.

Parmi les œuvres éditées, sont mentionnées les *Declamationes de colloquio Simonis et Iesu super evangelium : Ecce nos reliquimus omnia, ex verbis sancti Bernardi*[3].

Dans un précédent article[4], dom Leclercq notait que, d'après W. Williams[5], Geoffroy était abbé d'Igny quand il rédigea les *Declamationes*. Mais, résumant une démonstration de J. Greven[6], il continuait en ces termes : « Les *Declamationes* ont donc été écrites après janvier 1147 (date du sermon de Bernard aux clercs de Cologne dont elles seraient une reportation) et au plus tard en avril 1148 (date de l'entrée à Clairvaux, c'est-à-dire de la conversion de Henri de Pise, à qui elles sont dédiées pour qu'il se convertisse) ». C'est donc du vivant de saint Bernard († 1153) que Geoffroy a rédigé ses *Declamationes,* alors que, moine de Clairvaux, il lui servait de secrétaire.

Telle était donc la position concernant l'auteur et la date de son œuvre, au terme de ces premiers travaux.

---

3. *PL* 184, 437-476. L'abbé P. Dion en a donné une traduction française accompagnée du texte latin de Migne, dans : Saint Bernard, *Œuvres complètes*. Tome V, Paris, L. Vivès, 1867, p. 454-496 ; ainsi que A. Ravelet, dans *Œuvres de saint Bernard*. Tome V, Paris, V. Palmé, 1870, p. 3-30.
4. « Saint Bernard et ses secrétaires », dans : *Revue bénédictine* 61, 1951, 208-229, repris dans *Recueil* I, Rome 1962, 3-25, n. 5, p. 17.
5. *Monastic Studies,* Manchester 1938, p. 149.
6. « Die Kölnfahrt Bernhards von Clairvaux », dans *Annale des historischen Vereins für den Niederrhein...* 120, 1932, 16-28.

Quant aux circonstances, voici les éléments qui étaient avancés [7]. Dans son *Liber miraculorum* (entré dans le livre VI de la *Vita prima Bernardi*), Geoffroy raconte qu'à Cologne, Bernard parla aux clercs de leur « vie sans forme » *(formam hanc clericorum, immo vitam prorsus informem* [8]*)*, contraire à l'Écriture ; il cita en particulier Ps 72, 5-6 : *In labore hominum non sunt, et cum hominibus non flagellabuntur, ideo tenuit eos superbia, operti sunt iniquitate et impietate sua,* et Is 26, 10 : *Misereamur impio et non discet iustitiam, in terra sanctorum iniqua gessit et non videbit gloriam Domini.* Sur cette prédication, Geoffroy laisse entendre qu'il reviendra ailleurs *sed haec alias.* Or il ne semble pas qu'il l'ait fait dans la lettre au clergé de Cologne qui sert de préface au *Liber miraculorum.* Où donc l'a-t-il fait ? Dans les *Declamationes,* puisque, là aussi, « Bernard parle » de la vie sans forme du clergé *(formam cleri ne informem dixerim)* contraire aux enseignements de l'Écriture [9] ; là il applique plusieurs fois aux clercs Ps 72, 5-6 [10] ; là il cite Is 26, 10 [11]. Et plus loin : « De fait les thèmes que " Bernard " développe à Cologne et dans les *Declamationes* sont de ceux qu'on retrouve dans l'enseignement de Bernard aux clercs à cette époque de sa vie, en particulier dans le livre III du *De Considera-tione,* écrit peu après le concile de Reims de 1148 [12] ».

Une première question se pose. Si le *De Colloquio* est bien la *reportatio* faite par Geoffroy d'un sermon de Bernard, ne devrait-il pas figurer dans les *Opera omnia* authentiques de Bernard au même titre que nombre de

---

7. *Recueil* I, 18-19.
8. *Monumenta Germaniae Historica,* Scriptores XXVI, 94-95.
9. *De Colloquio,* ch. 38, **46**.
10. *Ibid.,* ch. 10, **10**, 2-4 ; ch. 18, **21**, 18-19 ; ch. 21, **25**, 34-35, à quoi l'on peut ajouter les deux allusions : ch. 4, **4**, 4-5 et ch. 10, **10**, 52.
11. *Ibid.,* ch. 21, **25**, 44-45, à quoi l'on peut ajouter ch. 21, **24**, 1-8-10 et 12-13.
12. Seule référence donnée : *De Consideratione* III, v, 19.

« sermons divers » ou « sentences » et en vertu des « critères d'authenticité » retenus pour ce genre d'écrits ? Il est dit en effet, dans l'introductionn à l'édition de cette partie de l'œuvre de Bernard : « ... ce que garantit le verdict d'authenticité pour ces textes divers, ce n'est pas le style de Bernard, mais les thèmes qu'il a développés dans sa prédication et les articulations majeures de ces développements [13] ». Le fait que cette *reportatio* soit signée de Geoffroy ne justifierait pas qu'on dépouille Bernard de la paternité de ce « sermon ». Geoffroy ne serait en l'occurrence que le secrétaire de Bernard. C'est bien d'ailleurs ce que suppose l'hypothèse d'une dépendance du *De Colloquio* par rapport au sermon de Cologne : des expressions comme « Bernard parle » et « Bernard développe » suggèrent que Bernard est le véritable auteur du *De Colloquio*.

Mais la deuxième question est précisément de savoir si le *De Colloquio* est bien une *reportatio* du sermon de Cologne. Pour intéressants que soient les rapprochements faits entre les *Declamationes* et l'œuvre authentique de Bernard, sont-ils suffisants pour prouver que les premières sont une reportation du sermon de Bernard aux clercs de Cologne (janvier 1147) plutôt qu'une œuvre personnelle de Geoffroy ? Traitant, l'un et l'autre, de la conversion, est-il tellement surprenant que Bernard et Geoffroy retrouvent les mêmes textes scripturaires à l'appui de leur plaidoyer ? Du fait qu'ils se rencontrent une fois sur le jeu de mots *forma informis* : faut-il en conclure que Geoffroy ne fait que citer Bernard mot à mot ? Y a-t-il vraiment un même enseignement dans le livre III du *De Consideratione* et dans les *Declamationes* ? Ces ressemblances, si elles existent, ne s'expliquent-elles pas amplement par la longue et étroite fréquentation de

---

13. *S. Bernardi Opera,* vol. VI, 1 : Sermones III, p. 60.

Bernard par Geoffroy, qui effectivement accompagnait Bernard à Cologne, a entendu le sermon prêché là aux clercs, a même pu avoir l'intention de le rédiger par la suite (si l'expression : *sed haec alias* témoigne bien d'une telle intention) [14] ?

La propension des critiques à faire des *Declamationes* une reportation de la prédication de Bernard à Cologne — même s'il faut pour cela supposer que cette prédication n'a pas laissé de traces ailleurs [15] — trouve sa principale justification dans les titres et rubriques des manuscrits, où, très tôt et un peu partout, l'œuvre a été attribuée à Bernard ou du moins associée à son nom.

LES MANUSCRITS

Les manuscrits du *De Colloquio* étant relativement nombreux, il a paru préférable, pour ne pas surcharger cette introduction sans véritable profit, de se limiter à en donner une nomenclature succincte, quitte à donner plus

---

14. Par contre les rapprochements signalés entre le *De Colloquio* et le sermon *Reverentissimi* (*PL* 184, 1085-1095), qui serait une reportation anonyme d'une prédication de Bernard au synode de Paris (avril-juin 1147), c'est-à-dire de même date que les *Declamationes* (*Recueil* I, 117), ne seraient-ils pas un argument à faire valoir pour attribuer cette reportation à Geoffroy ? — A propos de *sed haec alias*, voir : *verum haec alias,* ch. 5,5, 21-22.

15. « Les *Declamationes* émanent donc de prédications de Bernard dont aucun autre témoin n'a été conservé : elles sont faites de pièces et de morceaux que Geoffroy a réunis, comme il le dit dans la préface (et ceci explique leur titre) sur le mode " déclamatoire " » (*Recueil* I, 19). — N'y a-t-il pas incompatibilité entre l'affirmation selon laquelle les *Declamationes* seraient la reportation d'*un* sermon de Bernard (celui aux clercs de Cologne) et le renvoi à des « pièces et morceaux » ? L'auteur de la lettre d'envoi dit clairement *e multis sermonibus* ; passe encore qu'un sermon de Bernard n'ait laissé aucune trace, mais il est difficile d'admettre que ce soit le cas pour un grand nombre : *multis.*

de détails sur les seuls manuscrits retenus pour l'établissement du texte.

1. Admont OSB, 380, fol. 107-135^v, XIIe s.
2. Angers, B.M. , 302(293), fol. 55^v-81^v, XIIe s., de la cathédrale.
3. Arras, B.M. , 930, fol. 83-89, deuxième moitié du XIIIe s., de Saint-Vaast.
4. Bâle, Université, A.VIII.35, non fol., XVe s., de la chartreuse de Bâle.
5. Bamberg, Staatsbibl., Patr. 162 (Ed.IV.16), fol. 6 et 7, XIIe s., de la cathédrale de Bamberg (B 57).
6. Berlin, Theol. lat. quarto 247, fol. 2-32^v, XIIIe-XIVe s., de Saint-Jacques de Liège OSB.
7. Berlin, Theol. lat. octavo 10, fol. 58-119, XIVe s., des Chanoines réguliers « in terra de Steyn prope Gandam » (fol. 57^v).
8. Bonn, Université, 320(181), fol. 1-41, XVIe s.
9. Brunswick, Stadtbibl., CXIV, fol. 39-49, XVIe s.
10. Breslau, Staats-und Universitätsbibl., I F 155, fol. 48-64, deuxième moitié du XIVe s., a appartenu aux cisterciens de Heinrichau.
11. Bruxelles, B.R., 596-600 (cat. 1436), fol. 43-65, XIIIe s., de Corsendonck.
12. Bruxelles, B.R., 2499-2510 (cat. 1118), fol. 75-97^v, XIVe s., des Chanoines réguliers de Rouge-Cloître.
13. Bruxelles, B.R., 2524-2527 (cat. 1455), fol. 1-42, XIVe-XVe s., des Chanoines réguliers du Val-Saint-Martin.
14. Bruxelles, B.R., 11285-86 (cat. 1473), fol. 1-24^v, XIIe-XIIIe s., de Sainte-Croix de Namur.
15. Cambrai, B.M. , 339, fol. 54^v-72^v, XIIe s., de Saint-Aubert OSB.
16. Cambridge, Peterhouse, 133, fol. 1-9^v, XIIIe-XIVe s.
17. Cambridge (USA), Harvard College, Riant 4, fol. 36^v-60^v, 26 mai 1436, de Jérusalem.
18. Cava, Badia OSB, 55, fol. 1-14^v, XIIIe s.
19. Coblence, Gymnasialbibl., 167, non fol., a.D. 1464, des Chanoines réguliers de Niederwerth.
20. Cologne, Histor. Archiv, W 4° 313, fol. 99-122, XVe s.

21. Cracovie (Catalog. cod. manuscr. Bibl. Universit. Jagellonicae Cracoviensis 1877-81), 1422 : AA-III-13, fol. 183 et sv., XIVe s.

22. Cues, Hospital, n° 64, fol. 99-116, XVe s.

23. Douai, B.M. , 372 III, fol. 104-114, XIIe s., d'Anchin OSB.

24. Düsseldorf, Landes- und Stadtbibl., B.25, fol. 60-93^v, XIIe s., d'Altenberg O. cist.

25. Erlangen, Universitätsbibl., 169, fol. 37^v-52, XIIIe s., d'Heilsbronn O. cist.

26. Erlangen, Universitätsbibl., 219, fol. 17-39, XIIIe-XIVe s., d'Heilsbronn O. cist.

27. Erlangen, Universitätsbibl., 220, fol. 157 (add. du XIIIe s.), d'Heilsbronn O. cist.

28. Florence, Laurenziana, Pl XXI.d.7, deuxième moitié du XIIIe s., de Santa-Croce.

29. Florence, Laurenziana, Pl XXI.d.4, deuxième moitié du XIIIe s., de Santa-Croce.

30. Florence, Laurenziana, Conv. Sopp. 559, fol. 202-217^v, XIIIe s.

31. Giessen, (d'après le catal. de J. Valentino Adrian, Frankfurt a.M. 1840) : DC XCIV (B.G. XV. 24 fol.), fol. 243-276, XVe s.

32. Giessen *(ibidem)* : DC XCV (B.G. (3) 119b.8), fol. 50-133, XVe s., de Mulbronn O. cist.

33. Goettingen, Univers., Theol.94, fol. 85-108, XVe s.

34. Heiligenkreuz O. cist., 227, fol. 1^v-24, XIIe s.

35. Hereford, Cathedral, O.1.II.

36. Kassel, Landesbibl., Theol. fol. 28, fol. 70^v-83^v, XIIe s., d'Afflighem OSB (XIIIe s.).

37. Kiel, Univers., Bord. 48.4°, fol. 245-263, XVe s.

38. Klosterneuburg, Chanoines réguliers, 218, fol. 145-149, milieu du XIIe s.

39. Leipzig, Univers., F.p. 145 n. 11 (377), fol. 180-210, XIIIe-XIVe s.

40. Liège, Grand Séminaire, 6.G.26, XVe s.

41. Lisbonne, Arquivo nacional da Torre do Tombo, 735, fol. 141^v-143, XIVe s.

42. Londres, B.M. , Add. 6047, fol. 127 A - 148 B, XVe s.

43. Londres, B.M. , Harley 3081, fol. 159 sv., XVᵉ s.

44. Mantoue, B. Communale, B.I.25, fol. 27ᵛ-49, XIVᵉ s., de Polirone OSB.

45. Melk OSB, 347 (565 K 36), fol. 14-37, XIVᵉ-XVᵉ s.

46. Munich, Clm 9517, fol. 2 sv., XIIIᵉ s., d'Oberaltaich OSB.

47. Munich, Clm 22253, fol. 18-47, XIIᵉ s., de Windberg O. praem.

48. Paris, Arsenal, 93, fol. 204-226ᵛ, XIIIᵉ s., des Chanoines réguliers de Saint-Victor.

49. Paris, Arsenal, 500, fol. 66 A - 95 D, XVᵉ s., des Blancs-Manteaux OSB.

50. Paris, Arsenal, 501, fol. 55 D - 64 A, XIIIᵉ s., de Saint-Martin des Champs OSB.

51. Paris, Mazarine, 739, fol. 158 C - 173 B, deuxième moitié du XIIIᵉ s.

52. Paris, B.N., lat. 2569, fol. 157 D - 171 D, deuxième moitié du XIIIᵉ s.

53. Paris, B.N., lat. 9578, fol. 202 D - 216 C, XIIᵉ-XIIIᵉ s., des Célestins de Paris.

54. Paris, B.N., lat. 10630, fol. 133-149, XIIIᵉ s.

55. Paris, B.N., lat. 14879, fol. 1-19, XIIIᵉ-XIVᵉ s., des Chanoines réguliers de Saint-Victor.

56. Paris, Sainte-Geneviève, 237, fol. 71-101, XIIᵉ s., de Beaulieu.

57. Prague, Univers., 2492 (XIV.C.25), fol. 130ᵛ-147ᵛ, XIVᵉ-XVᵉ s., ex monasterio S.-Coronae.

58. Reims, B.M. , 452 (E.362), fol. 90 D - 110 C, XIIᵉ s., de Saint-Thierry OSB.

59. Reims, B.M. , 453 (E.358), fol. 107 C - 127 A, XIIᵉ s.

60. Rome, Casanatense, Ms 970, fol. 251ᵛ-272, XIVᵉ s.

61. Rome, Vaticana, Reg. lat. 241, fol. 27-41ᵛ, deuxième moitié du XIIᵉ s., de France.

62. Rome, Vaticana, Vat. lat. 663, fol. 162ᵛ-175ᵛ, XIVᵉ s.

63. Rome, Vaticana, Vat. lat. 5055, fol. 99 C-99 D et fol. 137-152ᵛ, XIIIᵉ s.

64. Rouen, B.M. , 553 (A 452), fol. 207-216ᵛ, XIIᵉ-XIIIᵉ s., de Saint-Ouen OSB.

65. Saint-Omer, B.M. , 139, fol. 130 D - 144 B, XIIe s., de Saint-Bertin OSB.

66. Saint-Omer, B.M. , 143, fol. 87 C - 108 B, XIIe-XIIIe s., de Clairmarais O. cist.

67. Salzbourg, S.-Peter OSB, a.XI.11, pages 102-126, XIVe s.

68. Soleure, Zentralbibl., S.231, n° 10, XVe s.

69. Stony Hurst, College, XVIII, fol. 167^v-182, XVe s.

70. Stuttgart, Landesbibl., H.B.VII Patres 55, fol. 46-51, XIIe s., de Schönthal O. cist.

71. Tolède, Cathédrale, 9.22, non fol., XIVe s.

72. Tours, B.M. , 137 (101), fol. 148-159, XIIe s., de Marmoutier OSB.

73. Trêves, Stadtbibl., 201/1238, fol. 38^v-68, a.D. 1467, d'Eberhardsklausen.

74. Trêves, Stadtbibl., 498/1199, fol. 131^v-162, XVe s., de Saint-Mathias OSB.

75. Troyes, B.M. , 134, fol. 131 A - 142 A, XIIe s., de Clairvaux O. cist.

76. Troyes, B.M. , 497, fol. 160-179^v, XIIIe s. (a.D. 1220), de Clairvaux O. cist.

77. Troyes, B.M. , 852, fol. 195 C - 208 C, deuxième moitié du XIIIe s.

78. Troyes, B.M. , 1267, fol. 113-147, XVe s., de Clairvaux O. cist.

79. Troyes, B.M. , 1510, fol. 305-311, XVe s., de Clairvaux O. cist.

80. Utrecht, Univers., 1.L.18 (160), XIVe s., donné à la chartreuse de Saint-Sauveur par Henri Walvisch, chanoine régulier de Windesheim.

81. Utrecht, Univers., 4.E.8 (159), non fol., XVe s., de la chartreuse d'Utrecht.

82. Vienne, Schottenstift OSB, 191 (53.b.3), fol. 99-123, XVe s.

83. Wolfenbüttel, Bibl. Augusta, 152 Helmst, fol. 215^v-227, XVe s.

84. Wurzbourg, Univers., M. ch.q. 87, fol. 167-212, XVe s.

85. Zwettl O. cist., Stiftsbibl., 56, fol. 80-93^v, XIIIe s.

86. Zwettl O. cist., Stiftsbibl., 306, fol. 88-115, XIIe-XIIIe s.

La tradition manuscrite prouve que le *De Colloquio* a été, depuis le XIIᵉ siècle jusqu'au XVIᵉ siècle inclusivement, souvent copié et, sans doute, beaucoup lu.

À s'en tenir aux plus anciens manuscrits, ceux du XIIᵉ et de la première moitié du XIIIᵉ siècle, l'œuvre est conservée dans vingt-six d'entre eux. Si l'on néglige les simples recueils d'extraits (n° 5, 70 et 76), le n° 36 incomplet de la fin, et les manuscrits qui ne portent pas la lettre d'envoi (n° 38, 58, 59, 64 et 72), il reste dix-sept manuscrits. Que disent leurs titres et rubriques concernant l'auteur de la lettre d'envoi et celui du texte ?

Pour ce qui est de la lettre d'envoi, trois manuscrits l'attribuent à *Gaufridus* (n° 14, 63, 66) et un, après grattage, à l'abbé d'Igny (n° 75) ; un manuscrit l'attribue à Bernard (n° 47) ; enfin un autre manuscrit porte un titre général englobant à la fois la lettre d'envoi et le texte de l'œuvre sous la rubrique : *Tractatus Bernardi* (n° 27).

Quant au texte, on trouve trois fois le titre : *Dicta Bernardi* (n° 24, 47 et 86), et les rubriques suivantes : *Excerptiones ex opusculis Bernardi* (n° 14), *Excerptum ex opusculis Bernardi* (n° 75), *Liber collectus ex dictis Bernardi* (n° 23 et 65), *Sententie ex opusculis Bernardi* (n° 2). Un seul (n° 14) dit clairement que cette « collection » est le fait de Geoffroy, et le n° 75 qu'elle est l'œuvre de l'abbé d'Igny. La teneur de la lettre d'envoi atteste que son auteur est aussi le responsable de la collection qui suit. Les rubriques, relativement nombreuses, qui parlent d'extraits des « opuscules » de Bernard ou de ses « dicts », laissent entendre qu'il n'est pas l'auteur de la « collection ». Or le seul autre nom d'auteur mentionné par les manuscrits est celui de Geoffroy (d'Auxerre) qui fut abbé d'Igny vers 1157-1162. Donc l'auteur de la lettre d'envoi et du livre qu'elle précède est Geoffroy d'Auxerre, ce que tout le monde accorde de nos jours.

Le terme de *Declamationes,* que l'on trouve dans l'édition de Migne, ne se rencontre que dans deux témoins du XIVe siècle : les manuscrits n° 44 : Mantoue *(Incipit prologus in declamatorias B. abbatis)* et n° 62 : Rome *(Declamationes de colloquio).* Ce titre, si rare et si tardif, ne peut être tenu pour original, même s'il se fonde sur une expression de la lettre-préface : *cuiusdam copiosi declamatorii sermonis instar.*

Les titres et rubriques, la teneur de la lettre d'envoi posent le problème de l'origine des textes rassemblés dans cette « collection ». La plupart des manuscrits, dont bon nombre d'anciens témoins, affirment qu'il s'agit d'extraits des « opuscules » de Bernard. Dans la lettre d'envoi, telle que la donne Migne, l'auteur dit de son côté : *e multis sermonibus sancti Patris nostri, quorum digna satis laus est in ecclesia, quae huic videbantur aptae negotio, noveris decerpsisse sententias.* Sans compter la difficulté que soulève la différence entre les *sermones* de cette phrase et les *opuscula* des rubriques, le pluriel *e multis sermonibus* semble bien contredire l'hypothèse d'une reportation *du* sermon de Cologne. Par ailleurs, en milieu cistercien et sous la plume de Geoffroy d'Auxerre — auteur de tant de textes à la gloire de Bernard —, le *sanctus Pater noster* peut-il désigner quelqu'un d'autre que l'abbé de Clairvaux ? D'où les rubriques des manuscrits et l'idée qu'il faut chercher les sources du *De Colloquio* dans l'œuvre connue ou perdue de Bernard. — Les manuscrits ne portent pas l'adjectif *sancti,* qu'il faut donc supprimer. De plus, certains témoins donnent ici une variante d'importance : au lieu de *Patris nostri,* ils écrivent *patrum nostrorum* [16].

---

16. La leçon *patris nostri* a été vulgarisée par dom Mabillon qui avait une grande admiration pour saint Bernard. Le P. Étienne, de Notre-Dame-des-Neiges, — à qui j'exprime ici ma gratitude — a vérifié que, dans les éditions de 1620 et de 1640 des œuvres de Bernard, le

Plusieurs raisons portent à croire que cette dernière leçon est la bonne. D'abord, dans le texte selon Migne, l'incise *quorum digna satis laus est in ecclesia* ne peut avoir pour antécédent que *sermones*. Sans doute, cette lecture n'est pas dénuée de sens, mais on conviendra que l'incise est plus pertinente si elle se rapporte à « nos Pères ». Ensuite, la leçon *patrum nostrorum* est une leçon *difficilior,* en ce sens qu'il est plus facile d'expliquer, en milieu cistercien de la fin du XIIᵉ siècle, la correction de *patrum nostrorum* en *patris nostri* que le contraire. Et surtout, si Geoffroy se bornait à citer Bernard ou à rapporter la substance de ses sermons, aurait-il l'audace d'inviter le destinataire de l'œuvre à en corriger le fond *si qua deprehenderis digna reprehensione... id quidem de sententia dixerim,* et de supposer, pour ce qui est de la forme, qu'on puisse l'accuser d'employer des *sermonibus imperitis ?* Ces suppositions, qui attestent l'humilité de Geoffroy, sont toutes à son honneur si elles visent une œuvre qui lui est propre ; elles auraient, étant donné leur caractère public, quelque chose d'injurieux pour Bernard si elles visaient les propos de l'abbé de Clairvaux. Enfin, s'il s'agissait bien d'extraits d'œuvres de Bernard, il devrait être possible d'en donner les références. Or, si l'on excepte les lieux communs et les thèmes partout traités à l'époque et dans le milieu monastique cistercien, nul parallèle de quelque importance entre le *De Colloquio* et des œuvres de Bernard n'a jamais été mis en évidence.

texte porte *sed e multis sermonibus patrum* : de même dans celle de 1687 de Hostius qui signale en marge la leçon au singulier. Celle de 1690 due à Mabillon a consacré la leçon *patris nostri*. La leçon *patrum nostrorum* est attestée dans les manuscrits : Heiligenkreuz 227 et Clm 22253 (de Windberg), mais également dans Erlangen 220 et Zwettl 306, comme ont bien voulu le vérifier à ma demande le Dr. Josef Mayr et la Dr. Charlotte Ziegler que je remercie. Par contre Angers 302 (293) et Saint-Omer 139 portent *Patris nostri* comme on pouvait s'y attendre et comme l'ont vérifié pour moi Mr Louis Torchet et Mme Martine Le Maner à qui va toute ma gratitude.

Reste à savoir qui sont ces *patres nostri*. L'adjectif peut faire penser aux « Pères de notre Ordre », c'est-à-dire à d'autres auteurs cisterciens. Cette interprétation n'est pas à exclure, sous réserve toutefois de références — non encore identifiées — à de tels auteurs. Mais il est une autre explication possible, et, jusqu'à plus ample informé, elle paraît la plus obvie, parce qu'elle correspond le mieux à la teneur du *De Colloquio*. Au chapitre VI de son opuscule, Geoffroy emploie le terme *Patres* pour désigner les Patriarches de l'Ancien Testament : *Sed excusant aliqui fortasse dicentes : Abraham, Isaac, Iacob, caeterique sancti numquid non terrenas divitias habuisse leguntur ? Sufficit nobis esse sicut illi fuerunt ; neque enim sumus nos Patribus meliores.* Et plus loin : *et hic ritus Patrum.* Dans le premier sermon pour l'Épiphanie (n. 6), Bernard écrit : *Nec sola haec apparitio* (celle de l'étoile), *sed altera quaedam* (celle de Jésus au Jourdain), *sicut a Patribus nostris accepimus,* et de même, dans le troisième sermon pour la même fête de l'Épiphanie (n. 2), il dit : *Hodie ergo apparitio Domini celebratur, non tantum una, sed trina, sicut a Patribus nostris accepimus.* Il est clair que, dans les deux cas, Bernard fait référence à la tradition chrétienne, aux « Pères de l'Église » que sont au premier chef les différents auteurs des livres de la Bible [17]. Il suffit de lire le *De Colloquio* pour se rendre compte qu'ayant pris pour point de départ l'entretien de Jésus avec Simon-Pierre au sujet des conditions requises pour suivre le Christ, l'auteur a forgé une *catena* de textes scripturaires pour illustrer son discours. « Nos pères », ce sont, pour l'essentiel, les auteurs de l'Ancien et du Nouveau Testament.

17. Voir encore *In Cantica* II, 1-2 : *Ardorem desiderii patrum ;* ces mêmes « Pères » sont appelés *veteres sancti* trois lignes plus loin, et, au paragraphe 2, ils sont nommément désignés : Moïse, Isaïe, Jérémie et tous les prophètes ; et au paragraphe 5 : *et patres nostri annuntiaverunt nobis dicentes : Pax, et non est pax.* Cf. *Recueil* II, 285.

Il est un passage du *De Colloquio* qui a paru faire allusion à un lien entre le traité *De gradibus humilitatis* de Bernard et le sermon de Cologne, lien renforçant l'idée que le *De Colloquio* serait un recueil d'extraits de Bernard. Voici ce passage : *Nunc vero ad initiandos potius sermo dirigitur cuius tota intentio est revocare ad cor praevaricatores. Ceterum habent proficientes editum olim de duodecim gradibus humilitatis ex sermonis occasione libellum quos videlicet gradus ille iustorum omnium spiritu plenus in Regula sua tradit vere per omnia Benedictus* [18].

L'introduction à l'édition du *De gradibus humilitatis* de Bernard dit ceci : « Quand en 1147 ou 1148, Geoffroy d'Auxerre rédigera, d'après la prédication de Bernard aux clercs de Cologne, les *Declamationes de colloquio Simonis et Iesu,* il pourra faire allusion au *De gradibus humilitatis* comme à un livre écrit jadis à l'occasion d'un sermon » [19]. Il nous semble que, par deux fois, le texte est ici sollicité : *editum* devient « édité par moi Bernard », et *ex sermonis occasione* est interprété « à l'occasion du sermon de Cologne ». En fait, le texte dit seulement : « Pour ce qui est d'ailleurs des progressants, ils disposent d'un livret édité naguère à partir d'un entretien sur les douze degrés d'humilité, je veux parler de ces degrés que Benoît, plein de l'esprit de tous les justes et vraiment béni en toute chose, nous a transmis dans sa Règle ». Geoffroy fait sans doute allusion au *De gradibus humilitatis* de Bernard, mais comme à l'œuvre d'une tierce personne, et il renvoie également au chapitre VII de la Règle de saint Benoît : *De humilitate.* Il est remarquable d'ailleurs que l'auteur du *De Colloquio* cite neuf fois la Règle de saint Benoît, dont six fois le chapitre VII. L'expression *ex sermonis occasione* interprétée : « à l'oc-

---

18. *De Colloquio,* fin du ch. 37, 17-22.
19. *Opera* III, p. 4, avec renvoi à « Saint Bernard et ses secrétaires », dans : *Recueil* I, 16-20.

casion du sermon (de Cologne) » a contribué à accréditer l'hypothèse selon laquelle le *De Colloquio* serait une *reportatio* du sermon de Bernard à Cologne. Mais, cette hypothèse n'étant pas fondée, il est clair que l'expression *ex sermonis occasione* ne peut servir à l'étayer. Quant à *sermo,* il n'a pas toujours le sens de « discours public ». Selon Isidore de Séville, il signifie d'abord « entretien », « dialogue » et désigne aussi bien une « conférence » monastique qu'une « prédication [20] ».

Le destinataire de l'opuscule, Henri de Pise, est sous-diacre de l'Église de Rome quand Geoffroy lui adresse vers 1147-1148 le *De Colloquio* comme une exhortation à « se convertir ». C'est ce qu'il fera en entrant à Clairvaux dès 1148. Il deviendra par la suite abbé du monastère cistercien des Saints Vincent et Anastase à Rome, puis cardinal-prêtre du titre des Saints Nérée et Achillée. C'est au cardinal que Bernard écrira l'Épître 295 en faveur de l'évêque du Mans, Guillaume de Passavant, vers 1150 [21].

LE TEXTE

Lors de la préparation de l'édition de saint Bernard, un certain nombre de manuscrits du *De Colloquio* avaient été collationnés sur l'édition de Mabillon (Migne, P.L. 184, 435-476). Ces collations ont été généreusement mises à ma disposition. À partir d'elles et sur l'accord de l'ensemble des manuscrits collationnés, j'ai élaboré un texte de travail. Mais, des collations qu'on n'a pas faites

---

20. Isidore de Séville, *Etymologiarum* lib. VI, viii, (Lindsay, Oxford 1911, I) : *Nam quos Graeci dialogos vocant, nos sermones vocamus. Sermo autem dictus quia inter utrumque seritur... Sermo enim alteram eget personam...*
21. Cf. *PL* 185, 590 A.

soi-même étant difficilement utilisables, j'ai, pour les raisons que j'ai dites ci-dessus, choisi huit manuscrits anciens que j'ai entièrement collationnés. Ce sont, dans
l'ordre alphabétique des sigles qui servent à les désigner,
les manuscrits suivants :

A : Douai, B.M. 372 III, XIIe s., d'Anchin OSB. Fol. 104-114 :
Incipit prefatio in sequenti opere. Ut tibi dlme... -... non
admittat. *Explicit prefatio. Incipiunt capitula* (59 numéros).
*Incipit liber de lectione evangelica Ecce nos reliquimus omnia,
collectus ex dictis domni Bernardi abbatis Clarevallis.* Dixit
Symon... Ecce nos... Fidelis sermo... -... abundantius habeamus. (Le texte porte 60 paragraphes numérotés de I à
LX). *Explicit liber de lectione evangelica : Ecce nos reliquimus omnia, collectus ex dictis domni Bernardi venerabilis
abbatis Clarevallis.* — Inséré dans une suite de sermons
divers.

Cl : Troyes, B.M. , 134, XIIe s., de Clairvaux O. cist. Après
une série de sermons « de sanctis » : Fol. 131 A - 142 A :
[Dans un renvoi à la marge de droite, on lit] *Incipit
opusculum* [abbatis Igniacensis (sur grattage)] *ad Henricum
cardinalem super : Dixit Symon Petrus ad Ihesum [excerptum e multis opusculis beati Bernardi* (ajouté de la même
main et de même encre que : *abbatis Igniacensis*)]. *Ad
Henricum romane curie cardinalem.* Ut tibi dlme... -... non
admittat. *Sermo de verbis evangelii : Dixit Symon Petrus ad
Ihesum* [60 chapitres avec leur rubrique]... -... et habundantius habeamus ICDN. [in marg. : *Explicit opusculum (abbatis igniacensis,* sur grattage) *super : Dixit Symon Petrus
ad Ihesum*]. Suit le *De Conversione* de Bernard (Opera IV,
69-116).

Cm : Saint-Omer, B.M. , 143, XIIe-XIIIe s., de Clairmarais O.
cist. Après des sermons liturgiques, des Paraboles de Bernard et le *De Conversione* (Opera IV, 69-116) : Fol. 87 C
- 108 B : *Prologus domni Gaufridi monachi postmodum abbatis Clarevall. ad Henricum Pisanum romane curie cardinalem.* Ut tibi dlme... -... non admittat. *Incipiunt capitula :*
I De Colloquio Symonis et Ihesu... -... LVIIII De vita

aeterna. Dixit Symon... Ecce nos... Fidelis sermo... -... et
abundantius habeamus. — Suivent des sermons divers de
Bernard.

Cr : Bruxelles, B.R., 11285-86 (cat. 1473), XIIe-XIIIe s., de
Sainte-Croix de Namur. Fol. 1-24^v : *Incipit prologus Gaufridi
ad Henricum cardinalem.* Ut tibi dlme... *Explicit prologus.
Incipiunt exceptiones ex opusculis beati Bernardi super evangelium : Ecce nos reliquimus, collecte a domno Gaufrido de
Claravallensium abbate et directe ad Henricum romane curie
cardinalem. Dixit... Ecce... Fidelis sermo...* (57 titres) —...
habundantius habeamus IC... Amen. *Explicit tractatus Gaufridi super evangelium : Ecce nos reliquimus.* — Suit le *De
Conversione* de Bernard, incomplet par lacune matérielle.

R : Rome, Vaticana, Vat. lat. 5055, XIIIe s. Fol. 99 C - 99 D
[Ut] Tibi dlme... -... quippe et metum hunc... (cette lettre,
prologue du *De Colloquio,* est rayée et immédiatement
suivie de quelques sermons anonymes pour l'Ascension et
la Pentecôte, et des premiers sermons liturgiques de la série
bernardine). Fol. 137-152^v : *Incipit prologus domni Gaufridi
abbatis super : Dixit Simon Petrus.* Ut tibi dlme... -... habeamus. *Explicit expositio super : Dixit Simon Petrus ad
Ihesum.*

Rg : Rome, Vaticana, Reg. lat. 241, deuxième moitiée du XIIe s.
— Après des sermons de Bernard. Fol. 27-41^v : *Ad Henri-
cum romane ecclesie cardin. sermo de verbis evangelii :* ...
Dixit Simon Petrus. — Suit le *De Conversione* de Bernard.

Sc : Heiligenkreuz O. cist., 227, XIIe s. Fol. 1^v-24 : Ut tibi
dlme... (capitula I-LVIII)... Dixit Symon... Fidelis sermo...
-... habeamus.

W : Munich, Clm 22253, XIIe s., de Windberg O. praem. —
Fol. 18-47 : *Incipiunt prologus Bernhardi abbatis Clarevall.*
Ut tibi dlme... *Incipiunt capitula I-LVIII. Incipiunt dicta
domni Bernhardi abbatis Clarevallensis super verba evangelii :
Dixit Symon Petrus ad Ihesum : Ecce nos...* Dixit Symon...
Fidelis Sermo... -... habundantius...

La collation de ces huit manuscrits fait apparaître trois
groupes relativement bien caractérisés :
I = *A Cm Cr.* — II = *Cl R Rg.* — III = *Sc W.*

Dans la mesure où les manuscrits sont localisés, ces trois groupes correspondent à trois aires géographiques différentes : I à la Flandre, II à la zone claravalienne, III à la « zone d'influence de Morimond » en pays germanique.

La cohésion plus marquée du groupe III tient peut-être au simple fait qu'il n'est représenté ici que par deux manuscrits. Dans les deux autres groupes aussi, deux des trois manuscrits ont davantage d'affinités : *A Cr* dans le groupe I et *Cl Rg* dans le groupe II. *Cm* se rapproche souvent du groupe II et *R* du groupe III.

Ces indications ne prétendent nullement rendre compte de l'ensemble de la tradition manuscrite du *De Colloquio* ; elles dessinent simplement le schéma à partir duquel elle s'est constituée et que l'on peut figurer par le stemma ci-après :

Le fait que *Sc* et *W* donnent, dans le prologue, comme nous l'avons vu, la bonne leçon : *Patrum nostrorum,* ne suffit pas par lui-même à imposer leur texte comme étant

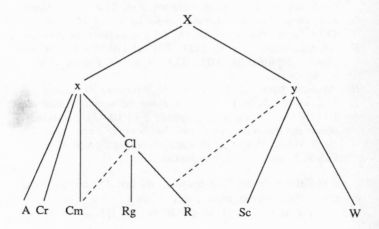

nécessairement le meilleur. Nettement différent de celui des deux autres groupes, il représente assurément une tradition particulière, mais limitée dans l'espace, et porte à maintes reprises des traces de corrections dont il est visible qu'elles vont dans le sens de la facilité. Considérant par ailleurs que les éléments du groupe I *(A Cm Cr)* ont plus de cohésion entre eux que ce n'est le cas dans le groupe II *(Cl R Rg)*, il m'a paru légitime de donner la préférence au groupe I, et ce, en dépit de l'importance que garde *Cl.*

Voici quelques variantes propres à *Sc W* qui montrent que le texte de cette tradition est un texte dérivé :

Prol., 27 : Là où les autres manuscrits portent *cogitarim, Sc W* donnent *commemorarim,* plus lourd de forme et moins pertinent quant au sens.

Capitula, 26 : La lecture *temporum* propre à *Sc W,* qui la maintiennent dans le texte, semble bien être une erreur de lecture — paléographiquement explicable — à partir d'*impiorum.* Le chapitre 26 cite (en **31**, 4) l'Écriture : *ambulant impii in circuitu* qui donne le titre du chapitre.

1, **1**, 5-6 : La substitution de Mt 9, 13, auquel on fait subir une modification pour mieux l'adapter au contexte (*oboedientiam,* au lieu de *misericordiam*), à 1 S 15, 23 venant après 1 S 15, 22 est de toute évidence une facilité qui dénote l'altération du texte initial.

1, **1**, 23 : La conversion des âmes est un processus qui effectivement trouve son dynamisme dans une sainte émulation entre ceux qu'a touchés la parole vivante et efficace. La « consommation » ne sera que pour plus tard, quand la *promissio* sera accomplie. Là encore la leçon de *R Sc W* paraît moins bonne.

3, **3**, 3-5 : Dans *Sc W,* omission par homéotéleute qui atteste l'authenticité du texte qu'elle ampute.

5, **5**, 24 : La phrase propre à *Sc W* non seulement est inutile, mais elle rompt l'argument : ils sont heureux ceux qui n'ont pas de bagages ; en effet il leur faudra emprunter un étroit passage.

6, **6**, 1 : Le *se excusant* est encore une leçon plus facile que le simple *excusant* pourtant très correct.

6, **6**, 6 : *gratiam* est mieux en situation que *gloriam*.

6, **6**, 22 : Omission par passage du même au même, corroborant le bon texte.

11, **12**, 1 : *delectationem* de *Sc W* n'a pas sa place ici : c'est d'élection à une fonction cléricale qu'il est question.

L'ŒUVRE

Genre littéraire et destinataire

L'auteur nous présente son œuvre comme une exhortation (*exhortatio,* Prol. 1 et 37), un plaidoyer (*declamatorii sermonis,* Prol. 9), un texte d'édification (*aedificationis pagina,* Prol. 27). Effectivement, à partir de la question de Pierre et de la réponse de Jésus (Mt 19, 27-29), Geoffroy écrit un appel pressant à tout quitter pour suivre le Christ. Il précise les exigences d'un renoncement vrai et total tant pour les clercs que pour les moines. Il réfute les objections, dénonce les faux-fuyants, présente des arguments, se fait tour à tour menaçant, ironique, pathétique, lyrique même ; bref : il met en œuvre toutes les ressources d'un avocat persuasif qui connaît bien l'art de convaincre. Il s'agit en effet d'un plaidoyer.

À qui le destine-t-il ? Au chapitre 35, il écrit : « Voilà ce que je voulais vous dire, frères, pour que vous sachiez quels sont les deux côtés de l'échelle qu'on propose de monter à ceux qui veulent suivre le Seigneur ». Il parle donc à des « frères », mais le terme est trop vague pour qu'on en puisse tirer des conclusions précises. Par contre, la mention de l'échelle, annonçant le long développement (chap. 36-40) sur ce thème — classique dans la littérature ascétique, voir Jean Climaque (v. 579-654) — dont il explique (chap. 38) la transposition bénédictine, renvoie ici et de façon incontestable à la Règle de Benoît de Nursie (v. 520-575). Au chapitre 7 de cette Règle, Benoît, évoquant l'échelle de Jacob dressée vers le ciel, détaille les douze degrés que toute la vie spirituelle consiste à gravir. De plus, au chapitre 37, Geoffroy précise et le sens de son travail et l'identité de ses destinataires, en ces termes : « C'est plutôt à des commençants *(initiandos)* que s'adresse ce discours *(sermo dirigitur)* dont toute l'intention est de " rappeler les prévaricateurs à leur propre cœur " (Is 46, 8) ». L'expression *sermo dirigitur* qu'emploie ici l'auteur et au moment où il va explicitement faire référence à la Règle de saint Benoît, renvoie là encore au Prologue de cette même Règle : *Ad te ergo nunc mihi sermo dirigitur* (Prol. 6, d'après l'édit. de C. Butler, Fribourg-en-B. 1927). Quant aux *initiandos,* il s'agit d'un terme quasiment technique pour désigner ceux qui entrent dans la voie spirituelle. On est donc enclin à penser que l'auteur s'adresse à de jeunes moines suivant la Règle bénédictine. Comme enfin il les appellera *dilectissimi* (chap. 55, 67 début), rien n'empêche de croire que Geoffroy écrivant ce livret pense d'abord à ses jeunes frères cisterciens. Toutefois le chapitre sur les « imparfaits » (chap. 8), d'une part, et, d'autre part, les longues dénonciations des vices du clergé (chap. 9-20), comme le rappel circonstancié de l'idéal du bon pasteur (chap. 21-22), interdisent d'être exclusif sur ce point. En fait, Geoffroy s'adresse à tous, quel que soit leur état, et rappelle les exigences qui s'imposent, selon la diversité de leur condition, à tous ceux qui, parce qu'ils sont chrétiens, sont appelés à suivre le Christ.

Analyse de l'œuvre

Le genre littéraire de cette œuvre se prête mal à un exposé systématique. Il ne faut donc pas y chercher un plan logiquement organisé, mais plutôt suivre le cheminement de la pensée de l'auteur, en notant au passage les objections et leur réfutation, les digressions et les retours au texte de départ : Mt 19, 27-29.

L'obéissance est la condition fondamentale pour écouter la parole de Dieu. Celle-ci nous appelle à la conversion par la pauvreté volontaire (1). Il s'agit de se dépouiller de tout, y compris du désir de posséder, pour pouvoir suivre le Christ qui bondit comme un géant (2). Mais, plus encore, il importe de se dépouiller de soi-même, et d'abord du joug des cinq sens et de leurs appétits. Se référant à Lc 14, 19, où quelqu'un, appelé à suivre le Christ, prétexte pour s'en dispenser qu'il vient d'acheter cinq paires de bœufs, Geoffroy argumente comme suit : Passe encore de subir ces jougs — comment faire autrement ? —, mais les acheter et en acheter cinq, alors que, gratuitement, le Christ nous offre son unique joug léger, qui, loin de nous être onéreux, nous vaudra une récompense, n'est-ce pas là folie ? (3).

Être asservi aux vices est bien pire que de l'être aux sens, car il ne s'agit plus alors de jougs de bêtes, mais de jougs de démons. Leurs contradictions sont affligeantes pour l'esprit (4). Leur unique racine : la volonté propre, avec ses deux filles : vanité et volupté, qui sont insatiables comme des sangsues. Débarrassons-nous de ces fardeaux encombrants pour pouvoir passer par la porte étroite (5).

En guise de conclusion à ce qu'on peut considérer comme un exorde, est soulevée la première objection : Les Pères de l'Ancien Testament ont bien possédé des richesses temporelles ; pourquoi nous en priver, nous qui ne sommes pas meilleurs qu'eux ? Geoffroy répond, avec Paul (1 Co 14, 11), que cela leur arrivait « en figure ». Car, par une sage « économie », Dieu, en bon pédagogue, s'adaptait à leur faiblesse. Mais les spirituels ont à rechercher les biens spirituels (6). Ayant terminé sa démonstration par une citation de Jérôme où, de façon peu amène, il est question des juifs, l'auteur, pour mieux faire saisir la différence entre les deux Testaments, oppose la marche des enfants d'Israël dans la boue d'une mer mise à sec à celle de Pierre sur les eaux du lac (7).

Avant d'entrer dans le vif du sujet, Geoffroy pose la distinction entre « un conseil de perfection et un remède à l'infirmité ». Que ceux qui ne peuvent comprendre l'appel à la pauvreté volontaire partagent du moins leurs biens (le mammon d'iniquité) avec les pauvres, vêtent qui est nu, nourrissent les affamés, visitent les malades (8).

La première partie de l'œuvre s'adresse aux clercs.

Le devoir que l'on fait aux laïcs de donner aux pauvres comporte, pour les gens d'Église qui reçoivent ce dépôt à distribuer, le risque de le confisquer à leur profit (9). Leur état les dispense des labeurs, des soucis, des dangers, des difficultés qui, pour le commun des mortels, sont la condition même de leur vie (10). La cléricature est donc « une bonne place » qui n'est légitime que pour ceux qui en assument les trois exigences : conduite exemplaire, prédication, oraison, à condition encore que, loin de s'arroger cet honneur, ils soient appelés par Dieu (11).

L'auteur prévient une objection : De quel droit se permet-il de dénoncer les vices du clergé ? — Je ne révèle rien, répond-il ; tout le monde est au courant et « après tout, nous aussi nous avons été clerc, qu'on nous permette donc du moins de faire notre propre examen » (12).

Il reprend le fil de son discours : il faut être appelé par Dieu et ne pas s'introduire parmi les clercs par des manœuvres commandées par des intérêts humains (13). Supposée une entrée correcte en cléricature, il faut encore craindre qu'ayant commencé par l'esprit, on ne finisse

par la chair (14). Car on se flatterait en vain d'être
« entré par le Christ », si l'on manquait des quatre vertus
morales de prudence, tempérance, justice et force (15),
nécessaires pour paître convenablement le troupeau du
Seigneur et faire pénitence pour ses péchés. Geoffroy
rappelle le compte à rendre au tribunal de Dieu (16). Si
le pasteur s'acquitte bien de ses fonctions, il a droit à
un salaire, comme tout bon ouvrier : qu'il vive de l'autel,
mais n'en prenne pas occasion « d'orgueil, ni de luxure,
ni de richesses enfin » (17). Il lui est bon d'éprouver les
verges et le bâton. Car Dieu reprend et corrige celui qu'il
aime. Mais il se désintéresse des « endurcis » (18). Or on
ne peut être ami de Dieu, si on est ami du monde par
la volupté des sens, par la vanité extérieure et par
l'élèvement du cœur. Céder à ces convoitises, ce serait le
comble de l'inimitié pour un prêtre qui a reçu l'office de
la réconciliation et le nom de médiateur (19). Comment
en effet, étant au service de Dieu, ne serait-il pas impu-
dent de vivre dans de tels vices tout en se flattant que
Dieu ne lui en demandera pas compte ? (20). « Il occupe
un emploi céleste, il a été fait ange du Seigneur ». Or il
faut que la dépravation qui se trouve chez les anges soit
plus sévèrement jugée que l'humaine et de façon plus
inexorable (21). Il ne sied donc pas au clerc de refuser
le labeur des hommes et leur sueur (22).

Certains objecteront sans doute : « En quoi péchons-
nous ? Nous possédons licitement nos biens... nous abstenant de larcins ». La réponse vient d'Abraham, ou
plutôt du Dieu d'Abraham. Que reprochait-il au mauvais
riche ? D'avoir acquis sa fortune par rapines ? Non, mais
simplement « qu'ayant du bien en ce monde et voyant
son frère dans le besoin, il lui a fermé ses entrailles »
(23).

En conclusion : ceux qui se sont refusés toutes les
bonnes choses de la vie présente recevront tous les biens

du Seigneur et entière consolation. Avec le chapitre 23 s'achève la première partie de l'œuvre. La seconde partie commence par un retour à la question initiale de Pierre, ou plus exactement par une objection à cette question : « Comment Pierre, dont on sait qu'il n'avait presque rien, se glorifie-t-il avec tant d'assurance d'avoir tout quitté » ? La réponse, empruntée à un saint anonyme, est qu'« il a beaucoup laissé celui qui a renoncé à la volonté de posséder » (24). Car un tel appétit est insatiable, et, pour preuve, l'auteur raconte un de ses rêves, d'où il résulte que « rien de ce qui est moins que Dieu ne pourra rassasier l'âme, qui est capable de Dieu » (25). On tourne en rond, quand, poursuivant des biens médiocres, on désire au fond le bien suprême. Pour échapper à ce cercle vicieux, il faut bondir au dehors et se convertir (26). Il faut se convertir sans différer (27) et sans rien se réserver (28).

Alors commence le chemin de la perfection. Le but en est la nouvelle régénération, après celle de l'âme par le baptême (29). Il faut cultiver l'âme à présent, car le jugement de la chair en dépend (30).

Poursuivant son commentaire (Mt 19, 28), Geoffroy rencontre le terme « siéger » : « Lors de la régénération, quand le Fils de l'homme siègera sur le trône de sa majesté... » Cette « session » lui inspire un long développement (31-35). Présentement, ce n'est pas le temps de s'asseoir, de même que le Christ, sur terre, n'a pas eu le temps de se reposer (31). Et pourtant quelle aspiration de tout l'être à s'asseoir ! (32). Il y a deux étapes dans la session : la première délivre de la crainte, laissant encore l'espérance en attente (33) ; la seconde transformera notre corps mortel et passible en immortel et impassible (34). Quand cela sera-t-il ? Pour le moment le Christ lui-même se tient encore debout, parce que la Tête attent ses membres. Et l'auteur achève ce chapitre (35) en annonçant le thème de l'échelle dont il faut gravir les échelons pour parvenir jusqu'à Dieu.

Le thème de l'échelle est traité tout au long des chapitres 36 à 40, où il est question de ses montants (36), de ses degrés (37), de son origine bénédictine (38), de ses bases (39) et de ses sommets (40). Sous la métaphore de la « session » (31-35), l'auteur a déjà évoqué la vie future et ses joies, comme pour encourager les commençants à qui il rappelle ensuite, à travers l'allégorie de l'échelle, les étapes de la vie spirituelle et ses exigences : éliminer les vices et dominer ses sens (36), acquérir et conserver les vertus (37) dans la sobriété pour soi-même, dans la justice pour autrui et dans la piété pour Dieu (38), et suivre le Christ jusqu'à la Croix (39). Mais le Christ n'a pas seulement donné l'exemple, il a aussi promis des récompenses. C'est à cette rétribution que l'auteur consacre la fin de son opuscule où il dévoile quelques-unes de ses idées sur l'eschatologie.

L'attrait de cette rémunération devrait être efficace pour nous qui sommes si foncièrement avides et de gloire et de volupté, puisqu'elle nous apportera la délectation des biens célestes et la grandeur liée au pouvoir de juger (40), et de juger non seulement tous les hommes, mais encore les anges eux-mêmes (41). C'est là une gloire bien digne de ceux qui ambitionnent de grandes choses ; c'est « la gloire singulière des parfaits : non seulement ils se distinguent des fidèles, mais par l'autorité du pouvoir judiciaire ils ont prééminence sur tous les autres qu'il faut sauver » (42). Et le Seigneur de se plaindre de ce que nous hésitions à obéir à celui qui fait de telles promesses (43).

Les « séculiers » objectent qu'il leur est intolérable de se priver des joies terrestres avant d'avoir obtenu celles du ciel, et ils diffèrent leur conversion estimant qu'elle ne presse pas. — Raisonnement pitoyable ! au regard de l'incertitude de la fin, de la brièveté de nos peines présentes et de l'éternité de la récompense future (44). D'autant plus que le Christ ne nous fait pas attendre la récompense jusqu'à la vie éternelle, puisqu'il nous promet aussi et d'abord le centuple en cette vie, même si ce centuple est assorti de « persécutions » (45). Du moment qu'il s'agit du centuple, pourquoi tarder à laisser le simple pour le centuple ? On ne refuserait pas un tel marché à un homme ; pourquoi le refuser au Seigneur ? Est-ce par manque de foi ? Mais est-il si difficile d'admettre qu'il puisse nous donner le centuple ici-bas, celui qui nous donnera la vie éternelle dans l'autre monde ? (46). L'incrédule insiste : Est-il vraisemblable qu'on reçoive le centuple justement quand on se dépouille de tout ? — Nouveauté, certes ! mais qu'attendre d'autre de celui qui fait toute chose nouvelle ? De même qu'il rend léger le joug, il nous fait riches du centuple quand nous nous faisons pauvres pour le suivre. Notre labeur est fictif : c'est ce que signifie l'onction des croix dans le rite de la dédicace, qui joint la douceur de l'huile à l'horreur de la Croix ; c'est ce qu'illustre le pseudo-sacrifice d'Isaac (47). Comme la fille du roi dans le Cantique des cantiques est noire à l'extérieur et belle à l'intérieur, les parfaits apparaissent, aux yeux qui ne voient que l'extérieur, tristes, pauvres et quasiment morts, alors qu'en réalité, ils sont joyeux, riches et bien vivants (48). Or ceux qui sont tellement fascinés par les dehors sont vides à l'intérieur : comme le fils prodigue, hors de la maison de son père, éprouve la faim ; comme le paresseux qu'on couvre d'excréments qu'il prend pour ornements (49). Ce vide intérieur entraîne l'insensibilité de la conscience. On se jette sur des consolations extérieures, on se ment à soi-même, parce que le ver de la conscience ronge et que ce tourment est intolérable (50). Au contraire, « l'âme qui est proche d'elle-même » et « fait l'expérience de ses propres

biens » jouit des délices spirituelles d'autant plus intensément qu'elles la touchent de plus près. L'esprit a plus
de joie des biens spirituels que des corporels (51). Sans
doute, ici-bas, « nul n'échappe à sa prison, ni à la croix »,
puisque nous sommes tous pécheurs. Mais il suffit de
reconnaître : « pour nous c'est justice » et, comme le
larron crucifié avec le Christ et comme l'échanson emprisonné avec Joseph, nous seront sauvés (52). Nul n'est en
droit de désespérer. Dieu ne fait pas acception des personnes. Le Christ n'excepte personne : « Tout homme...
recevra le centuple ». Douter serait mentir (53).

Encore une objection : Certains ont tout quitté et puis
sont revenus à leur vomissement. Comment avaient-ils
reçu le centuple ? — Nul n'est exclu du collège des
disciples, sinon celui qui tient la cassette et y garde sa
propre volonté. La moindre miette qu'on se réserve
corrompt toute la pâte : il faut vraiment tout quitter (54).

De même on ne peut recevoir la consolation divine, si
l'on en accepte une autre. Et s'il est insensé, celui qui
refuse de recevoir le centuple, il est plus fou encore, celui
qui, l'ayant reçu, veut y renoncer (55).

Le centuple est pour le temps du voyage (56). Certains
doutent, disant : « Montre-moi le centuple que tu promets
et volontiers je quitte tout. » — Mais la foi est sans
mérite quand la raison peut s'appuyer sur l'expérience.
Pourquoi accorder plus de poids aux preuves fournies
par un homme qu'aux promesses de la Vérité elle-même ?
(57). Le centuple donne tout, car il est visite de l'Esprit
et présence du Christ. Suit une litanie à la louange de
ce centuple (58). Expérimenter ce centuple, c'est goûter
que le Seigneur est doux, non pas seulement pour qui le
possède, mais déjà pour celui qui le cherche (59).

S'il est difficile de parler du centuple, combien plus de
la vie éternelle. Elle excède toute pensée, elle surpasse
tout désir. Que Dieu veuille nous l'accorder (60).

Les idées de Geoffroy

Plus qu'une méthode de vie spirituelle, le *De Colloquio* est une parénèse, un encouragement à suivre le Christ. On ne s'attend donc pas à y trouver des développements doctrinaux. Pourtant, au cours de sa chaleureuse exhortation, Geoffroy laisse parfois entrevoir ce qu'il pense de Dieu et des anges, de l'homme et de la société de son temps, en particulier des clercs et des pasteurs, de l'eschatologie. Voici donc, regroupées par thèmes, quelques unes des idées qu'il a formulées au cours de son plaidoyer (les chiffres renvoient aux numéros des chapitres).

1. *Dieu* est la Vérité, celui qui est (41). Il est esprit (7). Il est le bien suprême (26). Il est le maître du temps (44). Sa volonté est cachée (15). S'il est doux pour qui le possède et même déjà pour qui le cherche (58), il ne laisse pas d'être terrible en ses jugements et en ses conseils (16, 23). Il existe une colère et même une haine de Dieu pour le mal (20).

Dieu est *Père* (17), plein de charité (19). Il sait de quoi nous sommes faits et tient compte de notre faiblesse (44) ; il s'adapte aux temps des hommes : c'est ce qu'on appelle l'« économie divine » (6). Il est véridique dans ses promesses, et le Dieu des vertus est source de toute vraie joie (53).

Le *Christ* est homme (3), le Fils de l'homme (35), mais en même temps l'« Ange du Grand Conseil » (5, 27), l'« Agneau immaculé » (12), le « véritable Joseph » (52), le Sauveur venu d'abord sauver les âmes en ôtant les péchés (29). Pour cela il a connu les opprobres de la Passion (35, 39, 41), mais sa Croix n'est pas sans douceurs (47). Son corps glorifié est le modèle auquel notre propre corps sera conformé après la mort (34). Bien qu'il soit déjà assis en majesté, il reste pourtant « d'une certaine manière » encore debout, car la Tête, qu'il est, attend ses membres, que nous sommes (34).

L'*Esprit,* générateur de joie (58, 59), est celui de qui nous renaissons (29). Il est le guide dans la montée spirituelle (37). Il est le Paraclet (58), c'est-à-dire le Consolateur. L'idée de consolation divine revient très fréquemment dans le texte du *De Colloquio.* L'Esprit est le centuple qui nous comble (58). C'est lui enfin qui nous dira de nous reposer dans la béatitude (31).

2. *La grâce* est spirituelle, et comme la marque, chez les parfaits et les saints, de l'Esprit (48) et de la consolation divine (55). La grâce est à l'œuvre déjà dans l'Ancien Testament (6), mais le Nouveau Testament est à proprement parler l'ère de grâce (7). Elle n'est en rien récompense des œuvres (53). Elle soulage et guérit (60), elle engendre la dévotion (58). Elle est multiforme et comporte bien des degrés (37). Il ne faut surtout pas la refuser (43). Elle est aussi l'un des barreaux de l'échelle spirituelle : un état de l'âme déjà déprise du monde et des sens (36).

3. Les *anges* constituent la cour du Seigneur (12), son conseil (21). Mais il n'y a pas que de bons anges. Il en est de dépravés (21), au service du diable (8) dont le péché est la superbe (21). Le démon est le prince du mal (53), le mauvais par excellence (22). Les démons imposent à l'homme une servitude pire que celle des sens (4). C'est pour eux et non pour les humains qu'ont été préparées les douleurs du feu éternel (22).

4. *L'homme* est né pour travailler ; si la punition divine l'a chassé du paradis, ce n'est évidemment pas pour qu'il

se prépare ici-bas un autre paradis (23, 32). Tout homme
aspire au bien suprême (26). Mais il ballotte de la
prospérité à l'adversité (15) et rien en lui n'est tranquille
(32). L'*âme* rationnelle est faite à l'image de Dieu et rien
ne peut la rassasier, parce qu'elle est « capable de Dieu »
(25). L'âme habite le corps (32) qui est le cheval de l'âme
(51). Elle languit dans le mal et pourtant s'enflamme
pour le bien (32). — L'homme doit renaître deux fois :
renaissance de l'âme par le baptême en attendant la
renaissance du corps dans l'au-delà (29). — L'homme
est doué de *raison*. Il est bon de la consulter, si la foi
s'est totalement endormie (51) ; mais la foi est sans mérite
à laquelle la raison fournit l'expérience (57). Il serait plus
conforme à la raison que le clerc travaille pour vivre que
d'abuser des biens de l'Église (13). Il est par contre
contraire à la nature et donc à la raison de se laisser
emporter pour des riens (36). L'homme a également une
conscience et Geoffroy en appelle souvent à elle (13, 43).
C'est un aiguillon qui nous empêche de céder au sommeil
spirituel (44). Il faut considérer la face de sa conscience
et en tenir compte (19) sans biaiser avec elle (38). C'est
un ver intérieur qui ronge le pécheur (50). Car le *mal* ne
peut être impuni (22). Quant au *péché,* parce qu'il n'est
rien, aucun filtre ne peut le retenir — pas même la porte
étroite de la mort —, de sorte que, même dans l'au-delà,
il adhèrera comme une peau (14) à celui qui ne s'en est
pas défait.

5. *L'eschatologie.* L'attente eschatologique est souvent
évoquée à travers le petit mot *interim* (voir index des
mots). Après la *mort* qu'il faut craindre (32), nous serons
jugés. Ce *jugement* est terrible (13, 23), grave (16), sévère
surtout pour ceux qui président (21). Le jugement de la
chair dépend de l'âme (30). L'une des conséquences
possibles du jugement, c'est l'*enfer.* On y descend (21)

comme dans un puits (27) profond (38). C'est la géhenne qui doit inspirer la peur (13), car elle consiste dans un tourment sans terme (22) ; c'est un malheur éternel et total (23), un feu éternel qu'habite l'horreur sans fin (8). Bien qu'il ne soit préparé que pour le diable et ses anges (8, 22), malheur à ceux qui ont fait un pacte avec l'enfer (15). L'autre possibilité du jugement, c'est la *béatitude* (34, 60), la patrie (53), la vie éternelle (56). Car la mort sera détruite (34), et dans cette terre des vivants nous aurons double rémunération : de grandeur et de délectation (40).

Pourtant, après la mort et le jugement, il y aura un temps d'attente (33, 45), mais sans crainte, seulement dans l'espérance du jour où le nombre des frères sera parfait. Alors le corps aussi sera régénéré : il deviendra impassible et immortel (33).

6. *Les clercs.* Geoffroy dénonce en termes virulents et parfois ironiques les vices du clergé de son temps. Même s'il convient de faire la part d'effets oratoires, on comprendrait mal qu'un maître ès-choses spirituelles comme Geoffroy se laissât aller à publier de pareilles accusations si elles étaient dénuées de tout fondement. D'ailleurs lui-même prévient l'objection de voyeurisme : il n'a pas à regarder par le trou des serrures pour voir le mal : il est de notoriété publique, il s'étale ouvertement (12). — Quels sont donc les griefs de l'auteur contre les clercs de son temps ? Ces griefs peuvent être regroupés sous trois chefs principaux :

1° *L'avidité des biens matériels.* Les clercs accumulent les biens fonciers (9). Comme des hommes de guerre, ils s'entourent d'une suite nombreuse, avec équipage richement paré, chassent au faucon, s'adonnent aux jeux du hasard (10). Comme des coquettes, ils se vêtent de pelisses d'hermine teintes, ils ont des lits chamarrés, des bains, des habits soyeux, de la vaisselle d'or et d'argent, des sacs remplis de richesses (10). Ils aiment les présents, courent après les récompenses (12, 14). Ils multiplient les prébendes (21). Ils vont même jusqu'à vendre les sacrements et, pour quelques deniers, trahissent la justice (12). Ils s'enrichissent au détriment du pauvre, se bâtissent des palais avec les biens de l'Église qu'ils utilisent pour promouvoir leurs parents, marier leurs nièces, quand ce n'est pas leurs filles ! (17).

2° *Paresse. Gourmandise. Luxure.* Tout au long de son discours, Geoffroy revient sur la citation du Psaume 72, 5, qui en est comme le leitmotiv : « Ils n'ont point de part au labeur des hommes. » C'est un reproche qu'il adresse spécialement aux clercs et peut-être aussi à des moines. Le chapitre 10 est, à cet égard, édifiant : aucun de ces trois vices n'y manque. Les clercs savent s'épargner toute peine et éviter ce qui accable ; ils somnolent dans l'oisiveté sous les yeux mêmes de ceux qui travaillent ; ils s'adonnent à un doux sommeil, pour ne rien dire de leurs ébats lascifs ; ils vivent de froment, s'enivrent de vin pur aromatisé ; ils se gavent et s'engraissent. La fornication règne de multiple façon chez un grand nombre. Ils touchent les chairs sacrées de l'Agneau de leurs mains qui, peu auparavant, palpaient des « chairs prostituées ». Ils ont des filles à marier, ce qui les entraîne à détourner l'argent des pauvres (17).

3° *Orgueil et vanité.* Geoffroy dénonce (13) ces clercs flatteurs et obséquieux, mendiant des suffrages, rampant aux pieds de ceux qui peuvent leur procurer de l'avancement dans la carrière, avides de parader dans les honneurs, de plastronner, d'être au goût du jour.

Enfin l'auteur reproche aux clercs leur *ignorance* (15) — comment conduiraient-ils les autres, s'ils ne savent pas par quel chemin ? — et l'absence de *pénitence* dans leur vie (16).

7. *Le pasteur idéal.* La véhémence de ces critiques est à la hauteur de l'idéal que Geoffroy se fait de la cléricature. Car, pour lui, le clerc occupe un emploi céleste, il a été fait ange du Seigneur (21). Il doit donc se comporter comme un ange. Être clerc, c'est occuper un rang de perfection, jouir d'une dignité, détenir l'autorité, remplir une fonction. Parce qu'il est saint (21), le clerc a droit à la liberté d'esprit et d'expression pour dire la vérité sans déguisement et sans réticence, librement (9).

— La place des clercs est grande dans le Royaume de Dieu ; c'est une bonne place. Mais la tâche n'est pas mince. Triple est leur devoir : donner l'exemple, prêcher, prier (11). La cléricature est un honneur, un ministère spirituel (13). Le clerc est médiateur, chargé d'un office de réconciliation (19). Il est maître des enfants et docteur des ignorants, ministère qui exige la perfection sur tous les plans (15). Il est lieutenant, ambassadeur et ministre du Christ (39). Il lui faut éviter trois périls (17) : entrer dans le clergé sans y être appelé par Dieu ; étant appelé, ne pas faire son devoir de pasteur (tondre au lieu de paître) ; méritant son salaire, en mésuser en le détournant à son profit au détriment des pauvres.

8. *La société.* En parcourant le *De Colloquio,* on relève des mentions, d'autant plus intéressantes qu'elles sont formulées en passant. Voici ceux qu'elles concernent :

1° Le *roi* prend l'initiative d'introduire l'épouse dans le palais et dans la chambre ; d'elle-même, elle ne l'oserait (13). Le roi est altier et orgueilleux (21) : il a choisi les « montants de l'aquilon » (41).

2° Les *princes* cherchent à caser leurs fils dans la cléricature, mais ils ne prétendent, pour eux, à rien moins qu'à l'archidiaconat (13).

3° Les *grands* sont experts à choisir l'agréable et à s'éviter la peine (23).

4° Les *puissants* et les *riches* ont les moyens de doter les églises (9), mais sans pour autant avoir pitié des pauvres (23).

5° Les *juges* ici-bas n'ont qu'une juridiction limitée à une cité, à un peuple, à une région et ils ne jugent que des hommes. Il semble bien qu'ils ne soient que les exécuteurs de la volonté d'un roi orgueilleux. Ils se poussent et s'élèvent, quitte à opprimer. Ils aiment la gloire (41).

6° Les *juifs* sont mentionnés plusieurs fois, et d'une façon qui reflète, semble-t-il, l'opinion peu favorable qu'on en avait à l'époque dans le milieu de Geoffroy. Ce dernier cite par exemple un mot de Jérôme : « Si l'on aime l'or, qu'on aime aussi les juifs ! » (6). Est-il question d'un marché à cent contre un ? Geoffroy dit : « À quel juif refuserais-tu cela ? » (46). Ailleurs il leur reproche de n'avoir vu, dans le Christ, que son aspect extérieur « sans éclat ni beauté » (48).

7° Les *parents,* soucieux de ne pas diviser l'héritage familial et trop pleins de sollicitude pour leurs enfants, se préoccupent, avant même leur naissance, de les pourvoir de biens ecclésiastiques ; ils sont prêts, pour parvenir à leurs fins, à faire jouer leurs relations, surtout quand la famille compte déjà un évêque parmi ses membres, car, dit ironiquement Geoffroy, « en la personne de l'évêque, toute la famille est vouée à l'épiscopat » (13).

8° Les *femmes* ont pour signes distinctifs la retenue et la pudeur, mais leur sexe est voué à une « évidente peine ». Il en est pourtant de légères (10), d'autres adultères sans vergogne (18).

9° Les *travailleurs*. Au chapitre 10, Geoffroy fait état des difficultés propres à plusieurs groupes de travailleurs : les hommes de guerre ont à supporter le poids de l'armure, les veilles des camps, les aléas des combats ; les agriculteurs transpirent ; les vignerons taillent et bêchent ; les commerçants parcourent mer et terre au péril de leur vie ; les charpentiers, les maçons et autres ouvriers cherchent à se nourrir à force de travail. Aux dures conditions de vie de ces hommes, Geoffroy oppose l'oisiveté dorée des clercs. Reprochant à ces derniers de remplir leurs greniers sans effort, il soupire : « Si encore vous le faisiez hors du regard des travailleurs ! », comme si l'insolence aggravait la cupidité. Et : « Si encore vous le faisiez avec les travailleurs ! », comme si partager leurs biens excuserait leur rapacité.

Il reviendra une fois encore sur la solde des soldats et sur le salaire des ouvriers (56).

Car ce n'est pas le moindre intérêt du *De Colloquio* que l'insistance avec laquelle Geoffroy y parle du *travail*. Le reproche réitéré fait à ceux « qui n'ont point part au labeur des hommes » revient comme un refrain entêtant tout au long du livre. Car « l'homme est né pour le travail » (3, 17, 23, 32, 39, 40), dont la peine et la dureté sont conséquence et punition de la faute première qui a provoqué l'ordre initial : « A la sueur de ton visage, tu mangeras ton pain ». L'homme n'a donc pas le droit de refuser de travailler (22, 31). Si la punition divine nous a chassés du paradis, ce n'est évidemment pas pour que l'invention humaine se prépare ici-bas un autre paradis (23). Chaque groupe humain a sa part de peine et de joie ; malheur à ceux qui ne prennent que la joie sans la peine (10). L'ouvrier est digne de son salaire (3). Il ne convient pas d'offenser sa fierté en affichant insolemment une richesse acquise sans travail (10). D'ailleurs, dans les demeures éternelles, les travailleurs seront juges et, ne reconnaissant pas pour leurs les paresseux, ils les repousseront (10). Dieu non plus n'aime pas ceux qui cherchent à échapper au sort commun (18, 21). Et dès ici-bas, le centuple est la consolation du labeur présent (56).

Quant aux pauvres, toute la diatribe de Geoffroy contre les clercs avares et cupides est une revendication de leurs droits : ne pas donner aux pauvres le bien des pauvres, c'est un crime qui vaut sacrilège (17).

10° *Les parfaits.* Geoffroy fait une distinction très nette entre le peuple et les parfaits (42, 48). « Nous ne disons pas cela, comme si, même en ce temps-ci, quelqu'un ne pouvait être sauvé en agissant autrement (qu'en quittant tout), mais pour qu'il reconnaisse son rang et le lieu de la perfection et qu'il n'usurpe pas le rôle de disciple » (7). Il y a donc les « parfaits », qui sont appelés « disciples », et il y a les autres. Les exigences ne sont pas les mêmes pour les uns et pour les autres. Le chapitre 8 explicite la distinction entre le conseil (de perfection) et la voie du peuple qui est de se faire des amis avec le mammon d'iniquité. Geoffroy y dénonce les riches qui sont sans pitié pour les pauvres. — Ailleurs il dit : « Je ne parlerai pas de la vocation en quelque sorte commune, mais de la vocation cléricale » (13). Et : « Vigueur et ferveur sont nécessaires à l'ensemble du peuple, mais surtout aux chefs du peuple (= les clercs) » (15).

Dans les rangs des « spirituels », on distingue les « commençants » *(initiandos)* et les progressants *(proficientes).*

Il y a des « parfaits » dès l'Ancien Testament (6), par exemple David « le saint » (10), mais la perfection évangélique n'existait pas dans l'Ancien Testament (7). Les prêtres occupent un rang de perfection (9).

LES SOURCES

Comme le montrent à l'évidence l'apparat biblique et la table des sources, Geoffroy puise abondamment dans l'Écriture, tant de l'Ancien que du Nouveau Testament. Il cite également quelques auteurs de la latinité classique et patristique. On trouve aussi chez lui quelques proverbes populaires : « Les biens semblent te venir en chantant » (16) ; « Tel peuple, tel prêtre » (9) ; « Il saute avant de regarder, sa chute sera prématurée » (28) ; « Chercher une paille pour s'éborgner » (54).

CONCLUSION

Le *De Colloquio* de Geoffroy d'Auxerre a, croyons-nous, sa place dans la collection des « Sources chrétiennes » comme un magnifique exemple de plaidoyer en faveur d'une vie spirituelle authentiquement chrétienne. Il en formule les exigences et en évoque les récompenses avec une vigueur et une santé telles qu'elles s'imposent à tout esprit non prévenu et à toute âme généreuse. À tout chrétien, il rappelle qu'il n'est de vie chrétienne que dans l'amour des pauvres et dans l'aspiration aux biens spirituels.

TEXTE ET TRADUCTION

PROLOGUS DOMNI GAUFRIDI MONACHI

**postmodum abbatis Clarevallensis
ad Henricum Pisanum
romanae curiae cardinalem**

437   Ut tibi, dilectissime, praesentes exhortationis schedulas
destinarem, quae otiosa esse non patitur, nimirum cre-
dens omnia et omnia sperans caritas[a] persuasit. Ubi sane
non tibi me propria tradidisse putes, nec tanquam nostra
5 suscipias, sed e multis sermonibus Patrum nostrorum,
quorum digna satis laus est in Ecclesia, quae huic videbantur aptae negotio, noveris decerpsisse sententias et,
sub unam utcumque formulam redigendo, copiosi cuiusdam declamatorii sermonis instar, hunc tuae dilectioni
10 edidisse libellum. Hoc nimirum scribendi genus ad per-
suadendum efficacius arbitrabar, quod soleat amplius
movere lectorem, vividas magis voces quam mutos apices
repraesentans. Caeterum quoniam suspecta mihi ignorantia propria, propriaque oblivio est, hortor et moneo, ut
15 si qua deprehenderis digna reprehensione, aut ipse ea
corrigere studeas, aut, si id forsitan ex mansuetudine et
humilitate refugis, mihi saltem quaecumque te moverint,

Tit. ut in Cm. — Incipit prefatio in sequenti opere *A.* — Incipit
prologus Gaufridi ad Henricum cardinalem *Cr.* — Ad Henricum romanae curiae cardinalem *Cl Rg.* — Incipit prologus domni Gaufridi
abbatis super : Dixit Simon Petrus ad Iesum Christum *R.* — Incipit
prologus Bernhardi abbatis Clarevall. *W*

PROLOGUE DE DOM GEOFFROY MOINE
puis abbé de Clairvaux
à Henri de Pise
cardinal de la Curie romaine.

Lettre d'envoi à Henri de Pise

C'est à toi, très cher, que j'adresse ces pages d'exhortation, comme m'en a persuadé la charité qui ne souffre pas d'être oisive, sans doute parce qu'elle croit tout et espère tout. Ne va surtout pas croire que je t'y livre mes propres idées, ne les prends pas pour nôtres. Sache que, de multiples entretiens de nos Pères — dont la renommée est assez méritée dans l'Église —, j'ai tiré les sentences qui m'ont paru propres à ce travail. En les rédigeant pour ainsi dire en discours continu, à la manière d'un long plaidoyer, j'ai publié ce petit livre offert à Ta Dilection. Car, j'ai estimé plus efficacement persuasif ce genre d'écrit qui d'ordinaire émeut davantage le lecteur en lui présentant des paroles vivantes plutôt qu'un écrit sans voix. D'ailleurs, parce que je me défie de mon ignorance et de ma mauvaise mémoire, je t'engage et t'invite à corriger toi-même avec soin tout ce que tu trouverais de répréhensible, ou, si par mansuétude et par humilité tu allais t'y refuser, n'hésite pas du moins à me

5 Patrum nostrorum : Patris nostri *A Cm Cr Cl R Rg* ‖ 11 soleat : solebat *Cl R Rg* ‖ 15 aut : *om Sc W* ‖ 16 mansuetudine et : *om Sc W*

a. I Cor. 13, 7

non dissimules amicabiliter intimare. Atque id quidem de sententia dixerim.

20   Nam de verbis, erit forsitan invenire nonnullos, ad quorum aures si venerint, subsannent ea, dicentes : *Quis est iste involvens sententias sermonibus imperitis* [b] *?* Verum nil tale mihi super tua reor eruditione verendum. Quippe et metum hunc et pudorem, suspicione carens, caritas
25   foras mittit [c]. Affectum in his, ni fallor, plus quam verba pensabit amicus ; praesertim quod non ostentationis, sed aedificationis edere paginam cogitarim, optans magis, si possibile videretur, et sine verbis haec imprimere cordi tuo. Faciat hoc, qui invisibiliter operatur [d] in cordibus
30   electorum : et pia dignatione sua, suam hanc vocem reputans, vocem ei virtutis [e] et efficaciae largiatur. Agit enim quod potest operosa dilectio, opportune instans fortassis et importune [f].

Nulla sane huic operi idonea magis occurrit digniorve
35   materia, quam evangelica lectio, ubi felicissimum illud Symonis et Iesu colloquium continetur. Hanc suscipere libuit, sed exhortationis gratia quam expositionis, ut ex ea scilicet sermonis occasio sumeretur. Sed et sententiis brevibus distinguere studui lectionem, ut distinctio ipsa
40   fastidium non admittat.

‖ 25 ni fallor plus quam verba : quam verba ni fallor *Sc W ;* plus : *om Cm R Rg,* magis *Cl.* ‖ 27 cogitarim : commemorarim *Sc W* ‖ 28 haec : *om Cl R Rg* ‖ 32 operosa dilectio : caritas operosa *Sc W* ‖ 36 colloquium : eulogium *Cm Cl R Rg Sc W,* colloquium *A qui add in interl* vel eulogium. — Hanc : ergo *add Cl R Rg* ‖ 37 exhortationis : magis *add Cm Cl R Rg* ‖ 40 admittat : Explicit prefatio *add A,* Explicit prologus *add Cr*

notifier amicalement ce qui t'aurait troublé. Voilà pour ce qui est des pensées.

Quant aux paroles, peut-être s'en trouvera-t-il plus d'un qui, lorsqu'elles parviendront à ses oreilles, s'en gaussera, disant : « Quel est celui-là qui enveloppe ses pensées dans des phrases malhabiles ? » En fait, je pense n'avoir rien de tel à craindre de ton savoir. Car la charité, qui n'est pas soupçonneuse, chasse cette crainte et cette pruderie. Si je ne m'abuse, un ami y sera plus attentif au sentiment qu'aux mots ; d'autant que mon intention a été de publier un écrit pour édifier et non pour briller, préférant même, si cela paraissait possible, l'imprimer sans mots dans ton cœur. Puisse-t-il faire cela, celui qui œuvre invisiblement dans le cœur des élus, et, eu égard à sa propre bonté, estimant sienne ma parole, lui conférer vigueur et efficacité. Car la charité active fait tout ce qu'elle peut, insistant à temps, peut-être même à contre-temps.

Nulle matière assurément ne se trouve plus propre à ce travail ni plus digne que le passage de l'évangile qui contient ce bienheureux entretien de Simon avec Jésus. C'est lui que j'ai choisi de préférence, plus pour exhorter que pour expliquer, comme occasion à ce discours. J'ai pris soin de diviser la lecture en brefs chapitres pour que cette division même écarte la monotonie.

---

b. Job 38, 2   c. I Jn 4, 18   d. « Invisibiliter operatur », cf. Sir. 11, 4 : invisa opera   e. Ps. 67, 34   f. II Tim. 4, 2

INCIPIUNT CAPITULA

I. De colloquio Symonis et Iesu.

II. De relinquendis omnibus.

III. De eo qui iuga boum emit quinque.

IV. De multiplici dominio vitiorum.

V. De duabus sanguisugae filiabus.

VI. De divitiis Patrum Veteris Testamenti.

VII. Quomodo Iudeus inter aquas, Petrus super aquas.

VIII. De remedio imperfectorum.

IX. De periculo clericorum.

X. Quomodo clerici a singulis generibus hominum quod delectat usurpent.

XI. De officio clericorum.

XII. Excusatio quod non nisi manifesta loquatur.

XIII. Quomodo intrent clerici ad ecclesiastica beneficia.

XIV. De loculis Iudae.

XV. De quatuor virtutibus.

XVI. Quomodo deserviant clerici quae de ecclesiis habent.

XVII. Quomodo eosdem reditus expendant.

XVIII. De virga et baculo.

XIX. Quis sit amicus mundi.

XX. De impudentia.

XXI. De miseratione crudeli.

XXII. De commutatione humanae paenitentiae pro diabolica.

XXIII. De iudicio Abrahae.

XXIV. Quomodo reliquerit omnia qui nihil fere habebat ex omnibus.

TITRES DES CHAPITRES

1. De l'entretien de Simon et de Jésus.
2. Qu'il faut tout quitter.
3. De celui qui a acquis cinq jougs de bœufs.
4. Du multiple empire des vices.
5. Des deux filles de la sangsue.
6. Des richesses des Pères de l'Ancien Testament.
7. Comment le juif fut entre les eaux et Pierre au-dessus des eaux.
8. Le remède des imparfaits.
9. Le danger pour les clercs.
10. Comment les clercs empruntent aux hommes de chaque condition ce qui leur plaît.
11. De la fonction des clercs.
12. Il se justifie : il ne dit rien qui ne soit évident.
13. Comment les clercs entrent en possession des bénéfices ecclésiastiques.
14. Des deniers de Judas.
15. Des quatre vertus.
16. Comment les clercs font leur service en échange de ce qu'ils tiennent des églises.
17. Comment ils dépensent ces mêmes revenus.
18. Des verges et du bâton.
19. Quel est l'ami du monde.
20. De l'impudence et de l'effronterie.
21. De la cruelle commisération.
22. Choisir une pénitence d'homme, au lieu de celle du diable.
23. Du jugement d'Abraham.
24. Comment aurait-il tout quitté, celui qui n'avait presque rien ?

---

3 qui : quod *A Au R Rg Sc.* — emit : quinque *add Cm W* ‖ 13 clerici ad : *om R Sc W* 24 nihil fere habebat : nil ferebat *Rg.* — ex omnibus : *om R*

XXV.	De innaturali et inexplebili fame.
XXVI.	De circuitu impiorum.
XXVII.	De acceleranda conversione.
XXVIII.	De tribus responsionibus Domini ad eos qui promittebant sequi eum.
XXIX.	De secunda regeneratione.
XXX.	Ut tempus suae regenerationis corpus exspectet.
XXXI.	Ut non resideamus in via.
XXXII.	Quomodo nunc nulla ex parte sedemus.
XXXIII.	De imperfecta sessione.
XXXIV.	De perfecta sessione.
XXXV.	De sessione Domini.
XXXVI.	De lateribus scalae.
XXXVII.	De gradibus scalae.
XXXVIII.	De via orientali quae a beati Benedicti abbatis cella processit.
XXXIX.	De basibus scalae.
XL.	De capitellis.
XLI.	De iudicio futuro.
XLII.	De grossis ficuum.
XLIII.	Querimonia Salvatoris.
XLIV.	De excusatione saecularium.
XLV.	De duplici promissione.
XLVI.	De incredulitate.
XLVII.	De labore ficto.
XLVIII.	De nigredine et decore sponsae.
XLIX.	Quomodo egestas interior foras eiiciat.
L.	De verme qui non moritur.
LI.	Quod aliter spiritum nostrum spiritualia quam corporalia tangant.
LII.	De tribus in carcere, tribus in cruce.

25 inexplebili : inexplicabili *Rg* ‖ 26 impiorum : temporum *Sc W* ‖ 28 sequi eum : eum se secuturos *Rg* ‖ 34 De perfecta sessione : *om Sc W* ‖ 38 abbatis : *om Cm R*. — cella : *om R* ‖ 45 duplici : publici *R*

25. De la faim insatiable et contre nature.
26. De la ronde des impies.
27. Qu'il faut hâter la conversion.
28. Des trois réponses du Seigneur à ceux qui promettaient de le suivre.
29. De la seconde régénération.
30. Que le corps attend le temps de sa régénération.
31. Ne nous installons pas en chemin.
32. Comment, pour le moment, nous ne sommes assis d'aucune façon.
33. De la session imparfaite.
34. De la session parfaite.
35. De la session du Seigneur.
36. Des montants de l'échelle.
37. Des degrés de l'échelle.
38. De la voie orientale qui part de la cellule du bienheureux abbé Benoît.
39. Des bases de l'échelle.
40. Des sommets (de l'échelle).
41. Du jugement à venir.
42. Des figues vertes.
43. Doléances du Sauveur.
44. De l'excuse alléguée par les séculiers.
45. De la double promesse.
46. De l'incrédulité.
47. Du labeur fictif.
48. De la noirceur et de la beauté de l'épouse.
49. Comment le dénuement intérieur jette à l'extérieur.
50. Du ver qui ne meurt pas.
51. Que les choses spirituelles touchent notre esprit autrement que les corporelles.
52. Des trois prisonniers et des trois crucifiés.

48 De... sponsae : De sepulcris dealbatis *add Sc W* ‖ 51 spiritum... tangant : oblectent spiritum spiritualia quam carnalia *Sc W* ‖ 52 De tribus... in cruce : De tribus in cruce et tribus in carcere *Sc W*

LIII.   Quod sine exceptione centuplum promit-
           titur.
LIV.   De his qui videntur omnia reliquisse nec
           centuplum habent.
LV.   Quod caelesti consolatione se privant qui
           resilire parati sunt ad terrena.
LVI.   De centuplo et vita aeterna.
LVII.   Quod centuplum hoc spirituale sit.
LVIII.   Quid sit hoc centuplum.
LIX.   Exhortatio brevis.
LX.   De vita aeterna.

60 áeterna : Expliciunt capitula *add A*

53. Le centuple est promis sans exception.
54. De ceux qui visiblement ont tout quitté et ne
    possèdent pas le centuple.
55. Ils se privent d'une consolation céleste ceux, qui sont
    prêts à revenir aux biens terrestres.
56. Du centuple et de la vie éternelle.
57. Que ce centuple est spirituel.
58. Qu'est-ce que ce centuple ?
59. Brève exhortation.
60. De la vie éternelle.

INCIPIT OPUSCULUM ABBATIS IGNIACENSIS

ad Henricum cardinalem
super : Dixit Symon Petrus ad Ihesum
excerptum e multis opusculis beati Bernardi

Titulus operis ut in Cl in marg.
Incipit liber de lectione evangelica Ecce nos reliquimus omnia... *A.*
— Incipiunt exceptiones ex opusculis beati Bernardi super evangelium
Ecce nos reliquimus collecte a domno Gaufrido Clarevallensium abbate
et directe ad Henricum romanae curiae cardinalem *Cr.* — Incipiunt
dicta domni Bernhardi abbatis Clarevallensis super verba evangelii Dixit
Symon Petrus ad Ihesum Ecce nos reliquimus omnia et secuti sumus te
W

CI-COMMENCE L'OPUSCULE DE L'ABBÉ D'IGNY

**au cardinal Henri
sur : « Simon Pierre dit à Jésus... »
(extrait de divers opuscules du bienheureux Bernard)** [1].

---

1. Cette ligne est entre parenthèses, parce que, figurant dans le manuscrit d'où est tiré le titre latin, elle est, selon nous, erronée : l'*Entretien* n'est pas un recueil d'extraits de saint Bernard.

Capit. I

De colloquio Symonis et Iesu

437   **1.** *Dixit Symon Petrus ad Iesum : Ecce nos reliquimus
omnia, et secuti sumus te*[a]. Fidelis sermo et dignum omni
acceptione[b] colloquium Symonis Petri et Iesu. Familiaris
siquidem et amica saluti obedientia est, sed obedientia
5 firma et stabilis, quae fundata est super petram[c]. *Melior
est* enim *obedientia quam victimae ;* et : *Acquiescere nolle
ut peccatum ariolandi est*[d]. Unde et vitae quoque ipse
Salvator praetulit hanc virtutem, eligens magis animam
ponere[e] quam obedientiam non implere. Postremo et
10 ipsum nomen Iesu, quod est super omne nomen, et in
quo flectitur omne genu[f], Apostolo teste, obedientiae
remuneratio est.

438   Libet proinde sacratissimo huic interesse colloquio et
intenta cordis aure percipere quae dicuntur. Arbitror
15 enim verba lectionis huius ea esse, de quibus ad immortalem Sponsum a finibus terrae clamat Ecclesia : *Propter*

Tit. *ut in Cl in marg. ;* De Sermone de verbis evangelii Dixit Symon
Petrus ad Iesum *Cl Rg in inter. om. Cm W* ‖ 6-7 Acquiescere... ariolandi
est : item Obedientiam inquit volo et non sacrificium *Sc W* (Matth.
9, 13 Misericordiam volo...) et Matth. 12, 7

---

a. Matth. 19, 27   b. I Tim. 1, 15 ; 4, 9   c. Matth. 7, 25   d. I
Sam. 15, 22-23   e. I Jn 3, 16   f. Phil. 2, 9-10

Chapitre 1

De l'entretien de Simon et de Jésus

1. « Simon-Pierre dit à Jésus : Voici que nous avons tout quitté et nous t'avons suivi. » Parole sûre et digne d'un entier consentement que cet entretien de Simon-Pierre et de Jésus. L'obéissance, à vrai dire, a un rapport étroit, intime avec le salut, mais seule l'obéissance ferme et constante, qui est fondée sur la pierre. « L'obéissance en effet vaut mieux que les victimes » ; de même : « Refuser de se soumettre équivaut à un péché de sorcellerie. » C'est pourquoi le Sauveur a, lui aussi, préféré cette vertu à la vie même, choisissant de mourir plutôt que de désobéir. Enfin, au témoignage de l'Apôtre, « le nom même de Jésus, qui est au-dessus de tout nom et devant qui tout genou fléchit », est la récompense de l'obéissance.

Par suite, c'est un plaisir d'être présent à ce très saint entretien, et, l'oreille du cœur[1] attentive, d'entendre ce qui s'y dit. Car j'estime que c'est à propos des paroles de cette lecture que, des limites de la terre, l'Église clame

---

1. Benoît, *Règle,* Prol. 2 *(aurem cordis).* Je cite la *Règle* de Benoît d'après l'édition de dom C. Butler, Fribourg-en-Br., Herder, 1927, où les lignes de chaque chapitre sont numérotées.

verba labiorum tuorum ego custodivi vias duras[g]. Haec nempe sunt verba, quae contemptum mundi in universo mundo et voluntariam persuasere hominibus pauperta-
20 tem. Haec sunt quae monachis claustra replent, deserta anachoretis. Haec, inquam, sunt verba quae Egyptum spoliant[h] et optima quaeque eius vasa diripiunt[i]. Hic sermo vivus et efficax, convertens animas[j] felici emulatione sanctitatis et Veritatis promissione fideli.

23-24 emulatione : consummatione *R Sc W*

g. Ps. 16, 4   h. Ex. 12, 36   i. Matth. 12, 29   j. Ps. 18, 8

à l'immortel époux : « À cause des paroles de tes lèvres, j'ai gardé de rudes sentiers. » Ce sont en effet les paroles qui ont persuadé des hommes, par le monde entier, de mépriser le monde et d'être pauvres volontaires. Ce sont elles qui emplissent de moines les cloîtres, d'anachorètes les déserts. Ce sont ces paroles, dis-je, qui pillent l'Égypte et la dépouillent de tous ces trésors. C'est le discours vivant et efficace qui convertit les âmes par l'heureux désir de la sainteté et par la sûre promesse de la Vérité.

Capit. II

De relinquendis omnibus

2. Dixit enim Symon Petrus ad Iesum : *Ecce nos reliquimus omnia*[a]. Bene, optime et non ad insipientiam tibi[b]. Nam et mundus transit et concupiscentia eius[c], et relinquere haec magis expedit quam relinqui. *Ecce,* inquit,
5 *reliquimus omnia et secuti sumus te*[d]. Nimirum quia exultavit ut gygas ad currendam viam[e], nec currentem sequi poteras oneratus. Sed nec inutilis commutatio, pro eo qui super omnia est, omnia reliquisse. Nam et simul cum eo donantur omnia, et ubi apprehenderis eum, erit unus
10 ipse omnia in omnibus[f], qui pro eo omnia reliquerunt. Omnia sane dixerim, non tantum possessiones, sed etiam cupiditates et eas maxime. Plus enim mundi concupiscentia quam substantia nocet. Et haec fugiendarum causa divitiarum praecipua est, quod aut vix aut nunquam sine
15 amore valeant possideri. Limosa siquidem et glutinosa nimis non modo exterior, verum etiam interior substantia nostra videtur ; et facile cor humanum omnibus quae frequentat, adhaeret.

2, 1 enim : ergo *Cl Rg* ‖ 4 inquit : nos *add Cr R Sc W* ‖ 8-10 Nam... omnia reliquerunt : *om Cl Rg* ‖ 10 omnibus : his *add Sc W*

---

a. Matth. 19, 27   b. Ps. 21, 3   c. I Jn 2, 17   d. Matth. 19, 27

Chapitre 2

Qu'il faut tout quitter

2. Simon-Pierre dit en effet à Jésus : « Voici que nous avons tout quitté. » Bien, très bien, et ce n'est pas manque de sagesse de ta part. Car le monde passe et son avidité, et mieux vaut s'en priver que d'en être privé. « Voici, dit-il, que nous avons tout quitté et nous t'avons suivi. » Il le fallait bien ! Car « il a bondi comme un géant pour courir son chemin », et, chargé, tu ne pouvais suivre ce coureur. Or ce n'est pas un échange inutile que de tout quitter pour celui qui est au-dessus de tout. Car toute chose est donnée en même temps que lui, et, dès que tu l'auras saisi, il sera, à lui seul, tout en tous ceux qui, pour lui, ont tout abandonné. Tout, ai-je dit à juste titre : non seulement les possessions, mais même les convoitises, elles surtout. Car l'avidité du monde est plus nuisible que ses biens. Et la principale raison pour fuir les richesses, c'est qu'on ne peut guère ou point du tout les posséder sans les aimer. Oui, nos biens, tant extérieurs qu'intérieurs, paraissent par trop fangeux et gluants, et facilement le cœur humain s'enlise dans tout ce qu'il fréquente.

e. Ps. 18, 6   f. I Cor. 15, 28

Capit. III

De eo qui iuga boum emit quinque [a]

3. Age ergo qui relinquere universa disponis, te
quoque inter relinquenda numerare memento. Immo vero
maxime et principaliter abnega temetipsum [b], si deliberas
sequi eum qui exinanivit propter te semetipsum [c]. Pone
5 gravissimam sarcinam, pone asinariam molam [d], terrenam
molem, pone illa quinque non hominum plane iuga, sed
boum, quae tibi insipienter emisti [e]. Alioquin sequi sponsum et venire ad nuptias spirituales [f], quinaria hac pressus
et oppressus corporis sensualitate, non poteris. Sed etsi
10 novissime veneris et pulsaveris [g], minime profecto aperie-
tur tibi, sed respondebitur de intus, quod non sit de
bubus et asinis ceterisque iumentis cura Deo [h]. An vero
comparatum iumentis [i] esse quis dubitet hominem qui sibi
iuga emerit iumentorum ? Nisi quod eo sane ipsis quoque
15 iumentis convincitur esse stolidior et bestialior‾ bestiis
comprobatur, quod iuga necessitatis earum propria ipse
subeat voluntate. Quod enim illis natura est, huic culpa,

3, 1 universa : omnia *Cm Cl Rg* ‖ 3-4 si... semetipsum : *om Sc W* ‖
12 iumentis : insipientibus *add Cm Crpc Cl R Rg Sc W* ‖ 15 esse : *om
Cl Rg* ‖ 17 huic : est *add R Sc W*

a. Lc 14, 19   b. Matth. 16, 24   c. Phil. 2, 7   d. Matth. 18, 6
e. Lc 14, 19   f. Matth. 22, 4   g. Matth. 7, 7-8 ; 25, 11   h. I Cor.
9, 9   i. Ps. 48, 13.21

Chapitre 3

De celui qui a acquis cinq jougs de bœufs

3. Allons, toi qui te disposes à tout quitter, souviens-toi de te compter toi-même parmi ce qu'il faut quitter. Bien plus, renonce surtout et principalement à toi-même, si tu envisages de suivre celui qui pour toi s'est anéanti lui-même. Dépose ce très lourd fardeau, dépose cette meule d'âne, cette charge terrestre, dépose ces cinq jougs, non pas d'hommes, mais de bœufs, que follement tu t'es acquis. Autrement, chargé et surchargé par cette quintuple sensualité du corps [1], tu ne pourras suivre l'époux, ni venir aux noces spirituelles. Et même si finalement tu y viens et frappes à la porte, il ne te sera certainement pas ouvert, mais de l'intérieur on te répondra que Dieu n'a cure des bœufs, des ânes ni des autres animaux. Qui hésiterait à comparer aux animaux un homme qui s'est acquis des jougs d'animaux ? A moins que cet homme ne soit convaincu d'être plus stupide que les animaux eux-mêmes et prouvé plus bestial que les bêtes, puisqu'il s'est imposé, de sa propre volonté, des jougs qu'elles ne portent que par nécessité. Car ce qui pour elles est nature est faute pour lui, alors que, pareil à l'un de ces êtres

---

1. Il s'agit ici des cinq sens : vue, ouïe, odorat, goût et toucher.

dum, tamquam unum ex his quae ratione carent, sine
ratione degens, et ipse sub corporis similiter sensibus
20 incurvatur.

Sed quid eum iuga subisse causamur ? Arguamus magis
439 emisse. Illud enim stoliditatis miserandae, istud extremae
dementiae est. Dignus est operarius mercede sua[j] ; nam
ut mercedem pro opere tribuat, inauditum. Denique lo-
25 quitur super hoc verbo Dominus per prophetam, sub
typo mulieris fornicariae scelera arguens Israelis : *Omni-*
bus, inquit, *meretricibus dantur mercedes : tu autem dedisti*
mercedes cunctis amatoribus tuis, et donabas eis ut intra-
rent ad te undique ad fornicandum. Factumque est in te
30 *contra consuetudinem mulierum in fornicationibus tuis, et*
post te non erit fornicatio. In eo enim quod dedisti mercedes
et non accepisti, factum est in te contrarium[k]. Plane et in
eo qui iuga emit, contrarium fieri manifestum est. Quid
enim iuga emit, et iuga boum[l], cui iugum suave[m] gratis
35 offertur ? Nam iugum Christi, iugum hominis est, siquidem et Christus homo. Nec modo gratis tribuitur, sed et
copiosa his qui tulerint remuneratio est[n], ut a nemine
non dico emi, sed gratis sustineri queat. Quid ergo pro
iugo boum distrahis animam tuam, qui iugum Christi
40 suscipiens, emere poteras regnum Dei, mercari vitam,
lucrifacere Christum[o] ? Nam sine iugo interim esse non
potes, homo, nimirum, qui natus es ad laborem[p]. Sed

3, 19 corporis : corporeis *Cm Cl R Rg Sc W* ‖ 41 lucrifacere : lucrificare *Cl Sc* ‖ 42 qui : quia *Cl Rg*

j. I Tim. 5, 18   k. Éz. 16, 33-4   l. Lc 14, 19   m. Matth. 11, 30
n. Matth. 5, 12   o. Phil. 3, 8   p. Job 5, 7

privés de raison et qui vivent sans raison, il s'avilit[2], comme eux assujetti aux sens corporels.

Mais que l'accusons-nous de subir des jougs ? Reprochons lui plutôt de les avoir acquis. Car les subir, c'était pitoyable sottise ; les acquérir, c'est de la folie furieuse. L'ouvrier est digne de son salaire ; car on n'a jamais ouï dire qu'il donne un salaire pour son travail. Enfin le Seigneur parle sur ce sujet, par la bouche du prophète, quand il tance les crimes d'Israël sous le symbole de la femme prostituée : « A toutes les prostituées, dit-il, salaire est donné ; mais toi, tu as donné salaire à tous tes amants et tu le leur as donné afin qu'ils viennent à toi de toute part pour forniquer. Dans tes fornications, il s'est produit chez toi le contraire de ce qui advient d'ordinaire à ces femmes, et, après toi, il n'y aura pas de fornication. Parce que tu as donné salaire au lieu de le recevoir, il s'est produit chez toi le contraire. » De même en celui qui a acquis des jougs, c'est évidemment le contraire qui s'est produit. Pourquoi en effet a-t-il acquis des jougs et des jougs de bœufs, lui à qui un joug agréable est offert gratuitement ? Car le joug du Christ est un joug d'homme puisque le Christ est homme. Et non seulement il est accordé gratuitement, mais la récompense sera copieuse pour ceux qui l'auront porté, de sorte que nul ne peut, je ne dis pas l'acquérir, mais même le porter gratuitement. Pourquoi donc, pour un joug de bœufs, déchires-tu ton âme, toi qui, recevant le joug du Christ, pouvais acquérir le royaume de Dieu, acheter la vie, gagner le Christ ? Car, dans l'intervalle[3], tu ne peux être sans joug, homme que tu es, né pour le travail. Mais « pesant est le joug

2. Littéralement : « il est courbé » ; comme les animaux, il ne peut regarder que la terre. La *curvatio* est l'attitude spirituelle de ceux qui n'ont d'autre souci que des biens terrestres.
3. Première mention de cet *interim* qui revient souvent sous la plume de Geoffroy et qui désigne le temps intermédiaire entre l'avènement terrestre du Christ et son retour eschatologique.

grave iugum super omnes filios Adam[q], utique qui sequuntur eum. Nam super eum qui Christum sequitur,
45 leve est et suave[r].

Postremo, ut cetera sileam, cum sine iugo esse non
possum, quale hoc ipsum est eligere potius quinque quam
unum ? Quis enim potest servire quinque dominis[s], nedum quinque tyrannis, quinque praedonibus ? Siquidem :
50 *Oculus meus depraedatur animam meam*[t]. Annon saepe
aliud gula exigit, ad aliud pruritus aurium[u] vocat ? Sic
et odoratus et tactus diversa interdum imperant, forsitan
et adversa, dum uterque sibi communem gestit praeripere
servum, et trahit quemque sua voluptas. Vides excusatio-
55 nem hominis qui propterea Christum non sequitur, propterea excusat a nuptiis, quod iuga boum emerit quinque[v].

3, 44 2° eum... sequitur : eos... sequuntur *Cm Cl*

q. Sir. 40, 1   r. Matth. 11, 30   s. Matth. 6, 24   t. Lam. 3, 51
u. II Tim. 4, 3   v. Lc 14, 18.19

sur tous les fils d'Adam », à savoir pour ceux qui le suivent, alors que, pour celui qui suit le Christ, il est léger et agréable.

Enfin, pour ne rien dire du reste, puisque je ne puis être sans joug, pourquoi en choisir cinq plutôt qu'un seul ? Qui, en effet, peut servir cinq maîtres, a fortiori cinq tyrans, cinq larrons ? Tant il est vrai que « mon œil ravage mon âme ». Est-ce que souvent la gourmandise n'exige pas une chose, tandis que la démangeaison des oreilles convie à une autre ? De même l'odorat et le toucher ont parfois des exigences divergentes pour s'arracher leur commun serviteur et « chacun est ravi par son propre plaisir »[4]. Vois l'excuse de l'homme qui ne suit pas le Christ : il s'excuse de ne pas venir aux noces parce qu'il a acquis cinq jougs de bœufs.

4. Virgile, *Bucol.* II, 65.

Capit. IV

De multiplici dominio vitiorum

4. Quid, si eorum laborem et dolorem consideres[a], si numeres iuga, qui variis serviunt vitiis morum magis quam corporum sensibus ? Erit profecto invenire iam homines, qui multo magis in labore hominum non sint[b],
5 sed longe amplius aliena ab homine flagella sustineant. Erit invenire ementes non modo quinque, sed plus quam quinquaginta quinque, non plane iumentorum iuga, sed daemonum. Contendunt ambitio et elatio cordis ; altera nidum, altera foveam parat. Volare altera iubet, repere
10 monet altera ; cum neutrum profecto sit hominis. « Quis enim es tu, ait haec, quis vero ille vel ille est, aut quae domus patris eorum, ut eis in aliquo cedas, ut reverearis eos, ut eis aliquatenus blandiaris ? » At « bonus sermo bonum invenit locum », ait ambitio, « et interdum
15 quoque qui prodesse non potest, potest obesse. Dissimula primum : primum vinum bonum pone, donec veniat hora tua »[c]. Avaritia quoque et appetitus laudis sibi invicem

4, 7 plane : utique *Sc W* ‖ 13 aliquatenus : aliquando *Sc W* ‖ 16 bonum : *om Cm Cl Rg*

a. Ps. 10 H, 14   b. Ps. 72, 5   c. Jn 2, 10.4

Chapitre 4

Du multiple empire des vices

4. Qu'en sera-t-il si tu considères le labeur et la douleur, si tu comptes les jougs de ceux qu'asservissent, plus
que les sens du corps, les multiples vices des mœurs ? Il
s'en trouvera sans doute qui, étant hommes, bien loin
d'être dans le labeur des hommes, subissent des fléaux
beaucoup plus étrangers à l'homme. Il s'en trouvera qui
acquièrent non seulement cinq, mais plus de cinquante-
cinq jougs[1], non de bêtes, mais de démons. L'ambition
et l'arrogance du cœur se combattent ; l'une prépare un
nid, l'autre une tanière ; l'une ordonne de voler, l'autre
prescrit de ramper, alors que ni l'un ni l'autre évidemment ne sied à l'homme. Car « qui es-tu », dit l'arrogance,
« qui sont un tel ou un tel, ou quelle est la maison de
leur père, pour que tu leur cèdes en quoi que ce soit,
pour que tu les révères, pour que tu les flattes un tant
soit peu ? » Par contre l'ambition dit : « Une bonne parole déniche une bonne place, et parfois qui n'a pas
pouvoir de rendre service a pouvoir de porter préjudice.
Dissimule d'abord ; sers d'abord le bon vin jusqu'à ce
que vienne ton heure ». L'avarice aussi et la soif de

1. Chiffre à ne pas prendre à la lettre. C'est une formule dont on
trouve l'analogue dans Mt 18, 22 où Pierre demande à Jésus combien
de fois il doit pardonner : « Jusqu'à sept fois ? » — « Jésus lui dit : Je
ne te dis pas jusqu'à sept fois, mais jusqu'à soixante-dix-sept fois ».

440   adversantur, et quod haec congregat, haec dispergit. Nec
        minus contraria sunt quae simulatio et pusillanimitas
    20 suggerunt impudentiae impatientiaeque clamoribus ; et
        utraque labor et dolor et afflictio spiritus sunt[d].

21 sunt : *om Cl R Rg Sc W*

---

d. Eccl. 1, 14.17

louange sont en lutte l'une avec l'autre et ce que l'une amasse, l'autre le gaspille. Non moins contraires sont les actes que la ruse et la pusillanimité suggèrent aux éclats de l'impudence et de l'impatience ; l'une et l'autre sont labeur et douleur et affliction de l'esprit.

Capit. V

De duabus sanguisugae filiabus

5. Haec autem omnia, similia ac dissimilia, mala ex
una radice pullulant propriae voluntatis. Huius enim
sanguisugae duae sunt insatiabiles filiae, clamantes : *Affer, affer*[a]. Siquidem nec animus vanitate, nec voluptate
5 corpus aliquando satiatur, ut scriptum est : *Non satiatur
oculus visu, nec auris impletur auditu*[b]. Fuge sanguisugam
hanc, et omnia reliquisti ; haec enim omnia trahit ad se.
Pone hanc et iugum tam importabile quam multiplex
abiecisti ; non est enim dominus crudelis ad illam ; non
10 est tyrannus impius et inhumanus sic urgens servulum et
non parcens. Fatigatum magis instigat, subditum premit
durius. Inquietum malum, quod spiritui semper incubans,
inexcogitabilia meditatur.

O custos hominum, quare posuisti me contrarium tibi,
15 et factus sum mihimetipsi gravis[c] ? Nullum mihi onus
importabilius, nulla gravior sarcina est. Factus sum mihi
talentum plumbi[d], et resedit iniquitas super illud. Sed
audiam vocem solatii, audiam quid loquatur[d'] magni

5, 2 propriae : scilicet *add R Sc W* ‖ 10 tyrannus : tam *add Cl Rg*

---

a. Prov. 30, 15   b. Eccl. 1, 8   c. Job 7, 20   d. Zach. 5, 7
d'. Ps. 84, 9

Chapitre 5

Des deux filles de la sangsue

5. Or tous ces maux, semblables et dissemblables, bourgeonnent d'une seule racine : la volonté propre. Car cette sangsue a deux filles insatiables qui crient : « Apporte, apporte. » De fait ni la vanité ne rassasie jamais l'esprit, ni la volupté le corps [1], comme il est écrit : « L'œil ne se rassasie pas de voir, ni l'oreille n'est comblée d'entendre. » Fuis cette sangsue et tu as tout quitté ; car elle attire tout à soi. Laisse-la et tu as rejeté un joug aussi insupportable que multiple, car il n'est pas de maître aussi cruel qu'elle ; il n'est point de tyran méchant et inhumain qui pressure comme elle le pauvre serviteur sans ménagement. Est-il fatigué, elle l'aiguillonne davantage ; soumis, elle l'opprime plus durement. Ce mal inquiet qu'elle couve sans cesse en son esprit médite des choses inconcevables.

« Ô gardien des hommes, pourquoi as-tu fait de moi ta cible et suis-je devenu à charge à moi-même ? » Nul fardeau ne m'est plus insupportable, nulle charge plus lourde. Je suis pour moi un disque de plomb et l'iniquité s'est assise dessus. Mais j'écouterai la voix du consola-

---

1. Même image de la sangsue et de ses deux filles dans Bernard, *Opera* VI, 1, 169, 18 : *Div.* 21,2.

consilii Angelus. *Venite,* inquit, *ad me, qui laboratis et*
20 *onerati estis, et ego vos reficiam. Tollite iugum meum*
super vos, et invenietis requiem animabus vestris[e]. Verum
haec alias ; invenient forte in novissimis locum sibi. Interim sane felices liquet esse, qui exonerati sunt, et sequuntur Dominum expediti. Arctissimum enim nos fo-
25 ramen[f] exspectat. Si quem sequimur consequi volumus,
per angustam contendamus ingredi portam[g] necesse est.
Quid tu, camele, gibbum ; quid tu, pecuniose, proditoris
loculos tollis[h] ? Non sic, impie, non sic[i] ingredieris. Foramen acus[j] huiusmodi sarcinas non admittit.

24 expediti : Quid enim prodesset portare sarcinas *add Sc W* ‖
25 angustam : arctissimam *Sc W*

e. Matth. 11, 28.29   f. Matth. 19, 24   g. Matth. 7, 13   h. Lc
6, 16 ; Jn 12, 6   i. Ps. 1, 4   j. Matth. 19, 24

2. « L'Ange du grand Conseil » est aussi une expression liturgique
de l'Introït de la messe du jour de Noël.
3. Cf. ch. 47, p. 247.

teur ; j'écouterai ce que dit l'Ange du grand Conseil[2] :
« Venez à moi, dit-il, vous qui peinez et qui êtes accablés
et je vous referai. Prenez mon joug sur vous et vous
trouverez le repos pour vos âmes ! » Mais on verra ces
paroles ailleurs ; elles trouveront sans doute leur place
tout à la fin[3]. En attendant, il est évident qu'ils sont très
heureux ceux qui sont sans fardeau et suivent le Seigneur
sans entraves. Car c'est une porte très étroite qui nous
attend. Si nous voulons rejoindre celui que nous suivons[4],
il faut nous efforcer d'entrer par la porte très étroite.
Pourquoi élèves-tu ta bosse, chameau[5] ? Pourquoi, avare,
t'encombres-tu de la cassette[6] du traître ? Ce n'est pas
ainsi, méchant, ce n'est pas ainsi que tu entreras. Le chas
de l'aiguille ne laisse pas passer des bagages d'un tel
volume.

---

4. Le jeu de mots *consequi/sequi* que l'on retrouve au chapitre 31,
lignes 2-3, est également au sermon XIII (lignes 17 s.) de son commentaire sur l'*Apocalypse* où Geoffroy d'Auxerre cite la parole de Pierre :
Ecce nos reliquimus omnia... (Éd. F. Gastaldelli, Rome 1970, p. 164).

5. Il est aussi question de la bosse du chameau dans Bernard, *Opera*
V, 180, 6 : JB 6.

6. Le mot latin *loculi,* au pluriel, désigne la bourse, l'aumônière. Il
en sera question au chapitre 14, où nous le traduisons par « deniers »
— contenu pour contenant —, tandis qu'ici « cassette » a paru plus
adéquat pour signaler un objet quelque peu encombrant.

Capit. VI

De divitiis Patrum Veteris Testamenti

6. Sed excusant aliqui fortasse dicentes : « Abraham, Isaac, Iacob, ceterique sancti numquid non terrenas divitias habuisse leguntur ? Sufficit nobis esse sicut illi fuerunt ; neque enim sumus nos Patribus meliores ª. Si
5 culpabilis essset possessio divitiarum, numquam illi in divitiis tantam a Domino gratiam obtinerent, aut tantam gratiam consecuti, divitias nichilominus possiderent ». Quid respondebimus novis imitatoribus sanctorum veterum ? Imponant certe vitulos super altare Domini ᵇ, mac-
10 tent arietes, hircos immolent, quia et hoc Abraham fecit, et hic ritus Patrum, quibus non modo meliores non sumus, sed ne digni quidem solvere corrigiam calceamentorum eorum ᶜ.

« Sed haec, inquiunt, statum ultra non habent ; ubi
15 revelata est veritas, transiere ». Quid, si ipsas quoque sanctorum divitias temporales umbram fuisse dixerimus futurorum ᵈ ? In figura siquidem eis omnia legimus contigisse ᵉ. Denique quidni terrenas palam divitias possiderent
441 sancti et perfecti viri, cum sola adhuc terrena palam
20 promitterentur a Domino ? Sicut enim sacrificiis illis, sic

6, 1 Sed excusant : se excusant *R*, excusant se *Sc W* ‖ 4 nos : *om A Sc W* ‖ 6 a... gratiam : gloriam a Domino *Sc W*

a. III Rois 19, 4   b. Ps. 50, 21   c. Lc 3, 16   d. Col. 2, 17
e. I Cor. 10, 11

Chapitre 6

Des richesses des Pères de l'Ancien Testament

6. D'aucuns s'excuseront sans doute en disant : « Ne lit-on pas qu'Abraham, Isaac, Jacob et d'autres saints ont possédé des richesses terrestres ? Il nous suffit d'être comme eux, car nous ne sommes pas, nous, meilleurs que nos Pères. Si la possession des richesses était coupable, jamais ils n'auraient obtenu du Seigneur une telle grâce dans les richesses ; ou bien, ayant reçu tant de grâce, ils n'en auraient pas moins possédé des richesses. » Que répondrons-nous à ces nouveaux imitateurs des saints d'autrefois ? Qu'ils apportent donc des veaux sur l'autel du Seigneur, qu'ils tuent des béliers, qu'ils immolent des boucs, puisque, cela aussi, Abraham l'a fait et que ce sont aussi des rites de ces Pères dont on peut dire que non seulement nous ne sommes pas meilleurs qu'eux, mais que nous ne sommes même pas dignes de délier la courroie de leurs chaussures.

« Mais, diront-ils, ces rites n'ont plus cours ; quand la vérité s'est révélée, ils ont été périmés. » Que répondront-ils si nous disons que même les richesses temporelles des saints ont été l'ombre des choses futures ? Effectivement, nous lisons que tout leur est arrivé en figure. Et enfin, pourquoi des hommes saints et parfaits n'auraient-ils pas autrefois possédé des richesses terrestres, alors qu'en ce temps-là, le Seigneur n'avait encore promis que les seuls

et divitiis, carnalibus adhuc populis dispensatio divina
morem gerebat, nimirum ut tamquam parvuli paulatim
a Gentilium ritu secederent, eadem quae Gentes daemo-
niis, Domino immolantes, eademque et illi, sed a Do-
25 mino, non a demoniis exspectantes. Ubi sane caelestis
promissio sonuit, spiritualia iam necesse est spiritualibus
comparari [f], et mutari sacrificium spe mutata. Noverant
haec quicumque vel eo tempore fuere perfecti, sed ex
caritate populo cohaerebant, ut in manifesto quidem
30 agere eadem, et eadem quaerere viderentur.

An forte violenta videtur extorsio, quod de umbra
dicimus et significatione ? Olim alter super hoc scripserat
in hunc modum : « Nullus mihi opponat aurum templi
Iudeorum. Tunc enim hoc fuit, quando sanguis immo-
35 labatur, quod totum fuit figura... Aurum ergo repudiemus
cum ceteris superstitionibus Iudeorum : aut si aurum
placet, placeant et Iudei ». Postremo non multos legisse
me recolo aut non afflictos graviter aut non graviter in
ipsa saeculi huius prosperitate tentatos, forte et pericli-
40 tatos.

---

26 spiritualia... est : iam necesse est spiritualia *Cm Cl Rg* ‖ 32 hoc :
hec quidam *W qui add in marg* scilicet Ieronimus ‖ 38 aut... graviter :
om Sc W

---

f. I Cor. 2, 13

biens terrestres ? De même en effet que l'économie divine s'adaptait à ces peuples encore charnels pour de tels sacrifices, de même aussi pour ces richesses, assurément afin que, comme des enfants, ils s'écartent peu à peu des rites des païens, immolant au Seigneur cela même que les nations immolaient aux démons, et attendent les mêmes dons, non des démons, mais du Seigneur. Mais, dès que la promesse céleste a été proclamée, il faut dès lors que les spirituels se procurent les dons spirituels, et, l'espérance ayant changé, qu'ils modifient leur sacrifice. Ils ont su cela, tous ceux qui alors étaient parfaits ; mais, par charité, ils suivaient le peuple de près, de sorte qu'extérieurement ils semblaient faire les mêmes gestes et chercher les mêmes buts.

Dira-t-on qu'on violente les textes dans ce que nous disons de l'ombre et de sa signification ? Jadis quelqu'un d'autre a écrit sur ce sujet en ces termes : « Que nul ne m'objecte l'or du Temple des juifs. Car il a existé, quand le sang était répandu ; tout cela était figure... Répudions donc l'or en même temps que les autres superstitions juives ; ou si l'on aime l'or, qu'on aime aussi les juifs [1]. » Enfin je me souviens avoir lu que beaucoup, dans la prospérité de ce monde, ou bien ont été grandement affligés, ou bien gravement tentés, peut-être même ont été mis en péril [2].

---

1. Cette citation est tirée de Jérôme, *Epist.* 52, 10, 1-3 (*CSEL* 54, p. 431, 16 - 432, 4). A propos des citations de Jérôme dans le *De Colloquio*, voir J. Leclercq, *Études sur saint Bernard et le texte de ses écrits*, Rome 1953, p. 141, n. 6.
2. La source de Geoffroy n'a pas été identifiée.

Capit. VII

Quomodo Iudeus inter aquas,
Petrus super aquas

7. Nimirum longe aliud est in luto aquarum multa-
rum[a], divisi fundo maris, iter carpere[b], terrena licite
possidendo, aliud ipsam novis gressibus undam calcare,
omnia relinquendo. Sed tempori gratiae praerogativa
5 haec debebatur. Petro novum iter et novi typus itineris
servabatur[c]. Antiquorum sane Patrum diebus, donec in
terris videretur et conversaretur inter homines[d] Dominus
maiestatis, non erat evangelicae forma perfectionis, sed
spiritum Deum solo interim spiritu sequebantur.
10 At ubi Verbum caro factum est et habitavit in nobis[e],
iam nobis in eo tradita est imago vitae, et conversationis
exemplar, quod oporteat etiam corporaliter imitari, ut
utroque sequentes vestigio, non ulterius cum patriarcha
Iacob altero femore claudicemus[f]. Ubi enim audivimus
15 quia dictum sit antiquis : *Nisi quis renuntiaverit omnibus
quae possidet, non potest meus esse discipulus*[g] ? Et item :

7, 11 nobis : *om Cm Cl Rg* ‖ 15 sit : est *Sc W*

---

a. Hab. 3, 15   b. Jug. 19, 14   c. Matth. 14, 29   d. Bar. 3, 38
e. Jn 1, 14   f. Gen. 32, 31   g. Lc 14, 33

Chapitre 7

Comment le juif fut entre les eaux
et Pierre au-dessus des eaux [1]

7. C'est vraiment tout autre chose de faire route dans la boue des grandes eaux au fond d'une mer partagée — en possédant licitement des biens terrestres — et autre chose de fouler d'un pas neuf l'onde même — en quittant tout. Mais ceci devait être la prérogative de l'ère de grâce. C'est à Pierre qu'étaient réservés cette route nouvelle et ce type de marche inédit. Car, aux jours des anciens Pères et jusqu'à ce que le Seigneur de majesté se montre sur terre et vive parmi les humains, la beauté de la perfection évangélique n'existait pas, et, en attendant, c'était par l'esprit seul qu'on suivait un Dieu esprit.

Mais dès que le Verbe se fit chair et habita parmi nous, nous fut en lui proposée l'image de la vie et un modèle de comportement qu'il faut aussi imiter corporellement, pour qu'en le suivant par l'une et l'autre voie, nous ne boitions plus d'une des deux jambes, comme le patriarche Jacob. Car où avons-nous entendu qu'il ait été dit aux anciens : « Si quelqu'un ne renonce pas à tout ce qu'il possède, il ne peut être mon disciple » ? Et

---

1. Allusion au passage de la Mer des Roseaux par les Hébreux au moment de l'Exode (Ex 14, 15-31, notamment v. 29) et à la marche de Pierre sur les eaux (Mt 14, 22-33, notament v. 29).

*Si vis perfectus esse, vade et vende omnia quae habes et
da pauperibus et habebis thesaurum in caelo ; et veni,
sequere me* [h] *?*

20   Neque id dicimus, tamquam salvari quis vel hoc tempore nequeat, si secus egerit ; sed ut gradum agnoscat
proprium et locum perfectionis, aut discipulatus officium
non usurpet.

h. Matth. 19, 21

de même : « Si tu veux être parfait, va, vends tout ce que tu as, donne-le aux pauvres et tu auras un trésor dans le ciel ; et viens, suis-moi » ?

Nous ne disons pas cela comme si, même en ce temps-ci, quelqu'un ne pouvait être sauvé en agissant autrement, mais pour qu'il reconnaisse son rang et le lieu de la perfection et qu'il n'usurpe pas le rôle de disciple [2].

---

2. On peut faire son salut sans suivre les « conseils » évangéliques de perfection ; mais alors il ne faut pas prétendre indûment être parfait.

Capit. VIII

De remedio imperfectorum

8. Habent enim evangelia et perfectionis consilium et remedium infirmitatis. *Nolite thesaurizare vobis thesauros in terra*[a], haec perfectio est. Siquidem Filius hominis ubi caput reclinaret non habebat[b]. Petro et Iohanni nec
5 argentum nec aurum erat[c]. Paulus, victu simplici et vestitu contentus[d], haec ipsa labore manuum acquirebat[e].
442 Sed non omnes capiunt verbum hoc[f], sicut nec consilium castitatis. Quid dicitur populo ? *Facite vobis amicos de mammona iniquitatis, ut, cum defeceritis, recipiant vos in*
10 *aeterna tabernacula*[g]. Verba Domini sunt et quod loquitur tale est : Firma equidem stat immobilisque sententia, eos qui volunt in hoc saeculo divites fieri, incidere in tentationem laqueumque[h] diaboli ; sed quia misereor super turbam[i] et ipsum quoque camelum, quod homo non
15 potest, per foramen acus traducere[j] possum ; cavete saltem a verbo aspero, qui laqueum venantium[k] minime declinatis. Vestite nudum, egenum alite, visitate infirmum[l], ne forte audire contingat sermonem durum[m],

---

8, 4 reclinaret : suum reclinet *Sc W* ‖ 5 argentum nec aurum : aurum nec argentum *Sc W* ‖ 5-6 et vestitu : vestituque *Cl R Rg Sc W* ‖ 14 turbam : terram *A Sc*

Chapitre 8

Le remède des imparfaits

8. Les évangiles contiennent en effet un conseil de perfection et un remède à l'infirmité. « N'allez pas vous amasser un trésor sur terre », voilà la perfection. Car le Fils de l'homme n'avait pas où reposer la tête. Pierre et Jean n'avaient ni argent ni or. Paul, satisfait d'une nourriture et d'un vêtement simples, les acquérait par le travail de ses mains. Mais tous ne comprennent pas cette parole, pas plus que le conseil de chasteté. Qu'est-il dit au peuple ? « Faites-vous des amis avec le mammon d'iniquité, pour que, à votre mort, ils vous reçoivent dans les tabernacles éternels. » Ces paroles sont du Seigneur et voilà ce qu'il dit : « La sentence reste toujours en vigueur : Ceux qui veulent devenir riches tombent dans les tentations et dans les filets du diable ; mais, parce que j'ai pitié de la foule, je puis — ce que l'homme ne peut — faire passer même un chameau par le chas d'une aiguille. » Prenez garde du moins à l'âpre parole, vous qui ne pouvez éviter les filets des chasseurs. Vêtez qui est nu, nourrissez qui a faim, visitez l'infirme, de peur qu'il ne vous arrive d'entendre le mot sévère, l'âpre

a. Matth. 6, 19   b. Lc 9, 58   c. Act. 3, 6   d. I Tim. 6, 8   e. II Thess. 3, 8   f. Matth. 19, 11   g. Lc 16, 9   h. I Tim. 6, 9   i. Mc 8,2   j. Matth. 19, 24   k. Ps. 90, 3   l. Matth. 25, 36   m. Jn 6, 61

asperum verbum [n], auditionem malam [o] : *Ite maledicti in*
20 *ignem aeternum, qui paratus est diabolo et angelis eius* [p].
   Facite vobis amicos de mammona iniquitatis [q]. Ac si
manifestius dicat : *Vae vobis divites, qui habetis consola-*
tionem vestram [r]. Attamen unum iam superesse videtur.
Communicate eam pauperibus, quorum est regnum Dei [s],
25 ut, cum venerit hora eorum, reminiscantur et deficientes
vos recipiant in aeterna tabernacula sua [t] : et consolationem suam, quam modo prudenter exspectant [u], dum vestram ipsi percipiunt, misericorditer communicant desola-
tis. Mensuram enim bonam et coagitatam et supereffluen-
30 tem dabunt in sinus eorum [v] ; nec erit illud pallium breve,
quod duos operire non possit [w], aut stratum coangusta-
tum unde decidat alter.

---

20 qui... eius : et cetera *Sc W* ‖ 26 aeterna : *om Cl R Rg* ‖ 27 prudenter :
vel patienter *add A in interl* ‖ 28 ipsi : *om Sc W*. — percipiunt :
praeripitis *A Crac Cl R Rg Sc W* ‖ 29 bonam : et confertam *add Sc
W*

parole qui fait mal à entendre : « Allez, maudits, au feu éternel préparé pour le diable et ses anges. »

« Faites-vous des amis du mammon d'iniquité » ; comme s'il disait plus clairement : « Malheur à vous, riches, qui avez votre consolation. » Toutefois une solution reste encore, visiblement. Partagez cette consolation avec les pauvres, à qui appartient le royaume de Dieu, pour que, leur heure venue, ils s'en souviennent et vous reçoivent, à votre mort, dans leurs tabernacles éternels, et que, par miséricorde devant votre désolation, ils vous fassent partager la consolation qu'ils attendent avec prudence pour l'instant, pourvu qu'ils reçoivent la vôtre. On versera dans leur giron une bonne mesure, tassée, secouée, débordante. Ce ne sera pas ce manteau court qui ne peut couvrir deux personnes, ni ce lit si étroit que l'une des deux en tombe.

n. Ps. 90, 3   o. Ps. 111, 7   p. Matth. 25, 41   q. Lc 16, 9
r. Lc 6, 24   s. Matth. 5, 3   t. Lc 16, 9   u. Judith 8, 20   v. Lc 6, 38   w. Is. 28, 20

Capit. IX

De periculo clericorum

9. Hinc est quod dotatas et ditatas videmus ecclesias a potentibus et divitibus huius saeculi, qui in operibus bonis divites[a], iuxta Pauli ammonitionem, amicos sibi facere studuerunt de mammona iniquitatis, a quibus in
5 aeterna tabernacula reciperentur[b]. Quidni sperarent ab his recipi, qui claves videntur habere ? Sed, heu ! data est ipsa providentia eorum in occasionem carnis[c], et qui sibi pariter atque aliis in caelo tabernacula aeterna parare debuerant, in terra coniungunt domum ad domum, et
10 copulant agrum agro[d] ! Quis rapuit ab ore Apostolorum temporis huius verbum gratiae, fiduciae verbum : *Ecce nos reliquimus omnia, et secuti sumus te*[e] *?*

Ecce enim ut populus, sic sacerdos[f]. Similiter volunt divites fieri ; similiter, immo et abundantius ipsam hiis
15 praeripiunt consolationem. Similiter amicis egerent et ipsi, ut in aliena saltem tabernacula reciperentur, utpote propria non habentes. *Beati* enim *pauperes spiritu, quoniam*

9, 4 mammona iniquitatis : misericordia id est *Cl Rg* ‖ 14-15 similiter... consolationem : *om Cl Rg* ‖ 14-15 ipsam... praeripiunt : suam percipiunt hii *Sc W* ‖ 14 hiis : hic *Cm R* ‖ 15 praeripiunt : precipiunt *Cm* ‖ 16 saltem : *om Cm Cl Rg* — reciperentur : susciperentur *R Sc W*

a. I Tim. 6, 18   b. Lc 16, 9   c. Gal. 5, 13   d. Is. 5, 8   e. Matth. 19, 27   f. Is. 24, 2

Chapitre 9

Le danger pour les clercs

9. De là vient que nous voyons des églises dotées et pourvues par les puissants et les riches de ce monde, qui, riches de bonnes œuvres, se sont efforcés, selon l'exhortation de Paul, de se faire, du mammon d'iniquité, des amis qui les reçoivent dans les tabernacles éternels. Pourquoi n'auraient-ils pas espéré y être reçus par ceux qui visiblement en possèdent les clefs ? Mais hélas, leur prévoyance même a donné occasion à la chair, et ceux qui devraient préparer - pour eux-mêmes et pour les autres - des tabernacles éternels dans le ciel, ajoutent sur terre maison à maison et joignent champ à champ [1]. À ces apôtres de notre temps, qui donc a ôté de la bouche la parole de grâce, la parole de confiance : « Voici, nous avons tout quitté pour te suivre » ?

Oui : tel peuple, tel prêtre. Comme le peuple, les clercs veulent devenir riches ; Comme lui, que dis-je, beaucoup plus que lui : ils vont jusqu'à lui ravir cette consolation-là. Comme le peuple, ils auraient, eux aussi, besoin d'amis pour être reçus à tout le moins dans les tabernacles d'autrui, puisqu'ils n'en ont pas à eux. Car : « Bienheu-

---

1. Bernard, *Opera* III, 134, 22 : *Dil.* 18 cite également Is. 5, 8 —

ipsorum est regnum caelorum[g]. Ceterum hominibus, qui
perfectionis obtinent locum, dignitate pollent, auctoritate
20 praeminent, funguntur officio, an inter haec infirmitatis
et imperfectionis, quam usque adeo diffitentur, liceat
saltem sperare remedium, ipsi hinc quoque sint iudices.
Ipsi inquam iudicent utrum liceat. Nam quod minime
deceat, manifestum : nobis sane liceat vel audire dicen-
443 25 tem : *Si sal infatuatum fuerit, in quo salietur ? Ad nichilum
valet ultra, nisi ut mittatur foras et conculcetur*[h].

Sed et presbytero, cui forsitan derogare timebunt, quoniam sanctus est, uti liceat solita spiritus libertate[i], nulli
blandiri, palpare neminem ; sed nude nudam promere
30 veritatem. « Clericus », inquit, « qui partem habet in
terra, non habebit partem in caelo[j] ». Itemque : « Clericus, si quippiam habuerit praeter Dominum, pars eius
non erit Dominus ; verbi gratia, si aurum, si argentum,
si possessiones, si variam suppellectilem, cum istis Do-
35 minus pars eius fieri non dignatur ».

22-23 2° Ipsi... liceat : *om Cl R Rg Sc W* ‖ 23 inquam : quoque *Cr* ‖
27 Sed et : Ieronimo *add Sc* ‖ 34 possessiones : possessionem *Sc W*

g. Matth. 5, 3   h. Matth. 5, 13   i. II Cor. 3, 17   j. Deut. 18, 1 et
Jn 13, 8

J. Leclercq, *Recueil d'études sur saint Bernard et ses écrits* I, Rome
1962, p. 116 n. 2-3, 6, 8, renvoie à trois reprises au *De Colloquio :*

a) À propos de l'expression *palpatis principes... daemones* du sermon
Reverentissimi (*PL* 184, 1090 A), il cite à titre de comparaison *De
Colloquio* IX, 9 (XI, 9 est une erreur) où l'on trouve l'expression *palpare
neminem* à propos de l'avidité du clergé, et Bernard, *Csi* IV, iv,
12 (*Opera* III, 458, 6-7) qui dit : *divites non palpent* à propos des vertus
nécessaires aux auxiliaires du pontife. Mais les contextes sont bien
différents.

b) *De Colloquio* X, 10-11 (où Geoffroy reproche aux clercs de s'ap-
proprier les avantages de certains corps de métier sans en assumer les

reux les pauvres en esprit : le royaume des Cieux est à eux. » Du reste, étant donné qu'ils occupent un rang de perfection, jouissent d'une dignité, l'emportent par l'autorité, remplissent une fonction, est-il au moins permis d'espérer qu'ils soignent leur infirmité et une imperfection qu'ils vont jusqu'à refuser d'admettre. Qu'ils en jugent eux-mêmes ! Qu'eux mêmes, dis-je, jugent si cela est admissible. En tout cas, il saute aux yeux que cela est tout à fait inconvenant. Pour nous, qu'on nous permette du moins d'écouter celui qui dit : « Si le sel s'affadit, avec quoi salera-t-on ? Il n'est plus bon qu'à être jeté dehors et foulé aux pieds. »

Mais que l'on permette du moins à ce prêtre à qui, peut-être, ils craindront de refuser crédit, puisque c'est un saint, d'user de sa liberté d'esprit coutumière, de ne flatter ni flagorner personne, mais de déclarer nuement la vérité nue : « Le clerc, dit-il, qui a sa part sur la terre n'aura pas sa part dans le ciel. » Et encore : « Si un clerc possède quoi que ce soit, hors le Seigneur, le Seigneur ne sera pas sa part : si par exemple il possède de l'or, ou de l'argent, ou des propriétés, ou tout un mobilier, le Seigneur ne daigne pas devenir sa part concurremment avec ces choses-là [2]. »

---

risques) est cité, ainsi que *Csi* V, 19-20 (*Opera* III, 483-4) qui parle de l'unité de la Trinité et de celle de l'âme et du corps, en comparaison de *PL* 184, 1091 C.

c) *De Colloquio* XIII, 15 (qui parle de la simonie) et Bernard, *Epist.* 11, 3-5, 7 (*Opera* VII, 54-58, où il est question de l'attitude différente des serfs, des mercenaires et des fils, et de la loi de charité) sont mis en parallèle avec le sermon *Reverentissimi, PL* 184, 1085-1095. On peut ajouter à ces comparaisons, celle entre *De Colloquio* XIV, 16 et Bernard, *Can.* 66, 11 (*Opera* II, 185-186) ; mais dans le premier texte, c'est le pouvoir corrupteur de l'argent qui est dénoncé, tandis que, dans le second, Bernard réfute ceux qui prétextent les défauts de l'évêque pour lui refuser obéissance. Il ne semble donc pas que ces rapprochements puissent prouver une dépendance quelconque de Geoffroy soit à l'égard de Bernard, soit à celle de l'auteur du sermon *Reverentissimi*.

2. Jérôme, *Epist.* 52, 10. Voir ch. 6, n. 1, p. 83.

Capit. X

Quomodo clerici a singulis generibus hominum quod delectat usurpent

10. Videtur et sanctus David cauterio gravi inurere quosdam : ipsi viderint quos haec parabola tangat. *In labore,* inquit, *hominum non sunt, et cum hominibus non flagellabuntur ; ideo tenuit eos superbia* [a].

5 Habent enim singula quaeque genera hominum laboris aliquid, aliquid voluptatis. Sed advertere est prudentiam aliquorum et mirari quemadmodum novo inter haec artificio discernentes et ab invicem sequestrantes ea, totum quod delectat eligunt et amplectuntur, quod molestum 10 est fugiunt et declinant. Cum militibus nempe superbiae fastus, amplam familiam, nobiles apparatus, equorum faleras, accipitres, aleas et similia quaeque frequentant. Aliqui forte et dependentes a collo rubricatas murium pelles, ornatos thalamos, balnea et mollitiem omnem 15 atque gloriam vestium a mulierculis mutuantur ; caute omnino loricae pondus [b] et insomnes in castris noctes, incertaque discrimina praeliorum, muliebrem quoque verecundiam et disciplinam aut si quid aliud sexus ille laboris habere cernitur declinantes.

20 Sudant agricolae, putant et fodiunt vinitores et qui inter haec torpent otio, accedente fructuum tempore,

10, 14 omnem : *om Sc W*

a. Ps. 72, 5-6   b. I Sam. 17, 5

Chapitre 10

Comment les clercs empruntent aux hommes de chaque condition ce qui leur plaît

10. Il en est que David, le saint, marque au feu d'un cruel cautère. Qu'ils voient eux-mêmes ceux que vise cette parabole. « Ils ne sont pas aux prises avec le labeur des hommes, dit-il, ni avec les châtiments qui les frappent ; c'est pourquoi la superbe les possède. »

Chaque condition humaine a sa propre part de labeur et sa propre part de jouissance. Mais il faut remarquer la prudence de certains et admirer la façon dont, par un artifice nouveau, ils trient entre ces deux parts et, les dissociant l'une et l'autre, choisissent et saisissent tout élément de plaisir, fuient et évitent tout ce qui accable. Comme les guerriers en effet, le faste de leur superbe accumule suite nombreuse, noble équipage, caparaçons pour leurs chevaux, faucons, dés et autres choses semblables. Certains empruntent même aux élégantes les pelisses d'hermine teintes, les lits chamarrés, les bains et tout ce qu'il y a de souple et de somptueux dans leurs vêtements. Avec une habileté extrême, ils évitent le poids de l'armure, les veilles des camps, les imprévisibles aléas des combats, la pudeur et la retenue des femmes et tout ce que leur sexe supporte d'évidente peine.

Les agriculteurs transpirent ; les vignerons taillent et bêchent ; mais eux, qui pendant ce temps somnolent

innovari sibi horrea iubent et promptuaria eorum plena[c].
Utinam non prae illis, utinam vel cum illis. Vivunt tritico,
bibunt uvae sanguinem meracissimum[d] : parum est, im-
25 pinguantur et dilatantur adipe frumenti[d']. Herbarum sucis
peregrinum mutuantur vina saporem et additur oleum
camino.

11. Sed considera et negotiatores. Circueunt mare et
aridam[d''], in labore corporis et periculo vitae perituras
30 sibi divitias congregantes. Dura sunt haec : caveant pru-
dentes nostri, dulces interea capiant somnos, ne dicam,
in stratis lasciviant suis[e]. Erit tamen invenire in die festo
graves vasis aureis et argenteis ministrorum dextras, refertas variis opibus manticas, perticas oneratas et in
35 scriniis tam multiplices loculos, ut si mensas adhibueris,
nummularios putem[f]. Quid fabros aut cementarios, ce-
terosque eiusmodi operarios necesse est numerare ? Victum sibi multo labore quaerunt : illi madent deliciis,
copiis affluunt otiosi. Annon merito tales poeta subsan-
40 net ?

> *Ne cum forte suas repetitum venerit olim*
444 > *Grex avium plumas, moveat cornicula risum*
> *Furtivis nudata coloribus.*

Magis autem magnus ille propheta et plus quam pro-
45 pheta[g] increpet dicens : *Genimina viperarum, quis demonstravit vobis fugere a ventura ira*[h] *?* Ubi enim sunt
paenitentiae fructus ? Cum resurgere coeperint homines

---

25 sucis : viribus *Cl R Rg Sc W* ‖ 34 oneratas : ornatas *A Cl Rg* ‖
36 putem : putes *Sc W* ‖ 44 increpet : terribiliter increpat *Sc W* ‖ 44-
45 demonstravit : ostendit *Sc W* ‖ 45 enim : non *add R Rg*

---

c. Ps. 143, 13   d. Deut. 32, 14-5   d'. Ps. 80, 17 et 147, 14
d''. Matth. 23, 15   e. Amos 6, 4   f. Matth. 21, 12   g. Matth.
11, 9   h. Lc 3, 7-8

d'oisiveté, quand vient l'heure de la récolte, ils ordonnent de restaurer leurs greniers et leurs granges s'emplissent. Si encore c'était hors du regard des travailleurs, si encore c'était avec les travailleurs ! Ils vivent de froment, ils boivent le sang pur de la vigne ; ça ne suffit pas, ils se gavent et s'engraissent de la fleur de froment ; par la sève des herbes, ils donnent au vin une saveur étrangère et jettent ainsi de l'huile sur le feu [1].

11. Mais considère aussi les commerçants. Ils parcourent mer et terre, amassant pour eux, par le travail de leur corps et au péril de leur vie, des richesses périssables. Dures conditions ! Qu'ils prennent garde nos prudents, qui pendant ce temps prennent un doux sommeil, pour ne rien dire des ébats lascifs sur leurs couches. Aux jours de fête, on pourra même trouver les mains de ces ministres encombrées de vaiselle d'or et d'argent, les sacs remplis de richesses variées, les penderies surchargées et, dans leurs écrins, tant d'alvéoles que, s'il y avait en plus des comptoirs, on croirait avoir à faire à des changeurs. Est-il nécessaire d'énumérer charpentiers ou maçons et autres ouvriers de ce genre ? À force de travail, ils cherchent à se nourrir ; quant à ces autres, ils s'enivrent de délices et, oisifs, regorgent de biens. N'a-t-il pas raison, le poète, de les railler quand il craint :
    « Que si d'aventure les oiseaux en foule venaient un
                    jour réclamer leurs plumes,
    la corneille, dépouillée de ses couleurs empruntées,
                    ne provoque le rire [2] ? »
Mais, mieux encore ; que le grand prophète, plus que prophète, les invective de sa voix terrible : « Engeance de vipères, qui vous a appris à fuir la colère prochaine ? » Où sont en effet les fruits de leur pénitence ? Quand les

---

1. « Jeter de l'huile sur le feu » est une expression d'Horace, *Sat.* II, 3, 321.
2. Horace, *Epist.* I, 3, 18-20.

unusquisque in ordine suo, ubi putas generatio ista lo-
cabitur ? Si ad milites forte diverterint, exsufflabunt eos[i],
50 quod minime secum labores aut pericula tolerarint. Sic
agricolae, sic negotiatores et singuli quique ordines hominum a suis eos similiter arcebunt finibus, utpote qui
in hominum labore non fuerint[j]. Quid igitur restat, nisi
ut quos omnis ordo repellit pariter et accusat, eum
55 sortiantur locum, ubi nullus ordo, sed sempiternus horror
inhabitat[k] ?

49 labores : laborem *Cm Cl R Rg Sc W*. — pericula : dolorem *W*

---

i. Mal. 1, 13   j. Ps. 72, 5   k. Job 10, 22

humains commenceront, chacun à leur rang, à ressusciter, où crois-tu que cette génération sera placée ? S'ils se tournent par hasard vers les guerriers, ils les repousseront d'un souffle, parce qu'ils n'ont souffert avec eux nulle peine, nul péril. De même les agriculteurs, de même les commerçants, et les hommes de chaque ordre les écarteront pareillement de leur cercle, comme n'ayant pas pris part au labeur des hommes. Que restera-t-il donc, sinon que ces gens, repoussés, aussi bien qu'accusés par les hommes de chaque ordre, obtiennent cette place où il n'y a plus d'ordre, mais qu'habite une horreur sans fin.

Capit. XI

De officio clericorum

12. An forte ad electionem cleri audeant aspirare ?
Magnus enim vere eorum locus in regno Dei et bonum
sibi, sed qui bene ministraverint, gradum acquirunt[a].
Ceterum suus et ipsis nec modicus labor esse videtur, et
5 dicebat qui plus omnibus laboravit : *Qui non laborat nec*
manducet[b]. Et Petro dictum est : *Symon Iohannis, amas*
me ? Pasce oves meas[c]. Idemque tertio repetitum ; tertio
dictum : *Pasce ;* nec : « Mulge » seu : « Tonde » vel semel
additum est. Speret ergo discipuli locum, gradum minis-
10 tri, qui dominicum pascere gregem satagit quam tondere.
Pascere vero tripliciter : exemplo conversationis, verbo
praedicationis, fructu orationis. Et pascere ad mandatum
Christi, ut nemo sibi hunc sumat honorem, sed qui
vocatus fuerit a Deo tamquam Aaron[d]. Per eum nempe
15 si quis introierit salvabitur et inveniet pascua[e]. Si vero
ascenderit aliunde, plane fur est et latro[f]. Atque utinam
vel quaeratur iam inter dispensatores, ut fidelis quis
inveniatur[g].

11, 1 electionem : delectationem *W* ‖ 5 laboravit : laborabit *Crac,*
laborant *R,* laborabat *Crpc Sc W* ‖ 8 vel : *om Cl Sc W* ‖ 15 2° Si :
Sin *Cr Sc W*

---

a. I Tim. 3, 13   b. II Thess. 3, 10   c. Jn 21, 15-7   d. Hébr.
5, 4   e. Jn 10, 9   f. Jn 10, 8   g. I Cor. 4, 2

Chapitre 11

De la fonction des clercs

12. Oseraient-ils par hasard aspirer au suffrage du clergé ? C'est qu'à vrai dire cette place-là est grande dans le royaume de Dieu et ils s'adjugent une bonne place, ceux du moins qui servent bien. Ceux-là mêmes d'ailleurs estiment que leur tâche n'est pas mince, et celui qui a travaillé plus que tous disait : « Que celui qui ne travaille pas ne mange pas non plus. » Quant à Pierre, il lui fut dit : « Simon, fils de Jean, m'aimes-tu ? Pais mes brebis. » Et cela par trois fois. Trois fois il fut dit : « Pais » et pas une seule fois il ne fut ajouté : « Trais » ou « Tonds ». Qu'il espère donc une place de disciple, le rang de ministre, celui qui s'emploie davantage à paître le troupeau du Seigneur qu'à le tondre. Le paître de trois façons : par l'exemple de sa conduite, par la parole de la prédication, par le fruit de l'oraison [1]. Et paître par ordre du Christ, afin que nul ne s'arroge cet honneur, sinon celui qui aura été appelé par Dieu, comme Aaron. Si, en effet, quelqu'un s'introduit dans la place en passant par lui, il sera sauvé et trouvera des pâturages. Mais s'il y accède par une autre voie, il est clair que c'est un voleur et un larron. Et souhaitons qu'il se trouve, au moins parmi les intendants, quelqu'un qui se montre fidèle !

---

1. Voir une pensée semblable dans Bernard, *Opera* V, 96, 23 : *Pasc.* II, 3 : *pasce animi oratione, verbi exhortatione, exempli exhibitione.*

Capit. XII

Excusatio quod nonnisi manifesta loquatur

13. Nemo tamen indignetur nobis, aut moleste accipiat
quae dicuntur. Si sanctus est, et minime sibi conscius
horum, congratulamur ei ; doleat et ipse nobiscum in
pluribus haec inveniri. Nec enim revelamus nunc occulta
5 dedecoris ª, nec parietem fodimus ᵇ, ut abominatio maior
appareat ᶜ.

Nullum adhuc de fornicatione fecimus verbum, quam-
vis et haec in multis etiam et multipliciter regnet, qui,
puritatis auctori impuro corde et corpore ministrantes,
10 non verentur stare ante angelum Domini ᵈ, qui secet
medios et disperdat ; sed omnino audent Agni immaculati ᵉ sacras contingere carnes et intinguere in sanguine
Salvatoris manus nefarias ᶠ, quibus paulo ante carnes,
proh dolor ! meretricias attrectarint ; sic altaria circuire,
15 sic frequentare psalmos, cum et eiusmodi laus exsecrabilis
et oratio sit in peccatum ᵍ.

12, 12 intinguere : intingere *Cr Cl R Rg W*. — sanguine : calice *R
Sc W*

a. II Cor. 4, 2   b. Éz. 8, 8   c. Éz. 8, 13   d. Zach. 3, 1   e. I
Pierre 1, 19   f. Matth. 26, 23 par   g. Ps. 108, 7

Chapitre 12

Il se justifie : il ne dit rien
qui ne soit évident.

13. Que nul cependant ne s'indigne contre nous, ni ne prenne mal ce que nous disons. S'il est saint et ne se reconnaît pas coupable de ces erreurs, nous l'en félicitons ; mais qu'il souffre avec nous de ce qu'on les rencontre chez plusieurs. Car nous ne révélons pas à présent des secrets d'infamie, ni ne perçons une muraille pour qu'apparaisse une plus grande abomination [1].

Jusqu'ici nous n'avons dit mot de la fornication, bien qu'elle aussi règne de multiple façon chez un grand nombre. Servant d'un cœur et d'un corps impurs le garant de la pureté, ils n'ont pas honte de se tenir devant l'ange du Seigneur qui pourfend et anéantit. Ils vont même jusqu'à toucher les chairs sacrées de l'Agneau immaculé et à plonger dans le sang du Sauveur leurs mains abominables, dont, peu de temps auparavant, ô douleur, ils palpaient des chairs prostituées. C'est dans ces conditions qu'ils entourent l'autel et s'adonnent à la psalmodie, alors qu'une louange de cette sorte est exécrable et que leur oraison se tourne en péché.

---

1. À propos d'Ézéchiel 8, 8, comparer Bernard, *Conv.* XX, 34 (*Opera* IV, 111, 22) : *... si... parietem fodiamus, ut in domo Dei videamus horrendum.*

Sed nec eorum sacrilegia recensemus, qui diligunt munera, sequuntur retributiones[h], vendunt sacramenta, ius-
445 titiam produnt ; quorum guttura necdum traxit ad la-
20 queum, necdum praefocavit fauces verbum blasphemiae,
vox sacrilega, sermo nequam[i] : *Quid vultis mihi dare et
ego vobis eum tradam*[j] *?* Videmus haec omnia, sed quodam modo non videntes, quippe quibus nec flagellum
est[k], nec ille comedens zelus[l]. Manifesta loquimur, et
25 quae vix aliqui erubescant. Postremo et nos in clero
fuimus ; liceat vel nostra scrutari.

17 sacrilegia : sacrificia *Sc W* ‖ 24 ille : *om Cr Sc W*

h. Is. 1, 23   i. Ps. 63, 6   j. Matth. 26, 15   k. Jn 2, 15   l. Ps.
68, 10

Nous n'examinerons pas non plus les sacrilèges de ceux qui aiment les présents, courent après les récompenses, vendent les sacrements, trahissent la justice, et dont la parole de blasphème, le mot sacrilège, le discours infâme ; « Que voulez-vous me donner et je vous le livrerai ? » n'a point encore étranglé la gorge ni suffoqué la voix. Nous voyons tout cela, mais sans les voir pour ainsi dire, nous qui n'avons ni fléau, ni ce fameux zèle dévorant. Nous disons des évidences dont à peine quelques-uns rougissent. Après tout, nous aussi nous avons été clerc ; qu'on nous permette donc du moins de faire notre propre examen.

Capit. XIII

Quomodo intrent clerici
ad ecclesiastica beneficia

14. *Videte vocationem vestram*[a], ait vocatus Apostolus.
Consideremus et nos an vocati venerimus, et vocati a
Deo, cuius nimirum haec vocatio est. Nec communem
modo vocationem dixerim, qua sane iuxta eumdem Apos-
5 tolum : *quos praedestinavit, hos et vocavit*[b]. Sed quis
vocaverit nos in honorem cleri ? Convenire velim
conscientias singulorum, ut secundum praeceptum Domini ad cor Ierusalem loquar[c]. Huic enim parvulo adhuc,
aut forsitan necdum nato, ecclesiastica iam beneficia
10 provida sane parentum sollicitudo parabat. Hunc nos,
inquiens, illi vel illi trademus episcopo, apud quem habemus gratiam, aut cui forte servivimus, ut ditetur de
bonis Domini, nec in tot liberos nostra dividatur haere-
ditas. Illum praepositus aut decanus, ut sibi succederet,
15 plus quam materno educavit affectu, in deliciis enutriens[d]
et delictis. Ille dignus archidiaconatu, utpote filius prin-
cipis ; magis autem si sit episcopi consobrinus, in quo
nimirum tota est episcopata progenies. Alius undique

13, 5 Sed : Si *Cl Rg* ‖ 12 gratiam : gratiae locum *Cm* ‖ 17-18 in
quo... progenies : *om R*

---

a. I Cor. 1, 26   b. Rom. 8, 30   c. Is. 40, 2   d. II Chr. 10, 10

Chapitre 13

Comment les clercs entrent en possession
des biens ecclésiastiques

14. « Voyez votre vocation », dit l'Apôtre, lui-même appelé. Considérons, nous aussi, si nous sommes venus à l'appel et à l'appel de Dieu, de qui assurément vient cette vocation. Je ne parlerai pas de la vocation en quelque sorte commune, dont le même Apôtre dit justement : « Ceux qu'il a prédestinés, il les a aussi appelés. » Mais qui nous a appelés à l'honneur d'être clerc ? Je voudrais que chacun convienne, en conscience, que je parle, selon le précepte du Seigneur, au cœur de Jérusalem. Car, à un tel, encore enfant, voire même avant sa naissance, la sollicitude combien prévoyante de ses parents a déjà préparé des bénéfices ecclésiastiques. — « À tel ou tel évêque, près de qui nous sommes en faveur, ou à qui il nous est arrivé de rendre service, nous remettrons, disent-ils, cet enfant, pour qu'il devienne riche des biens du Seigneur et que notre héritage ne soit pas dispersé entre une si nombreuse progéniture. » Pour s'en faire un successeur, un prévôt ou un doyen a éduqué tel autre avec un sentiment plus que maternel, l'élevant dans les délices et les délits. Celui-là est digne d'un archidiaconat, puisqu'il est fils de prince, et bien davantage s'il est cousin d'un évêque, en la personne de qui, bien entendu, toute la famille est vouée à l'épiscopat. Tel

circuit sedulus explorator, blanditur, obsequitur, simulat
20 et dissimulat, miseraque sibi suffragia mendicare non
erubescit[e], manibus et pedibus repens, si quo modo
tandem aliquando sese ingerere queat in patrimonium
Crucifixi et bona Domini, quae sola ex omnibus hodie
inveniuntur exposita. Nimirum peregre profectus est[f] ;
25 sed, in plenilunio forte, ut sua districte repetat, rediturus[g].

15. Quis ea intentione gradus ecclesiasticos et ministeria sanctuarii quaerit immo quaeritur (quaeri nempe
quam quaerere ipse debuerat), ut, sine curis saeculi, in
sanctimonia cordis et corporis, illuminandus accedat ad
30 Dominum et suam pariter ac proximorum operetur sa-
lutem, orationis studio deditus et verbo praedicationis ?
Nam si eo quaerit aut tenet animo eoque intuitu, ut huic
vitae habeat necessaria, evangelizat ut manducet et, per-
verso nimis ordine, caelestibus terrena mercatur. Quam
35 certe dignius ampliusque consentaneum rationi, ut pro
carnali victu carnalia magis opera et negotia exerceret,
nec fieret inversor rerum aut inhonoraret ministerium
spirituale ? Sed modico est natura contenta, nec multi
sola in his necessaria quaerunt, quippe minori facile satis
40 obtinenda periculo. Honorati incedere volunt, placere
student hominibus, ditari et superbire et huic saeculo per
omnia conformari[h]. Audi querelas Domini ; quid super
446 hac tanta hominum temeritate loquatur ? Patiens reddi-
tor, paenitentiam cupiens quam vindictam. *Ipsi,* inquit,

---

22 aliquando : *om Cm Cl Rg* ‖ 23 et : in *A Sc W* ‖ 27 immo : aut *Sc
W* ‖ 37 inversor : invasor *Cr Sc W,* inersor *R.* — rerum : divinarum
add Rg Sc W ‖ 41 ditari : delectari *Cm Cl R Rg* ‖ 41-42 per omnia :
om Cm Cl Rg ‖ 44 paenitentiam : magis *add Sc W,* patientiam *Cl*

---

e. Lc 16, 3   f. Matth. 21, 33   g. Prov. 7, 20   h. Rom. 12, 2

autre circule partout, explorant avec soin ; il flatte, il est obséquieux, il simule et dissimule, il ne rougit pas de mendier de misérables suffrages en sa faveur, rampant des mains et des pieds, pour le cas où il pourrait enfin un jour s'introduire dans le patrimoine du Crucifié et dans les biens du Seigneur, qui, de nos jours, sont les seuls entre tous qu'on met à l'encan. Sans doute il est parti au loin ; mais il reviendra, à la pleine lune [1] peut-être, réclamer son dû avec âpreté.

15. Quel est celui qui cherche les grades ecclésiastiques et les ministères du sanctuaire — mieux vaudrait dire : qui est requis pour cela, car il devrait plutôt être requis que chercher lui-même — à telle fin que, loin des avidités du siècle, dans la sainteté du cœur et du corps, il approche du Seigneur pour en être illuminé et travaille à son salut comme à celui de son prochain, en se livrant à la pratique de l'oraison et à la parole de la prédication ? Car s'il cherche et trouve dans l'intention et en vue d'avoir le nécessaire pour cette vie, il évangélise pour manger et, bouleversant l'ordre, il achète les choses de la terre au prix des biens célestes. Qu'il serait plus digne et plus conforme à la raison qu'il exerçât des œuvres et des négoces charnels pour sa nourriture charnelle et ne renversât pas les choses ni ne déshonorât le ministère spirituel ! Mais la nature se contente d'un rien et peu de gens se contentent du nécessaire en ces choses, d'autant qu'on les peut obtenir assez facilement sans grand danger. On veut parader dans les honneurs, on s'emploie à plaire aux hommes, à s'enrichir, à plastronner, à se conformer en tout à ce siècle. Entends les plaintes du Seigneur ; que dit-il de cette excessive témérité des hommes ? Patient à rendre à chacun son dû, il préfère leur repentir à sa

---

1. Le *plenilunium* veut sans doute dire ici : « au beau milieu de la nuit ».

45 *regnaverunt et non ex me : principes exstiterunt et ego non vocavi eos*[i]. Universos siquidem in ordinibus ecclesiasticis ceterisque ad sanctuarium pertinentibus honorem quaerentes proprium aut divitias seu corporis voluptatem, postremo quae sua sunt, non quae Iesu Christi[j], mani-
50 feste prorsus et indubitanter, non ea quae Deus est caritas[k], sed aliena a Deo et omnium radix malorum, cupiditas[l] introducit. Quid istud temeritatis ; immo quid insaniae est ? Ubi timor Dei, ubi mortis memoria, ubi gehennae metus et terribilis exspectatio illa iudicii[m] ?
55 Sponsa nec cubiculum nec cellam ingredi nisi rege introducente[n] praesumit : tu irreverenter irruis nec vocatus nec introductus ? *Trahe me post te,* ait illa, *in odorem unguentorum tuorum curremus*[o]. Nunc autem trahit sua quemque voluptas ; et odorem turpis lucri sectantes[p],
60 quaestum aestimant pietatem[q] : quorum certa damnatio est.

---

48 quaerentes : quaerentibus *Cm Cl Rg* ‖ 57 illa : *om Cl Rg* ‖ 60 certa : recta *W*

---

i. Os. 8, 4 (... et non cognovi)   j. Phil. 2, 21   k. I Jn 4, 16   l. I Tim. 6, 10   m. Hébr. 10, 27   n. Cant. 2, 4   o. Cant. 1, 3   p. I Tim. 3, 8   q. I Tim. 6, 5

propre vengeance. « Eux-mêmes, dit-il se sont fait rois, mais sans moi ; ils se sont fait princes, mais ce n'est pas moi qui les ait appelés. » Tous ceux assurément qui, dans les ordres ecclésiastiques et dans tout ce qui touche au sanctuaire, cherchent leur propre honneur ou les richesses ou la volupté du corps, bref : leur intérêt et non celui de Jésus Christ, il est bien évident et sans l'ombre d'un doute que ce n'est pas la charité - qui est Dieu -, mais la cupidité, étrangère à Dieu et racine de tous les maux, qui les a introduits. Quelle témérité est-ce là, quelle folie ! Où est la crainte de Dieu, où le souvenir de la mort, où la peur de la géhenne et cette terrible attente du jugement ? L'épouse n'a pas l'audace de pénétrer ni dans la chambre ni dans le logis, si le roi ne l'y introduit ; et toi, avec impudence, tu te précipites sans être ni appelé ni introduit ? « Entraîne-moi après toi, dit-elle, nous courrons à l'odeur de tes parfums ». Mais, de nos jours, chacun est entraîné par son propre plaisir[2] ; et, suivant l'odeur d'une avarice sordide, ils pensent avoir dans la piété une source de profit : leur damnation est certaine.

2. De nouveau (voir ch. 3, n. 4) Virgile, *Bucol.* II, 65.

Capit. XIV

De loculis Iudae

447　　**16.** Verum tamen irreprehensibilis videatur ingressus,
et intentio casta, nichilne ultra timendum est ? Timendum
quidem et maxime. Neque enim quicumque spiritu coeperint et spiritu consummantur ^a, sed carne nonnulli.
5　Denique et Saul princeps constitutus a Domino ^{a'} et Iudas
non ab alio electus in apostolum memoratur. *Nonne ego,*
inquit, *vos duodecim elegi ? Et unus ex vobis diabolus est*^b.
Utinam in duodecim unus hodie Petrus, unus qui reli-
querit omnia, unus qui loculis careat, inveniatur. *Unus,*
10　inquit, *ex vobis diabolus est.* A duobus utique bolis
diabolus dicitur ; et Iudas non loculum sed loculos ha-
bet^c. Utinam saperes, miser, et intelligeres ^d cum thesauro
pecuniae thesaurum irae pariter cumulari ! Utinam no-
vissima providens, animadverteres facile per foramen acus
15　transituros^e non divitiarum cumulos, sed delictorum !
Nichil enim intulimus in hunc mundum : haud dubium quia
nec auferre poterimus quicquam ^f. Sane argentum et aurum

14, 4 et : etiam *Cl R Rg Sc W*

---

a. Gal. 3, 3　　a'. I Sam. 9, 16　　b. Jn 6, 71　　c. Jn 12, 6　　d. Deut.
32, 29　　e. Matth. 19, 24　　f. I Tim. 6, 7

Chapitre 14

Des deniers de Judas [1]

16. Même si l'entrée semble sans reproche et chaste l'intention, n'y a-t-il rien d'autre à redouter ? Si, il faut craindre et bien davantage. Car même tous ceux qui ont commencé par l'esprit ne finissent pas par l'esprit, mais certains par la chair. Qu'on se rappelle enfin Saül, établi prince par le Seigneur, et Judas, que nul autre n'a élu à la dignité d'apôtre. « N'est-ce pas moi, dit-il, qui vous ai choisis, vous les douze ? Et l'un de vous est le diable. » Puisse-t-il se trouver aujourd'hui parmi ces douze un seul Pierre, un seul qui ait tout quitté, un seul qui n'ait pas ses deniers. « L'un de vous, dit-il, est le diable. » Diable vient de di-oboles [double gain] [2] et Judas n'a pas seulement un denier, mais des deniers. Si seulement, malheureux, tu avais la sagesse et l'intelligence de comprendre qu'en thésaurisant l'argent tu thésaurises pareillement la colère ! Si seulement, en prévision des fins dernières, tu notais que par le chas de l'aiguille passent aisément non des monceaux de richesses, mais des monceaux de péchés ! Car : « nous n'avons rien apporté en ce monde et il n'est pas douteux que nous n'en pourrons emporter quoi que ce soit. » Certes l'or et l'argent, ce n'est pas rien ; le

---

1. Voir ch. 5, n. 5.
2. La source de cette étymologie (*diabolus* = *di-oboles*) n'a pu être identifiée.

non nichil est : sibi utrumque retinet mundus. Inexorabilem constituit ianitorem [g] : foramen angustum est [h], ni-
20 chil ex omnibus asportare licebit. Nam peccatum, quoniam nichil est, nulla potest foraminis angustia retineri.
Solum hoc sequitur te quocumque ieris [i] : quacumque
intraveris, pellem hanc non depones. Quae autem parasti
insipiens, cuius erunt ? Vae ! vae ! in domo Dei horren-
25 dum videmus [j]. Quidni idolatras ministrantes ? Mentior si
non idolorum servitus avaritia est [k], si non quibusdam
etiam venter suus factus est deus suus [l]. Quod enim
quisque prae ceteris colit, id sibi deum constituisse probatur. Quantos sane videmus qui diligunt munera, se-
30 quuntur retributionem ! Quantos qui Christo Domino
non serviunt, sed suo ventri !

18-19 Inexorabilem : sibi *add* Sc W ‖ 30 retributionem : -ones Sc W

g. II Chr. 23, 19   h. Matth. 19, 24   i. Matth. 8, 19   j. Os.
6, 10   k. Éphés. 5, 5 ; Col. 3, 5   l. Phil. 3, 19

monde s'attache à l'un et à l'autre. Il a établi un portier inexorable : le chas est étroit ; il ne sera permis d'emporter rien de tout cela. Tandis que le péché, n'étant rien[3], aucun chas, si étroit soit-il, ne peut le retenir. Il te suivra seul, où que tu ailles ; où que tu entres, tu ne te débarrasseras pas de cette peau. Mais alors, insensé, à qui seront les biens que tu t'es préparés ? Malheur, malheur, nous voyons l'horreur dans la maison de Dieu. Pourquoi pas des ministres idolâtres ? Je mens si l'avarice n'est pas le service des idoles, si certains ne font pas de leur ventre leur dieu. Car chacun est convaincu de s'être fait un dieu de ce qu'il vénère par dessus tout. Combien en voyons-nous en effet qui aiment les présents et sont en quête de récompense ! Combien ne servent point le Seigneur Christ, mais leur ventre !

---

3. Le péché n'est que néant, car il détruit l'être.

Capit XV

De quatuor virtutibus

17. *Quis putas est fidelis servus et prudens, quem consti-*
tuit Dominus super familiam suam, ut det illis escam in
tempore[a] *?* Quaeris forte quam escam ? *Meus,* inquit,
cibus est ut faciam voluntatem Patris mei[b]. Nimirum vita
5 in voluntate eius[c] ; qua nec pasci ipse, nec alios pascere
poterit, nisi sit fidelis et prudens[d], ut et eam intelligat et
diligat : diligat autem fortiter, diligat et ferventer.

Quando enim excusare ignorantia possit hominem, qui
se magistrum infantium, doctorem insipientium profite-
10 tur ? Ignorans utique ignorabitur[e], immo et multos ignorare faciet, faciet ignorari. Quid enim periculi sit, ubi
pastor non invenit pascua, ignorat dux itineris viam,
vicarius nescit domini voluntatem, Ecclesia quotidie multipliciter et miserabiliter experitur. Est enim ut sacratis-
15 sima, sic et secretissima res voluntas Dei, et occultum
omnino consilium, de quo Apostolus gloriatur : *Puto,*
inquiens, *quod et ego spiritum Dei habeam*[f]. Unde et ipsa

15, 5 qua : quidem *add Cm Cl Cr R Rg* ‖ 6 eam : et *add Cl R Rg*
‖ 8 Quando : Quaenam *A Sc W* ‖ 10 utique : quippe *Sc W*. — immo :
utique *add Sc W* ‖ 15 secretissima : serenissima *Sc W* ‖ 16 quo : et
add A R Sc W ‖ 17 spiritum : consilium *Cm Cl R Rg Sc W*

Chapitre 15

Des quatre vertus

17. « Quel est, penses-tu, ce serviteur fidèle et prudent que le Seigneur a établi sur les siens pour qu'il leur donne à temps leur nourriture ? » Tu cherches peut-être quelle nourriture ? « Ma nourriture, dit-il, est de faire la volonté de mon père. » Certes, la vie est dans sa volonté. Il ne pourra s'en nourrir lui-même ni en nourrir les autres, s'il n'est fidèle et prudent pour la comprendre et l'aimer, mais l'aimer avec force, l'aimer avec ferveur.

Quand, en effet, l'ignorance peut-elle excuser celui qui fait profession d'être maître des enfants et docteur des ignorants ? Ignorant, il sera ignoré ; plus encore, il en plongera un grand nombre dans l'ignorance qui les fera ignorés. Que de péril, en effet, quand le pasteur ne trouve pas de pâturage, quand le conducteur ignore le tracé du chemin, quand l'intendant ne connaît pas la volonté du maître ! l'Église en fait chaque jour l'expérience multiple et malheureuse. C'est que la volonté de Dieu est une réalité aussi secrète que sacrée, un conseil tout à fait caché, dont l'Apôtre se glorifie, disant : « Je pense bien avoir, moi aussi, l'Esprit de Dieu. » De là vient que la vérité elle-même dit : « Nul ne sait ce qu'il y a dans

a. Matth. 24, 45   b. Jn 4, 34   c. Ps. 29, 6   d. Matth. 24, 45
e. I Cor. 14, 38   f. I Cor. 7, 40

Veritas ait : *Nemo scit quae sunt in homine, nisi spiritus*
hominis, qui est in ipso. Sic et quae Dei sunt, nemo novit,
20 *nisi Spiritus Dei qui in ipso est*[g]. Utilis proinde lectio,
utilis eruditio est, sed multo magis unctio necessaria,
quippe quae sola docet de omnibus[h]. Unde autem scire
videbitur quae sit voluntas Dei bona et beneplacens et
perfecta[i], qui nec pulsare nec quaerere nec petere[j] consue-
25 vit, qui donec alienarum curam susciperet animarum,
nunquam suae gessisse curam, sed in vano eam visus est
accepisse ? Atque utinam vel nunc curaret suam, ut meam
quoque postmodum curaturum sperare liceret ; et de suo
prius oculo festucam eiiceret, ut de meo videret eiicere
30 trabem[k]. Nam de his quidem qui et ubi forte Domini
intelligunt voluntatem, negligunt tamen, et quantum
praevalent adversantur ei, qui dederunt manus morti, et
cum inferno iniere foedus[l], ut odientes bonum, adhaerentes malo[m], parati sint gratis consentire peccato[n], fo-
35 vere malitiam, favere iniquitati, quoniam odibiles Deo[o]
et mundo exsecrabiles esse constat, melius est silere quam
loqui.

18. Sane nemo repente fit turpissimus : et vix aliquis
in hunc affectum nequitiae nisi prava consuetudine per-
40 transivit. Sunt enim infirmi quidam et tepidi amatores
iustitiae, quibus aut vigor aut fervor deest, aut fortassis
uterque, cum uterque sit summopere necessarius, inter
prospera quippe et adversa versanti. Ut enim vigoris esse

19-20 Sic... in ipso est : *om Cm Rg* ‖ 26 visus est : *noscitur Cl Rg* ‖
27 nunc : *tunc Cm Cl R Rg Sc W* ‖ 28 quoque postmodum : *quoque*
postea Cl R Rg, *postea quoque Sc W* ‖ 30 ubi : si *Sc W* ‖ 31 intelligunt :
-*gerent Sc W* ‖ 33 bonum : *bona Sc W* ‖ 39 affectum : *effectum Sc W*
‖ 39-40 pertransivit : -*siit Cm Cl Rg* ‖ 40 infirmi : *debiles Cm Cl Rg* ‖
41 iustitiae : *sunt add Cr in interl Cl Rg*

g. I Cor. 2, 11   h. I Jn 2, 27   i. Rom. 12, 2   j. Matth. 7, 7
k. Matth. 7, 5   l. Is. 28, 15   m. Rom. 12, 9   n. Tob. 4, 6
o. Rom. 1, 30

l'homme, si ce n'est l'esprit de l'homme qui est en lui ; de même nul ne connaît ce qui est de Dieu, si ce n'est l'Esprit de Dieu qui est en lui. » Utile par conséquent la lecture, utile l'étude, mais bien plus nécessaire l'onction, d'autant qu'elle seule enseigne sur toute chose. Mais alors, d'où saurait-il quelle est la volonté de Dieu, ce qui est bon, ce qui lui plaît, ce qui est parfait, celui qui ne s'est pas habitué à frapper, à chercher, à demander, et qui, avant de recevoir charge de l'âme d'autrui, n'a jamais pris soin de la sienne et semble l'avoir reçue en vain ? Si encore il prenait soin de son âme en ce moment même pour qu'on puisse espérer qu'ensuite il prendra soin aussi de la mienne ; si encore il ôtait d'abord le fétu qui est dans son œil, pour voir à ôter la poutre dans le mien ! Car, pour ceux qui, même s'ils comprennent la volonté du Seigneur, la négligent et s'y opposent tant qu'ils peuvent, pour ceux qui ont conclu alliance avec la mort et fait un pacte avec l'enfer, de sorte que, haïssant le bien et attachés au mal, ils sont prêts à consentir gratuitement au péché, à fomenter des méchancetés, à favoriser l'iniquité, parce que, d'évidence, ils sont haïssables à Dieu et exécrables au monde, mieux vaut s'en taire que d'en parler [1].

18. Certes, nul n'atteint d'un coup le comble de la turpitude ; et presque personne n'est parvenu à un tel attachement au mal, sinon par une détestable habitude. Car, parmi ceux qui aiment la justice, il en est de faibles et de tièdes à qui font défaut ou la vigueur ou la ferveur, voire l'une et l'autre, alors que l'une et l'autre sont au plus haut point nécessaire à celui qui est ballotté de la prospérité à l'adversité. Car, de même on le sait, que le

---

1. Benoît, *Règle* 1, 34.

dinoscitur, nequaquam cedere tribulationi, sed pro iustitia
45 persecutionem [p] viriliter sustinere : sic fervori videtur at-
tribuendum, nullis capi voluptatibus, nullis illecebris enervari. Quae quidem cum omni populo, tum specialiter
ducibus populi sunt necessaria, ne forte in perniciem
omnium errare contingat. Quid enim refert qua occasione
50 viam deserant veritatis [q], seducantur ignari, sequantur
spontanei, compellantur inviti, seu attrahantur illecti ?
448   Quid interest, dummodo eant in perditionem ? Sic enim
Evae prudentia, Adae temperantia, Cain omnino iustitia,
Petro defuit fortitudo.
55   Quam quidem virtutis quadrifariae perfectionem et
cathedram sanctitatis omnimodis exigit ministerium hoc
de quo loquimur : ut hac dote carens, frustra sibi, tamquam per Christum introierit, blandiatur. Siquidem dicitur ignoranti : *Si caecus caeco ducatum praestet, nonne*
60 *ambo in foveam cadunt* [r] *?* Et item : *Sacerdotes non dixe-*
runt : Ubi est Dominus ? Tenentes legem nescierunt me [s].
Ipsi prophetae et pastores abierunt in terram quam igno-
raverant [t]. Dicitur et iniquo : *Fur non venit nisi ut mactet*
et perdat [u], et illud : *Dilexisti malitiam super benignitatem* [v].
65 Dicitur pusillanimi : *Mercenarius et qui non est pastor*
videt lupum venientem et fugit quia non est ei cura de
ovibus [w]. Dicitur ei qui post concupiscentias suas vadit :
Mors est posita secus introitum delectationis ; dicitur item :
Omnes quae sua sunt quaerunt, non quae Iesu Christi [x].
70 Verum hoc hactenus.

---

47 cum : tum *Cl R Rg Sc W*. — tum : maxime et *add Cl R Rg Sc W*.
— specialiter : spiritualiter *R Rg* ‖ 64 malitiam : iustitiam *Cl*, iniustitiam
Rg ‖ 66-67 quia... ovibus : *om R Sc W* ‖ 68 item : iterum *Cr Sc W* ‖
70 hoc : hec *Cm Cl*

---

p. Matth. 5, 10   q. Tob. 1, 2   r. Matth. 15, 14   s. Jér. 2, 8
t. Jér. 14, 18   u. Jn 10, 10   v. Ps. 51, 5   w. Jn 10, 12-3   x. Phil.
2, 21

propre de la vigueur est de ne jamais céder à la tribulation, mais de soutenir virilement persécution pour la
justice, de même il semble qu'il faille attribuer à la ferveur
de ne se laisser prendre par aucune volupté, ni énerver
par aucune jouissance. Vigueur et ferveur sont nécessaires
à l'ensemble du peuple, mais surtout et spécialement aux
chefs du peuple pour que leur éventuelle erreur ne cause
la ruine de tous. Qu'importe en effet en quelle circons-
tance ils dévient du chemin de la vérité, égarés par leur
ignorance, entraînés par leur impulsivité, poussés par la
contrainte ou attirés par la séduction ? Qu'importe, du
moment qu'ils vont à leur perte ? C'est ainsi que la
prudence a fait défaut à Ève, la tempérance à Adam, la
justice à Caïn, la force à Pierre.

Oui, ce ministère dont nous parlons exige de toute
façon la perfection de cette quadruple vertu [2] et ce siège
de la sainteté, de sorte que celui qui manque de ce don
se flatte en vain d'être entré par le Christ. Ainsi il est
dit à l'ignorant : « Si un aveugle conduit un aveugle, tous
deux ne tomberont-ils pas dans le fossé ? » Et de même :
« Les prêtres n'ont pas dit : Où est le Seigneur ? Attachés
à la Loi, ils m'ont ignoré. Les prophètes et les pasteurs
eux-mêmes s'en sont allés dans une terre qu'ils igno-
raient. » Au méchant il est dit : « Le voleur ne vient que
pour tuer et pour perdre. » Et encore : « Tu as aimé la
méchanceté plus que la bonté. » Il est dit au pusillanime :
« Le mercenaire et celui qui n'est pas pasteur voit venir
le loup et il s'enfuit, parce qu'il n'a cure des brebis. » A
celui qui suit ses désirs, il est dit : « La mort est tapie à
la porte du plaisir [3] ». Et de nouveau : « Tous cherchent
leur bien propre et non celui de Jésus Christ. » Mais
voilà qui suffit.

2. Il s'agit des quatre « vertus morales » dont il vient d'être question :
prudence, tempérance, justice et force.
3. Benoît, *Règle* 7, 75, d'après la Passion de saint Sébastien.

Capit. XVI

Quomodo deserviant clerici
quae de ecclesiis habent

19. Iam qui per Christum sibi in sortem ministerii
huius introisse videtur, de caetero quemadmodum ei
serviat, quemadmodum ministrat, quemadmodum pascat
tripliciter, ut praediximus, gregem Domini sollicita secum
5 examinatione discutiat. Indignus enim lacte et lana
convincitur, si non pascit oves. Si non vigilat in custodia
gregis, iudicium sibi manducat[a] et vestit. Vae, vae tibi,
clerice : *Mors in olla*[b]. Mors in ollis carnium[c] : mors in
huiusmodi deliciis est. Non modo, quia secus introitum
10 delectationis posita esse cognoscitur ; sed ob id maxime,
quia populi constat esse peccata quae comedis[d]. Sumptus
ecclesiasticos gratis habere te reputas ? Cantando, ut
aiunt, bona tibi provenire videntur ; sed bonum erat
fodere magis aut etiam mendicare[e]. Peccata enim populi
15 comedis[f], ac si propria tibi minus sufficere viderentur.
Sollicitus esto, tamquam redditurus rationem[g], dignos
pro eis gemitus fundere, dignos agere paenitentiae fruc-

16, 2-3 2° quemadmodum... pascat : tripliciter videlicet exemplo
conversationis verbo predicationis fructu orationis *Sc W* ‖ 4 Domini :
pascendo *add Sc W* ‖ 8 ollis : olla *Cl Rg* ‖ 13 bona : *om Cl R Rg Sc
W*

a. I Cor. 11, 29   b. IV Rois 4, 40   c. Ex. 16, 3   d. Os. 4, 8
e. Lc 16, 3   f. Os. 4, 8   g. Lc 16, 2

Chapitre 16

Comment les clercs font leur service
en échange de ce qu'ils tiennent des églises

19. Maintenant, que celui qui visiblement s'est introduit en passant par le Christ dans la charge de ce ministère examine par ailleurs en lui-même, avec le plus grand soin, comment il s'en acquitte, comment il paît le troupeau du Seigneur des trois façons que nous avons dites. Car il se montre indigne du lait et de la laine, s'il ne paît les brebis. S'il ne veille à la garde du troupeau, il mange son jugement et s'en revêt. Malheur, malheur à toi, clerc : « la mort est dans la marmite ! » La mort est dans les chaudrons de viande ! La mort est dans les délices de ce genre. Non seulement parce qu'on sait qu'elle est tapie à l'entrée du plaisir [1], mais surtout parce que, de fait, ce sont les péchés du peuple que tu manges. T'imagines-tu avoir gratuitement les revenus de l'Église ? Les biens te viennent en chantant, comme on dit [2], mais il aurait mieux valu bêcher, voire mendier. Car tu manges les péchés du peuple, comme si les tiens ne te suffisaient pas. Comme quelqu'un qui doit rendre des comptes, sois bien attentif à répandre pour ces péchés de justes gémissements, à faire de justes fruits de pénitence. Autrement

---

1. Benoît, *Règle* 7, 75.
2. Proverbe non identifié : *Cantando bona tibi provenire videntur.*

tus[h]. Alioquin tibi noveris imputanda, quae modo inter
delicias comedis et parvipendis et dissimulas, tamquam
20 nichil attinentia tibi. O iudiciorum Dei abyssus multa[i]!
O terribilis Deus in consiliis super filios hominum[j]!
Frustra incipient miseri dicere montibus : « Cadite super
nos », et collibus : « Operite nos »[k]. Venient, venient ante
tribunal Christi[l] ; audietur populorum querela gravis,
25 accusatio dura, quorum vixere stipendiis nec diluere peccata, quibus facti sunt duces caeci[m], fraudulenti media-
tores. Quid tibi, insipiens, deliciae sapiunt ? Quid divitiae
illae caecos oblectant oculos, quibus mercaris tam grave
iudicium, tam durae temetipsum obligas rationi, universa
30 siquidem usque ad quadrantem novissimum exigeris[n] ?

20 attinentia : -nenti *Sc W* ‖ 22 incipient : -pietis *Sc W* ‖ 23 operite :
cooperite *Sc W* ‖ 29 universa : -sas *Sc W*

h. Lc 3, 8   i. Ps. 35, 7   j. Ps. 65, 5   k. Os. 10, 8 ; Lc 23, 30

tu te verras imputer ce que pour le moment tu manges
dans les délices, que tu méprises et dissimules comme ne
te concernant en rien. Ô profond abîme des jugements
de Dieu ! Ô Dieu terrible en ses conseils sur les fils des
hommes ! En vain ces malheureux en viendront-ils à dire
aux montagnes : « Tombez sur nous », et aux collines :
« Couvrez-nous. » Ils viendront, ils viendront au tribunal
du Christ et l'on entendra la plainte grave des peuples,
l'accusation sévère de ceux dont les revenus les auront
fait vivre, de ceux dont ils n'ont pas effacé les péchés,
de ceux pour qui ils sont devenus des chefs aveugles, de
faux médiateurs. Insensé, pourquoi as-tu du goût pour
les délices ? Pourquoi délectent-elles tes yeux aveugles,
ces richesses avec quoi tu achètes un si grave jugement
et t'obliges toi-même à un bilan si cruel, puisque de toi
on les exigera toutes jusqu'au dernier sou ?

l. II Cor. 5, 10   m. Matth. 23, 16   n. Matth. 5, 26

Capit. XVII

Quomodo eosdem reditus expendant

449   **20.** Sed esto, studiose quis et fructuose laboret. *Dignus*
plane est *operarius mercede sua*[a] *; ut qui altario servit, de
altario vivat*[b]. Vivat, inquam, de altario, ut, iuxta eumdem
apostolum, alimenta et quibus tegatur habens, his conten-
5 tus sit[c]. Tertium enim hoc periculum est. *De altario,*
inquit, *vivat,* non superbiat, non luxurietur, denique non
ditetur. « Non », contra sancti cuiusdam plane dignam
omni acceptione sententiam, « in clericatu dives ex pau-
pere, ex ignobili gloriosus ». Non sibi de bonis Ecclesiae
10 ampla palatia fabricet, mutans quadrata rotundis. Nec
loculos Iudae[d] congreget. Nec in vanitate aut superflui-
tate dispergat. Non extollat de facultatibus Ecclesiae
consanguineos suos aut nepotes, ne filias dixerim nuptui
tradat. Res pauperum non pauperibus dare par sacrilegii
15 crimen esse dinoscitur. Sane patrimonia sunt pauperum

17, 8-9 in... gloriosus : ex clericatu ditior fiat *Cl R Rg Sc W* ‖
13 nuptui : nuptiis *Cl Rg Sc W* ‖ 15 sunt : *om Cl R Rg Sc W*

---

a. Ps. 22, 4 ; Jér. 48, 17   b. Ps. 36, 7   c. Is. 40, 7   d. Jac. 4, 15

Chapitre 17

Comment ils dépensent ces mêmes revenus

20. Mais supposons quelqu'un qui travaille avec soin et profit. Certes l'ouvrier mérite son salaire : que celui qui sert l'autel vive de l'autel ! Qu'il vive de l'autel, dis-je, de sorte que, selon le même Apôtre, ayant de quoi se nourrir et se vêtir, il s'en contente. Car, voici un troisième péril : « Qu'il vive de l'autel », dit-il, et non : qu'il en tire occasion d'orgueil, ni de luxure, ni de richesses enfin. Contre l'avis d'un saint en tout point digne de créance : « Qu'il ne s'enrichisse pas au détriment du pauvre dans sa cléricature, qu'il ne se glorifie pas au détriment du manant [1]. » Avec les biens de l'Église, qu'il ne se bâtisse pas de vastes palais, en mettant tout sens dessus dessous [2]. Qu'il ne cumule pas les deniers de Judas. Qu'il ne fasse pas des dépenses vaines et superflues. Qu'il n'use pas des ressources de l'Église pour promouvoir ses parents ou marier ses nièces, pour ne pas dire ses filles. Ne pas donner aux pauvres le bien des pauvres, c'est un crime qui vaut sacrilège, on le sait. Oui, les ressources des

---

1. Jérôme, *Epist.* 52, 5, 3.
2. Horace, *Epist.* I, 1, 100 parlant de sa *sententia,* sa « manière de parler », dit littéralement : *mutat quadrata rotundis,* « fait rond ce qui était carré ». Faut-il y voir une allusion à des modifications que Geoffroy estime dispendieuses et inutiles, aux plans des églises ou à ceux des châteaux ?

facultates ecclesiarum et sacrilega eis crudelitate subripi-
tur, quicquid sibi ministri et dispensatores [e], non utique
domini vel possessores, ultra victum accipiunt et vestitum.
Nec enim ordinavit Deus his qui evangelio serviunt, de
20 evangelio quaerere delicias vel ornatum, sed vivere [f], ut
ait Paulus, ex eo, ut videlicet sint contenti alimento
corporis, non gulae irritamenta aut incentiva libidinis et
quibus tegantur, non quibus ornentur, accipere. Sane qui
non fideliter introivit, neque per Christum [g], quidni infi-
25 deliter agat et contra Christum ? Manifestam sine dubio
faciet arborem fructus [h], radicem palmes, opus intentio-
nem. Faciet ad quod venit [i], ut mactet utique et dispergat [j]. Quando enim altario serviat qui eiusmodi est, serviat
autem in spiritu et veritate [k] ? Tales nimirum Pater ado-
30 ratores quaerit. Alioquin ministratio mortis [l] est in iudicium et condemnationem. Aut quando poterit necessariis
esse contentus, qui eo animo introivit, ut stipendia cleri
in usus voluptatis, curiositatis et vanitatis congreget,
servet, expendat ? Triplex ergo funiculus qui difficile rum-
35 pitur [m] hominem miserum in perniciem trahit. Qui impure
intrat, indigne ministrat, sed et ipso fructu abutitur temporali.

20 ut : *om A Cl R Rg Sc W* ‖ 21 alimento : -ta *Cl Rg Sc* ‖ 22 aut :
non *A qui add in interl* vel aut ‖ 27-28 dispergat : -dat *A Cl R,* perdat
Cr Rg Sc W ‖ 28-29 serviat autem : et serviat *Sc W*

églises sont le patrimoine des pauvres et leur est soustrait
avec une cruautué sacrilège tout ce que les ministres et
intendants — qui ne sont ni maîtres ni propriétaires —
s'adjugent en plus de la nourriture et du vêtement. Dieu,
en effet, n'a pas ordonné à ceux qui servent l'évangile
de tirer de l'évangile des délices ou du superflu, mais
d'en vivre, comme dit Paul, de manière à se contenter
de nourrir le corps sans exciter sa gourmandise ni échauf-
fer ses instincts, en acceptant de le couvrir, non de le
parer. Assurément celui qui n'est pas entré par la foi ni
par le Christ, pourquoi n'agirait-il pas contre la foi et
contre le Christ ? Sans nul doute le fruit révèle l'arbre,
la branche la racine, l'œuvre l'intention. Il fera ce pour
quoi il est venu : pour tuer et pour disperser. Un homme
de ce genre en effet, quand sert-il l'autel ? Quand le sert-
il en esprit et en vérité ? Car le Père cherche de tels
adorateurs. Autrement son ministère est de mort, pour
son jugement et sa condamnation. Quand pourra-t-il se
contenter du nécessaire, celui qui est entré dans l'idée
d'amasser, de conserver et de dépenser ses revenus de
clerc au profit de la volupté, de la curiosité, de la vanité ?
Ce triple lien, difficile à rompre, tire ce malheureux à sa
perte ; celui qui entre sans pureté sert sans dignité, mais
il abuse aussi d'un profit temporel.

e. I Cor. 4, 1   f. I Cor. 9, 14   g. Jn 10, 1   h. Matth. 12, 33
i. Matth. 26, 50   j. Jn 10, 10   k. Jn 4, 23   l. II Cor. 3, 7
m. Eccl. 4, 12

Capit. XVIII

De virga et baculo [a]

21. Quid enim si in hoc mundo floret et prosperatur in via sua [b] ? Arescet velociter, cito decidet flos feni [c] et vapor ad modicum parens [d]. Parcitur virgae, quoniam invenitur iniquitas eius ad odium [e], utique non ad iram.
5 *Virga,* inquit, *tua et baculus tuus ipsa me consolata sunt* [f]. Habet enim virgam, sed habet etiam baculum. Et haec consolatio est, quod is qui virga ceditur, baculo sustentetur. Aut certe parat pastor virgam et baculum, illam ovibus, illum lupo, omnia autem propter electos [g]. Siqui-
10 dem et virga eos consolatur a stimulis conscientiae, dum hoc modo sibi sentiunt peccata dimitti, dicente Domino :
Ego sum qui deleo iniquitates tuas [h]. Et baculus iuvat ad tolerantiam virgae, dum illius comparatione fit levior. Econtra vero dicitur induratis : *Frons mulieris meretricis*
15 *facta est tibi ; erubescere noluisti* [i] ; et addit : *Recessit zelus meus a te, ultra non irascar tibi* [j]. Quem enim diligit arguit et flagellat omnem filium quem recipit [k]. Liquet proinde

450

18, 4 ad : *om Cl Sc W* ‖ 5 virga... sunt : *om Sc W* ‖ 7 quod : quo *Cm Cl* ‖ 8 parat : portat *Cl R Rgpc, pereat Rgac*

Chapitre 18

Des verges et du bâton

21. Mais quoi !... s'il est florissant en ce monde et prospère dans sa voie ? Il sèchera rapidement et la fleur du foin fanera vite. C'est une vapeur qui paraît un instant. On lui épargne les verges, parce qu'on découvre que son iniquité va à la haine, et certes pas à la colère. « Tes verges et ton bâton, dit-il, voilà ma consolation. » Car il tient les verges, mais il tient aussi le bâton. Et voilà la consolation : celui qui est frappé de verges est soutenu par le bâton. Ou bien alors c'est que le pasteur prépare les verges et le bâton ; les unes pour les brebis, l'autre pour le loup ; mais tout pour les élus. À vrai dire, les verges aussi les consolent des aiguillons de la conscience, étant donné que, de cette manière, ils sentent que leurs péchés leur sont remis, selon ce que dit le Seigneur : « Je suis celui qui efface tes iniquités. » Et le bâton aussi aide à supporter les verges, puisqu'en comparaison d'elles, il se fait plus léger. Aux endurcis, par contre, il est dit : « Ton front est devenu celui d'une femme adultère ; tu n'as pas voulu rougir. » Et il ajoute ; « Mon zèle s'est éloigné de toi, je ne m'irriterai plus contre toi. » Car celui qu'il aime, il le reprend et il flagelle tout fils qu'il

a. Ps. 22, 4 ; Jér. 48, 17   b. Ps. 36, 7   c. Is. 40, 7   d. Jac. 4, 15
e. Ps. 35, 3   f. Ps. 22, 4   g. II Tim. 2,10   h. Is. 43, 25   i. Jér. 3, 3   j. Éz. 16, 42   k. Hébr. 12, 6

eos qui in labore hominum non sunt et cum filiis non
flagellantur [1], nec diligi ab eo nec recipi. An forte diligi
20 putas ? Audi quid super hoc Scriptura loquatur.

19 ab eo : a Deo *Rg*

reçoit. Il est donc clair que ceux qui n'ont pas part au labeur des hommes ni aux châtiments réservés aux fils ne sont ni aimés ni agréés de lui. T'imaginerais-tu être aimé ? Écoute ce que dit l'Écriture à ce sujet.

1. Ps. 72, 5

Capit. XIX

Quis sit amicus mundi

22. *Omnis qui voluerit amicus esse huius mundi, inimicus Dei constituitur*[a] ; et alio loco : *Carissimi, nolite diligere mundum neque ea quae in mundo sunt. Si quis enim diligit mundum, non est caritas Patris in eo*[b]. Verba sunt Apos-
5 tolorum. Prius quidem Iacobi, posterius eius discipuli quem diligebat Iesus[c], et qui ipsius ignorare non posset amicos. Sed vis nosse quis sit qui diligat mundum ? Neque enim creaturas Dei iuberis odisse, sed quae a Deo non sunt, ea diligere prohiberis. Quae vero sint haec
10 Iohannes ipse loquatur adiiciens : *Omnia quae in mundo sunt concupiscentia carnis est et concupiscentia oculorum et ambitio saeculi, quae non sunt,* inquit, *ex Patre, sed ex mundo*[d]. Viderit hic quisque cuius sit spiritus, quid diligat, quid cupiat, quid sectetur. Ecce enim speculum veritatis :
15 tantum ne quis considerato vultu conscientiae suae prae-tereat, et qualis fuerit obliviscatur[e]. Ambitio, curiositas et voluptas non ex Patre sunt, sed ex mundo. Aut certe, quia multi codices habent non « ambitionem saeculi »,

---

19, 2-5 et alio... Iacobi : *om R* ‖ 2-3 Carissimi... sunt : *om Sc W* ‖ 3 enim : *om Sc W* ‖ 4-5 Verba... Prius : Primum *Sc W* ‖ 5 posterius : verbum secundum *Sc W,* verba *R* ‖ 7 amicos : animum *Cl* ‖ 10 adiiciens : Nolite ait diligere mundum neque ea quae in mundo sunt *R Sc W.* — Omnia : enim *add Cl R Rg Sc W* ‖ 14 sectetur : sequatur *Cm Cl Rg*

Chapitre 19

Quel est l'ami du monde ?

22. « Quiconque veut être ami de ce monde se fait ennemi de Dieu ». Et ailleurs : « Très chers, n'allez pas aimer le monde ni ce qui est dans le monde ». Car, « si quelqu'un aime le monde, la charité du Père n'est pas en lui ». Telles sont les paroles des apôtres : la première citation est de Jacques, la seconde de ce disciple que Jésus aimait et qui ne pouvait en ignorer les amis. Mais veux-tu savoir quel est celui qui aime le monde ? Car tu n'as pas reçu ordre de haïr les créatures de Dieu, mais défense d'aimer ce qui n'est pas de Dieu. Or Jean lui-même dit ce qu'elles sont, quand il ajoute : « Tout ce qui est dans le monde est convoitise de la chair, convoitise des yeux et ambition du siècle, ce qui ne vient pas du Père, dit-il, mais du monde ». Chacun verra ici de quel esprit il est, ce qu'il aime, ce qu'il désire, ce qu'il poursuit. Voilà en effet le miroir de vérité : seulement, ayant considéré la face de sa conscience, qu'il n'aille pas passer outre et oublier ce qu'il était. Ambition, curiosité et volupté ne viennent pas du Père, mais du monde. À vrai dire, parce que de nombreux manuscrits ne portent pas « ambition du siècle », mais « superbe de la vie », entends

a. Jac. 4, 4   b. I Jn 2, 15   c. Jn 13, 23   d. I Jn 2, 15-6   e. Jac. 1, 24

sed « superbiam vitae », in « concupiscentia carnis » uni-
20 versam accipe corporalium sensuum delectationem, qua
quidem ne ipsa curiositas caret ; ac deinceps « concupiscentiam oculorum », quaecumque ad humanum diem,
quem propheta minime concupivit [f], et saecularem gloriam et extrinsecam pertinent vanitatem. Porro in « su-
25 perbia vitae » elationem cordis intellige. Haec enim tria
qui diligit, mundum diligit et Dei constitutus est inimicus [g].

Suscipiat autem qui eiusmodi est reconciliationis officium, nomen mediatoris et proditoris scelere inimicitias
30 cumulavit, ut merito iam non ut hostis, sed ut traditor
iudicetur, ut Iudas utique, non ut Saulus.

19 in concupiscentia : concupiscentiam *Cl Rg* ‖ 20 accipe : -pere *Rg W*
‖ 21 ne : nec *Cl R Rg Sc W* ‖ 23 concupivit : -piscit *Sc W* ‖ 29 nomen :
non *Cl*. — et : qui etiam *Cl Rg*

par « convoitise de la chair » toute la délectation des sens corporels dont asurément la curiosité elle-même n'est pas exempte ; et par « convoitise des yeux », tout ce qui a trait à ce jour de l'homme — que le prophète n'a convoité en rien —, et la gloire du siècle et la vanité tout extérieure. Enfin, par « superbe de la vie », entends l'élèvement du cœur. Celui en effet qui aime ces trois choses aime le monde et se fait ennemi de Dieu.

Qu'un homme de cette espèce reçoive l'office de la réconciliation, le nom de médiateur, et il a mis un comble à l'inimitié par le crime du traître, de sorte qu'il est finalement jugé à juste titre non comme ennemi, mais comme traître, comme Judas, non comme Saül.

---

f. Jér. 17, 16   g. Jac. 4, 4

Capit. XX

De impudentia et frontositate

23. Nam cum impudentia et frontositas cor obduraverit, ut non paveat, non horreat, non contremiscat, ea
iam demum desperatio est. Quid enim ? Horum sibi
conscius homo, tamquam qui iustitiam fecerit, divino
5 sese vultui sistere non veretur ; tamquam domesticus
451 intrat et exit, magistrum salutat, genua flectit, osculatur
ore sacrilego, dolose agit, sed in conspectu Dei, ut inveniatur iniquitas eius ad odium [a].

Odibilis plane Deo frontosa temeritas et impudentia
10 exsecranda. *Propter quid* enim *irritavit impius Deum* [b],
*exacerbavit Dominum peccator ? Ut secundum multitudi-
nem irae suae non quaerat* [c] *?* Num propter fornicationes,
incestus aut sacrilegia ? Nichil horum propheta memorat,
sed quod in corde suo dixerit : *Non requiret* [d]. Sermo
15 cordis affectio est, et dicere : « Non requiret » non ex-
pavescere requisiturum. Haec impietas cui secundum multitudinem irae suae miseretur Deus, nec quaerit [e], nec
arguit, nec flagellat, nec « ulciscitur in adinventiones

20, *In tit. :* et frontositate : *om Cl* ‖ 1 cum : *om Cl R Rg Sc W.* —
cor : cum *CL R Rg Sc W* ‖ 1-2 obduraverit : -duruerit *Cl Rg W* ‖ 14-
15 Sermo... requiret : Corde enim non requiret dicere *Cl Rg* ‖ 15 requiret :
est *add Cr Cl Rpc Rg Sc W* ‖ 16 Haec : est *add Sc W*

Chapitre 20

De l'impudence et de l'effronterie

23. Car lorsque l'impudence et l'effronterie rendent le cœur insensible au point qu'on n'éprouve ni crainte, ni horreur, ni tremblement, c'est à désespérer. Quoi donc ? L'homme conscient de ces vices ne craint pas de se présenter face à Dieu, comme s'il pratiquait la justice ? Tout comme un familier, il entre et sort, salue le maître, fléchit les genoux, lui donne le baiser d'une bouche sacrilège, agit par dol et cela sous le regard de Dieu, de sorte que son iniquité est pour la haine.

Oui, haïssables pour Dieu sont cette témérité frondeuse et cette exécrable impudence. Car : « Pourquoi l'impie a-t-il irrité Dieu et le pécheur exacerbé le Seigneur ? Pour qu'il n'enquête pas selon l'ampleur de sa colère ? » Serait-ce à cause de fornications, d'incestes ou de sacrilèges ? Le prophète ne mentionne nul de ces vices, mais le fait qu'il aura dit en son cœur : « Il ne réclamera pas ». La parole du cœur, c'est ce qu'on éprouve ; et dire : « Il ne réclamera pas », c'est ne pas redouter celui qui réclamera. Voilà l'impiété que Dieu ménage dans l'ampleur de sa colère, qu'il n'instruit, qu'il n'accuse, qu'il ne châtie pas, lui qui ne tire pas non plus vengeance de leurs mani-

a. Ps. 35, 3   b. Ps. 10 H, 13   c. Ps. 10 H, 4   d. Ps. 10 H, 13
e. Ps. 10 H, 4

eorum »[f], sicut de Moyse et Aaron et Samuele legimus,
20 quibus nimirum propitius fuit. Sed expresse atque signanter cuius sit haec impietas audiamus.

f. Ps. 98, 8

gances, comme nous lisons qu'il fit à propos de Moïse, d'Aaron et de Samuel, à qui certes il fut indulgent. Mais entendons qui, en fait et en clair, est coupable de cette impiété.

Capit. XXI

De miseratione crudeli

24. *Misereamur impio*[a], ait Deus velut in concilio angelorum et congregatione deliberans. Nec eos latuit cru-
deliorem omni indignatione misericordiam iudicem meditari, qua non discat homo iustitiam facere, sed obdor-
5 miscens miser et dicens : *Oblitus est Deus, avertit faciem
suam*[b], dies suos ducat in bonis, in puncto ad inferos
descensurus*[c] ; et cum dixerit : *Pax et securitas,* tunc
subitaneus ei superveniat interitus, nec effugiat[d]. *Et non
discet,* inquiunt, *facere iustitiam. In terra sanctorum iniqua
10 gessit*[e], ait Dominus, ac si diceret : Nolo discat iustitiam
facere ; inventa est iniquitas eius ad odium[f]. An adhuc
quaerendum est quis iste sit impius ? *In terra,* inquit,
sanctorum iniqua gessit[g], in ecclesiasticis possessionibus,
quae sanctorum usibus fuerant assignatae, in domo Dei
15 quam sanctitudo decet[h], de qua Paulus discipulum studiose sollicitans, *ut scias,* inquit, *quomodo te oporteat
conversari in domo Dei quae est ecclesia Dei vivi, columna
et firmamentum veritatis*[i]. In clero quippe tamquam in
caelo gerens iniqua, quidni de ministerio iudicetur ? Ce-

21, 10 diceret : dicat *Sc W* ‖ 12 est : *om R Sc W* ‖ 16 oporteat : -
tet *Sc W*

a. Is. 26, 10   b. Ps. 10 H, 11   c. Job 21, 13   d. I Thess. 5, 3
e. Is. 26, 10   f. Ps. 35, 3   g. Is. 26, 10   h. Ps. 92, 5   i. I Tim.
3, 15

Chapitre 21

De la cruelle commisération

24. « Ayons pitié de l'impie », dit Dieu, comme s'il délibérait dans le conseil et l'assemblée des anges. Il ne leur a pas échappé que le juge méditait — plus cruelle que toute indignation — une miséricorde qui n'apprendrait pas à l'homme à faire la justice. S'endormant, le malheureux dira : « Dieu a oublié, il a détourné son visage. » Il coulera ses jours dans l'opulence, étant en instance de descendre aux enfers. Et quand il dira : « Paix et sécurité », un trépas soudain fondra alors sur lui et il n'échappera pas. « Et il n'apprendra pas, est-il dit, à faire la justice ». « Sur la terre des saints, il a commis l'iniquité », dit le Seigneur, comme s'il disait : « Je ne veux pas qu'il apprenne à faire la justice ; son iniquité est pour la haine. » Faut-il encore chercher quel est cet impie ? « Sur la terre des saints, dit-il, il a commis l'iniquité », dans les possessions ecclésiastiques qui avaient été assignées à l'usage de saints ; dans la maison de Dieu à qui sied la sainteté et dont Paul, avec sa sollicitude empressée pour son disciple, dit : « Sache comment tu dois te comporter dans la maison de Dieu qui est l'église du Dieu vivant, la colonne et le soutien de la vérité. » Assurément celui qui, dans le clergé, comme dans le ciel, commet l'iniquité, comment ne serait-il pas jugé sur son ministère ? Il occupe un emploi céleste, il a été fait ange

20 leste tenet officium : angelus Domini exercituum factus
est[j] ; tamquam angelus aut eligitur aut reprobatur. Inventa quippe in angelis pravitas districtius iudicetur necesse est et inexorabilius quam humana.

25. Age ergo, quoniam iudicium grave his qui praesunt
25 et potentes potenter tormenta patientur[k]. Ascendat superbia tua semper, sequere regem tuum. Omne sublime
videant[l] oculi tui. Festina multiplicare praebendas ; inde
ad archidiaconatum evola, demum aspira ad episcopa-
tum, ne ibi quidem requiem habiturus ; quoniam sic itur
30 ad astra. Quo progrederis, miser ? An ut ab altiori gradu
sit casus gravior ? Neque enim sic paulatim decides, sed
tamquam fulgur in impetu vehementi, quasi alter satanas[m] subito deiicieris.

   In labore, inquit, *hominum non sunt et cum hominibus*
452 35 *non flagellabuntur ; ideo tenuit eos superbia*[n]*,* peccatum
diaboli, quo ceciderunt qui operantur iniquitatem[o]. Haec
est quae non recipit disciplinam, curari renuit, medelam
non sustinet, ulcus pessimum[p], quod ne summis saltem
digitis patitur attrectari. Huius et ipse indignationem
40 vereor[q] super his, et grave iudicium. Quidni timeam
morsus, spiritualem insaniam et animarum frenesim non
ignorans ? Sed Domini sunt verba quae replico et eadem
ipsi quoque legunt et intelligunt pariter, legem quippe
scientes. *In terra,* inquit, *sanctorum iniqua gessit, et non*
45 *videbit gloriam Domini*[r]. Durus est hic sermo[s] et commi-

---

22 iudicetur : vindicetur *Sc* ‖ 25 patientur : -untur *Sc W* ‖ 36-37 Haec
est quae : Hoc est quod *Cr R Sc W* ‖ 38 ne : nec *A Cl Rg* ‖
41 spiritualem : feralem *Cl* ‖ 45-46 Durus... Domini : *om Cm Cl R Rg*

---

j. Mal. 2, 7   k. Sag. 6, 6-7   l. Job 41, 25   m. Lc 10, 18   n. Ps.
72, 5-6   o. Ps. 35, 13   p. Job 2, 7   q. Deut. 9, 19   r. Is.
26, 10   s. Jn 6, 16

du Seigneur des armées ; tout comme l'ange il est élu ou réprouvé. Oui, il faut que la dépravation qui s'est trouvée chez les anges soit plus sévèrement jugée et de façon plus inexorable que celle des hommes.

25. Allons, car le jugement est lourd pour ceux qui président et les puissants souffrent de puissants tourments. Qu'elle grandisse toujours ta superbe, suis ton roi. Que tes yeux voient toute chose d'un regard altier. Hâte-toi de multiplier les prébendes ; de là, vole aux archidiaconats, aspire enfin à l'épiscopat où tu ne trouveras même pas le repos. Car, voilà comment on monte aux astres [1] ! Vers quel but vas-tu, malheureux ? Serait-ce pour que, monté plus haut, ta chute soit plus grave ? Car ainsi tu ne tomberas pas peu à peu, mais comme l'éclair dans un violent orage, comme un autre Satan, tu seras précipité d'un coup.

« Ils n'ont point de part, dit-il, aux labeurs des hommes ni aux châtiments qui les frappent ; c'est pourquoi la superbe s'est emparée d'eux », ce péché du diable qui a fait choir ceux qui commettent l'iniquité. C'est cette superbe qui n'admet pas la correction, refuse d'être soignée, ne supporte aucun remède : le pire ulcère qui ne souffre pas d'être touché, fût-ce du bout des doigts. Moi aussi, je redoute son indignation sur ce point et la sévérité de son jugement. Comment ne craindrais-je pas, n'ignorant ni les morsures, ni la folie spirituelle, ni la frénésie de l'âme ? Or ce sont les paroles du Seigneur que je rapporte et, eux aussi, ils les lisent et les entendent pareillement, connaissant bien la loi. « Sur la terre des saints, dit-il, il a commis l'iniquité et il ne verra pas la gloire du Seigneur. » Dur est ce discours, et bien terrible

---

1. Virgile, *Enéide* 9, 641, également cité par Bernard, *Epist.* 209 (*Opera* VIII, 68, 19).

45

natio valde terribilis : « non videbit gloriam Domini ».
Quid igitur cetera vidisse praestat ? Hiccine totus misericordiae finis ? Hanc ego misericordiam nolo ; procul
fiat miseratio tam crudelis, ne veniat in eorum consortium
50 anima mea.

48 finis : fructus *Cr Sc W* ǁ 49 eorum consortium : consortio eorum *Sc
W*

la menace : « Il ne verra pas la gloire du Seigneur. » Que
sert donc d'avoir vu tout le reste ? Est-ce là le comble
de la miséricorde ? Pour moi, je n'en veux pas, de cette
miséricorde-là ; qu'elle s'éloigne, cette commisération si
cruelle, pour que mon âme ne partage par leur sort.

Capit. XXII

De commutatione humanae paenitentiae
pro diabolica

26. Quis enim vobis, miseri, demonstravit fugere a
ventura ira[a] ? Quid praesentem tantopere fugitis iram,
flagellum timetis, declinatis virgam ? Et quidem in hac
die vestra quae ad pacem vobis, sed si cognovissetis et
5 vos[b]. Mutatis, non effugitis paenitentiam ; nam malum
impunitum esse non potest. Non punitur hic propria
voluntate, punietur alibi sine fine. Misera sane et extremae plena dementiae commutatio, humanum declinare
laborem, et paratum diabolo stridorem eligere sempiter-
10 num !
Animadvertite siquidem et videte, non hominibus, sed
diabolo et angelis eius ignem illum esse paratum[c]. Ille
enim hostis et lupus ; nos autem populus eius et oves
pascuae eius[d]. Illi securis et malleus, nobis flagellum et
15 virga debetur. Illius iniquitas inventa ad odium suum[e]
habeat carcerem, ubi nulla redemptio, unde nemini liceat
respirare. Michi sane et labore tolerabilior carcer, et
tempore brevior assignatur : ubi cum iratus fuerit Do-

22, 15 odium : est *add Sc W* ‖ 16 habeat : -bere *Cm Sc W.* —
nemini : minime *Cm Cl Rg,* nulli *Sc W*

Chapitre 22

Choisir une pénitence d'homme
au lieu de celle du diable.

26. Qui donc, malheureux, vous a appris à fuir la colère à venir ? Pourquoi fuyez-vous à ce point la colère présente, craignez-vous le fouet, évitez-vous les verges ? Si du moins, en ce jour qui est vôtre, vous aviez compris vous aussi le message de paix ! Vous changez de pénitence sans l'éviter, car le mal ne peut être impuni. Quand on n'est pas puni ici-bas de sa propre volonté, on sera puni ailleurs sans fin. Bien misérable échange et plein d'extrême démence : éviter le labeur humain et choisir le cri d'une douleur sans terme préparée pour le diable !

Notez bien et voyez-le, ce n'est pas pour les humains, mais pour le diable et ses anges que ce feu a été préparé. Car c'est lui l'ennemi et le loup. Quand à nous, « nous sommes son peuple et les brebis de son pâturage ». Pour celui-là, la hache et le marteau ; pour nous, le fouet et les verges. Son iniquité à lui, vouée à la haine, se trouve avoir sa propre prison, où il n'est aucune rédemption, d'où nul répit n'est permis à quiconque. Pour moi, certes, on m'assigne une prison plus tolérable quant au labeur et plus brève quant au temps, où le Seigneur, après son

a. Matth. 3, 7   b. Lc 19, 42   c. Matth. 25, 41   d. Ps. 78, 13
e. Ps. 35, 3

minus, misericordiae recordetur [f], redemptionem suo mit-
20 tens populo [g] copiosam. Denique mihi tempus constituit [g'] ; michi dicit *donec,* illi parat aeternum. *In sudore,*
inquit, *vultus tui comedes panem tuum, donec in terram,*
de qua sumptus es revertaris [h]. Pessimus ille angelus de
terra sumptus non est, nec in terram aliquando rediturus.
25 Propterea non habet *donec,* sed ignis ei paratur aeternus [i].
Minime igitur expedit, ut in sapientia huius saeculi, auctoris saeculi non vereamur frustrari iudicium, et deludere
velle sententiam, declinando videlicet laborem hominum
et sudorem, ac si nullo modo nos contingere videatur
30 quod Adae dictum est ; aut non in eo sententiam laboris
exceperimus, in quo sine exceptione peccavimus omnes [j] ;
aut non communis culpae nichilominus debeat esse poena
communis.

25 paratur : -tus *Cl Rg*

f. Hab. 3, 2   g. Ps. 110, 9   g'. Job 14, 13   h. Gen. 3, 19
i. Matth. 25, 41   j. Rom. 5, 12

irritation, se souviendra de la miséricorde, accordant à son peuple abondante rédemption. Enfin, il m'a fixé un terme, il m'a dit : « jusqu'à » ; tandis qu'à lui, il prépare un sort éternel. « À la sueur de ton visage, dit-il, tu mangeras ton pain, jusqu'à ce que tu reviennes à la terre d'où tu as été pris. » Mais lui, cet ange mauvais à l'extrême, n'a pas été pris de la terre et ne reviendra jamais à la terre. C'est pourquoi point de « jusqu'à » pour lui, mais un feu éternel lui est préparé. Il ne nous sied donc pas du tout, imbus de la sagesse de ce siècle, d'oser rendre illusoire le jugement de l'auteur de ce siècle et de vouloir éluder la sentence, c'est-à-dire de refuser le labeur des hommes et leur sueur, comme si en aucune façon la parole dite à Adam ne semblait nous concerner, ou comme si la sentence du travail ne nous avait pas frappés en sa personne, en qui tous sans exception nous avons péché, ou comme si une faute commune ne devait pas encourir une commune peine.

Capit. XXIII

De iudicio Abrahae

27. Forte enim aliqui dicant : Quid peccamus ? Bona est omnis creatura Dei, nostra licite possidemus, nostris utimur facultatibus, a rapinis et latrociniis abstinentes.

453   Enimvero non pascetis in cruce corvos. Ego sane divitem
5   illum, cuius Salvator meminit in evangelio, in nullo horum audio accusari. *Induebatur purpura et bysso, quotidie splendide epulabatur* [a] ; si crudelitatis arguitur, quod substantiam mundi habens et videns fratrem suum egere, clauserit viscera sua ab eo. Quando haec diviti deest ?
10   Quantos videtis et ipsi Lazaros esurientes, nudos, aegrotos [b] ; et plus de iumentis vestris, plus de eorum faleris, quam de istorum miseriis cogitatis ?

Sed ad tremendum iudicium Abrahae veniamus. Non enim Abrahae, sed Dei Abrahae sententia est. *Memento,*
15   inquit, *fili, quod receperis bona in vita tua, et Lazarus similiter mala* [c]. Verum utrumque est, non potest omnino negari. Fer sententiam, quia paucis expressa totius

---

23, 2 est : enim *add Cl Rg Sc W* ‖ 4 pascetis : pasces *A Sc W* ‖ 6 audio accusari : audeo accusare *Cm* ‖ 7 si : sed *A R* ‖ 12 miseriis : ministeriis *Cl,* misteriis *Rg*

---

a. Lc 16, 19   b. Matth. 25, 37-9   c. Lc 16, 25

Chapitre 23

Du jugement d'Abraham

27. Car certains diront sans doute : « En quoi péchons-nous ? Car toute créature de Dieu est bonne ; nous possédons licitement nos biens ; nous usons de nos ressources, nous abstenant de rapines et de larcins ». Assurément vous ne servirez pas de pâture aux corbeaux sur une croix [1]. Quant à moi, je n'ai pas ouï dire qu'on accusât d'aucun de ces faits le riche, dont le Sauveur fait mémoire dans l'évangile : « Il se vêtait de pourpre et de lin fin ; chaque jour il festoyait somptueusement. » S'il est accusé de cruauté, c'est qu'ayant du bien en ce monde et voyant son frère dans le besoin, il lui a fermé ses entrailles. Quand cette cruauté fait-elle défaut au riche ? Et vous-mêmes, combien voyez-vous de Lazares affamés, nus, égrotants, et vous pensez plus à vos montures, plus à leur harnachement, qu'aux misères de ces pauvres.

Mais venons-en au redoutable jugement d'Abraham. Non, ce n'est pas d'Abraham, mais du Dieu d'Abraham que vient ce verdict. « Souviens-toi, dit-il, mon fils, que tu as reçu des biens en ta vie, et Lazare, par contre, des maux. » L'une et l'autre affirmations sont vraies, c'est indéniable. Porte la sentence car en peu de mots toute

1. Horace, *Epist.* I, 16, 48 que cite également Bernard, *Opera* III, 283, 4 : *Praec.* XV, 43.

summa negotii est. Ille bona et iste mala recepit. Quid
modo ? *Nunc autem hic,* inquit, *consolatur, tu vero cru-*
20 *ciaris*[d]. Expergiscimini ebrii et flete[e]. Terribilis enim Deus
super filios hominum[f] in iudiciis est. Haeccine cruciatuum
causa tota, quod in hoc saeculo bona recepit ? Ipsa plane.
Neque enim ad hoc nos de paradiso voluptatis[g] animadversio divina eiecisse videtur, ut alterum sibi hic paradi-
25 sum adinventio humana pararet. Homo ad laborem natus[h], si laborem refugit, non facit ad quod natus est, ad
quod venit in mundum. Quid respondebit ei qui misit
eum, qui instituit ut laboret ? *Memento,* ait, *quod receperis*
bona in vita tua, et Lazarus similiter mala ; nunc autem
30 *hic consolatur, tu vero cruciaris*[i]. Quid dicemus ad haec ?
Si talis est finis et tale iudicium, ut extrema gaudii luctus
occupet[j], numquid non praeferenda sunt in hoc saeculo
mala bonis ? Quippe nec illa vera bona, nec illa mala
esse vera manifestum est. Vera potius sententia Salomo-
35 nis : *Melius esse ire ad domum luctus quam ad domum*
convivii[k].

28. Ceterum si sic cruciandi sunt qui in vita sua bona
receperint, et habentibus consolationem praesentem *vae*
repositum est sempiternum, cum in superioribus inventi
40 sint aliqui de sapientia carnis scientes in omnibus et per
omnia reprobare malum et eligere bonum[l], quisnam eorum poterit esse finis, si secundum multitudinem conso-
lationum suarum[m] dolores apprehenderint[n] animas miserorum ? Consequens enim videtur, ut bona omnia, et
45 omnem saeculi huius recipientes consolationem, nichilominus universum *vae,* et universi maneant cruciatus. An

---

27 misit : iussit *Sc W* ‖ 28 eum : ei *A Cl R Rg Sc W* ‖ 40 sint : sunt
Cl Rg. — sapientia : utique *add Sc W*

---

d. Lc 16, 25   e. Joël 1, 5   f. Ps. 65, 5   g. Gen. 3, 23   h. Job
5, 7   i. Lc 16, 25   j. Prov. 14, 13   k. Eccl. 7, 3   l. Is. 7, 15
m. Ps. 50, 3 (... multit. miserationum)   n. Jér. 13, 21

l'affaire est règlée. L'un a reçu des biens, l'autre des maux. Qu'en est-il à présent ? « Mais maintenant, dit-il, celui-ci est consolé, tandis que toi tu es tourmenté. » Secouez-vous, ivrognes, et pleurez. Car Dieu est terrible en ses jugements sur les fils des hommes. Est-ce là toute la cause de ses tourments, d'avoir reçu des biens en ce siècle ? Eh oui, c'est cela. Car, si la punition divine nous a chassés du paradis de volupté, ce n'est évidemment pas pour que l'invention humaine se prépare ici-bas un autre paradis. L'homme est né pour travailler ; s'il refuse de travailler, il ne fait pas ce pour quoi il est né, ce pour quoi il est venu au monde. Que répondra-t-il à celui qui lui a donné mission et ordre de travailler ? « Souviens-toi, dit-il, que tu as reçu des biens dans ta vie, et, par contre, Lazare des maux ; à présent lui est consolé, mais toi tu es tourmenté. » Que dirons-nous à cela ? Si la fin et le jugement sont tels que la joie s'achève en deuil, ne faut-il pas, en ce siècle, préférer les maux aux biens ? Il est bien clair en effet que les uns ne sont pas de vrais biens, ni les autres de vrais maux. Vraie au contraire est la sentence de Salomon : « Il vaut mieux aller à la maison du deuil qu'à celle du banquet ».

28. Du reste, si ceux qui ont reçu des biens dans leur vie doivent être ainsi tourmentés, et si un éternel malheur est réservé à ceux qui reçoivent consolation dans le présent, quelle pourra bien être la fin de ceux qui, parmi les grands, se sont trouvés savoir partout et toujours, de sagesse charnelle, rejeter le mauvais et choisir le bon, si c'est en proportion de l'ampleur de leur consolation que les douleurs s'abattront sur l'âme de ces malheureux ? En effet, à l'égard de ceux qui reçoivent tous les biens et toute la consolation de ce siècle, il semble logique que leur soient réservés un malheur total et la totalité des tourments. Et ne paraît-il pas de bonne déduction de

vero et illud aeque ex eadem Abrahae sententia conii-
ciendum videtur, eos qui contrario ducti spiritu, vitae
praesentis omnia bona respuunt, eligunt mala, omnia
50 quoque bona Domini et omnem habituros consolationem ? Forte enim hoc erat quod Petrus audire voluit,
454   cum tanta fiducia Dominum tantaque libertate convenit :
Ecce, inquit, *nos reliquimus omnia et secuti sumus te. Quid
ergo erit nobis* ° ?

53 Ecce : enim *add Cm Cl Rg* ‖ 53-54 Quid... nobis : *om Sc W*

conclure, de la même sentence d'Abraham, que ceux qui, guidés par un esprit contraire, ont refusé toutes les bonnes choses de la vie présente et choisi les maux recevront aussi tous les biens du Seigneur et entière consolation ? Ce fut sans doute ce que Pierre a voulu s'entendre dire, lorsque, avec tant de confiance et tant de liberté, il vint à la rencontre du Seigneur : « Voici, dit-il, nous avons tout quitté et t'avons suivi. Qu'en sera-t-il donc pour nous ? »

o. Matth. 19, 27

Capit. XXIV

Quomodo reliquerit omnia
qui nihil fere habebat ex omnibus

29. Nota admodum questio est, quemadmodum Petrus, cum nil fere ex omnibus habuisse sciatur, tam
fiducialiter glorietur sese omnia reliquisse. Unde sanctorum quispiam : « Multum, inquit, deseruit qui voluntatem
5 habendi dereliquit ». Et post pauca : « A sequentibus
igitur tanta relicta sunt quanta a non sequentibus desi-
derari potuerunt ». Fidelis sermo[a], sed forsitan clausus
et ipse est. Numquid enim voluntas habendi tam multa
complectitur, ut reliquisse illam sit omnia deseruisse ?
10 Quis hominum omnia desiderare possit, nedum piscator
ille, ille pauper et modicus ? Sed quid cuique sufficere
possit diligentius vestigato, et facile est invenire omnia
desiderantem. Neque enim ponere est concupiscentiae
modum, donec videatur impleta, donec adepta sit quibus
15 valeat esse contenta. Ceterum nec amator pecuniae dicet
aliquando « sufficit » ; nec libidinosus satiabitur voluptate. Sic et crudelis quisque semper sanguinem sitit, et
ambitiosus aut cupidus laudis humanae, adeptis dignita-

24, *In tit.* : fere habebat : ferebat *Cl* ‖ 1 Nota admodum : Tota *Cm*
‖ 4 Multum : Omnia *R Sc W* ‖ 5-7 Et post... potuerunt : *om R Sc W*
‖ 6 igitur : ergo *Cm, om Cl Rg* ‖ 8 tam multa : omnia sic *R Sc W* ‖
10 Quis : enim *add Sc W*. — desiderare : affectare *Cm Cl Rg, deserare*
R ‖ 15 amator : amor *Scac W* ‖ 18 aut : et *Sc W*

a. I Tim. 1, 15

Chapitre 24

Comment aurait-il tout quitté celui qui n'avait presque rien ?

29. C'est une question bien connue de savoir comment Pierre — dont on sait qu'il n'avait presque rien — se glorifie avec tant d'assurance d'avoir tout quitté. De là ce que dit quelqu'un des saints : « Il a beaucoup laissé, celui qui a renoncé à la volonté de posséder [1] ». Et peu après : « Ceux qui l'ont suivi ont donc abandonné autant de biens que pouvaient en désirer ceux qui ne l'ont pas suivi. » Parole de foi, mais peut-être hermétique, elle-même. Car la volonté de posséder embrasse-t-elle tant de biens que d'y renoncer équivaut à tout abandonner ? Qui, parmi les humains, peut désirer toute chose, a fortiori ce pêcheur, ce pauvre, ce petit [2] ? Mais, à examiner de plus près ce qui peut suffire à chacun, il est aisé de trouver quelqu'un qui désire tout. Car il n'y a pas de limite à la convoitise tant qu'elle paraît insatisfaite, tant qu'elle n'a pas obtenu de quoi être comblée. Au reste, jamais celui qui aime l'argent ne dira : « Il suffit » ; ni le jouisseur ne sera rassasié de volupté ; de même aussi tout être cruel a toujours soif de sang ; et l'ambitieux, celui qui est avide de louange humaine, nanti de titres, de dignités ou de

---

1. Grégoire le Grand, *Hom. Evang.* 5, 2 ; *PL* 76, 1093.
2. Office de saint Martin, 5ᵉ Antienne des Laudes.

tum titulis seu favoribus, nullum exinde capit omnino
20 remedium, sed desiderio aestuat ampliori. Minus autem
invenit requiem qui sibi placere cupit et suis, et fatui
cuiusdam de semetipso testimoniis gloriatur dicens : *Manus mea excelsa*[b] et putans se aliquid esse cum nichil
sit[c].

21 suis et : id est *Cm R*, sitit id est *Cl Rg* ‖ 23 se : sese *Cl R Rg Sc*
W

privilèges, n'en tire absolument aucun apaisement ; au contraire, son désir s'enflamme encore plus. Il trouve peu de repos, celui qui veut se faire plaisir, à lui-même et aux siens, et qui se glorifie des appréciations de quelque insensé sur lui-même, disant : « Ma main est puissante », s'estimant quelque chose alors qu'il n'est rien.

b. Deut. 32, 27   c. Gal. 6, 3

Capit. XXV

De innaturali et inexplebili fame

30. Vidi ego aliquando quinque viros, quidni freneticos
arbitrarer ? Primus siquidem buccis tumentibus marinam
masticabat arenam. Secundus sulphureo astans lacui, ex-
halantem teterrimum fetidissimumque gestiebat haurire
5 vaporem. Porro tertius fornaci incubans vehementer ac-
censae, micantes scintillas hiantibus excipere faucibus
laetabatur. Quartus supra pinnaculum templi residens,
lenioris aurae spiritum aperto attrahebat ore ; et si quo
minus influere videretur, flabello sibi ventum ipse ciebat,
10 ac si totum speraret aerem deglutire. Quintus seorsum
positus ridebat ceteros, ipse quoque ridendus et maxime.
Proprias enim carnes incredibili quodam studio sugere
laborabat, nunc manum, nunc brachium, nunc alias
partes applicans ori.
15   Miseratus homines, causamque miseriae sciscitatus a
singulis, unam omnibus esse reperio, validissimam utique
famem. Tunc vero macilentissimas eorum facies contem-

25, *In tit. :* inexplebili : inexplicabili *Cl* ‖ 12 quodam : *om A Sc W*
‖ 17 Tunc : Tum *A Rg,* Tam *W.* — macilentissimas : maculentissimas
Rg

Chapitre 25

De la faim insatiable et contre nature [1]

30. Moi-même, j'ai vu un jour cinq hommes —
comment ne pas les considérer comme des frénétiques ?
— Le premier mâchait du sable marin à pleine bouche.
Le second, au bord d'un lac de souffre, se gaudissait
d'aspirer la vapeur, d'une horreur et d'une puanteur sans
nom, qui s'en exhalait. Plus loin, le troisième, couché
près du feu d'enfer d'une fournaise, trouvait plaisir à en
gober, à pleine gueule, les étincelles enflammées. Le
quatrième, juché au pinacle d'un temple, humait, bouche
bée, le souffle d'une brise légère et, dès qu'elle semblait
fléchir, il s'éventait comme s'il espérait avaler l'air entier.
Le cinquième, à l'écart, se moquait des autres, lui-même
ridicule, oh combien, car, avec une incroyable applica-
tion, il s'efforçait de sucer ses propres chairs, collant sa
bouche tantôt à sa main, tantôt à son bras, tantôt à
d'autres endroits.

Pris de pitié pour eux, je m'informais, près de chacun,
de la cause de leur misère et je trouvais qu'il y en avait
une seule pour tous, à savoir une faim très violente.
Alors, contemplant leur face d'une maigreur effrayante,

1. La source de cette « vision » reste inconnue et l'on ne sait s'il
s'agit d'un rêve de Geoffroy ou si elle décrit un tableau qu'il aurait vu.
Ces scènes d'horreur font penser à certains des tourments de l'*Enfer* de
Dante.

platus, recordabar prophetae gementis miserabiliter et
dicentis : *Aruit cor meum, quia oblitus sum comedere*
20 *panem meum*[a]. « Quid enim vobis haec prosunt », inquio ?
Non sunt naturales cibi, famem magis haec provocant
quam exstinguunt. Panis namque animae iustitia est, et
soli beati qui esuriunt illum, quoniam ipsi saturabuntur[b].
Nimirum ad imaginem Dei[c] facta anima rationalis, ceteris
25 omnibus occupari potest, repleri omnino non potest.
Capacem Dei quicquid Deo minus est non implebit.

18 prophetae : *om Sc W* ‖ 20 enim : *om Cl Rg.* — inquio : inquit *R*
inquam *Sc W*

a. Ps. 101, 5   b. Matth. 5, 6   c. Gen. 1, 27

je me souvins de la plainte misérable du prophète qui a dit : « Mon cœur s'est desséché, parce que j'ai oublié de manger mon pain. » « À quoi cela vous sert-il ? », dis-je. Ce ne sont point là des nourritures naturelles ; elles excitent la faim plus qu'elles ne l'apaisent. Car le pain de l'âme, c'est la justice et seuls sont heureux ceux qui en ont faim, parce qu'ils seront rassasiés. L'âme rationnelle en effet est faite à l'image de Dieu ; tout le reste peut l'occuper, mais nullement la combler. Rien de ce qui est moins que Dieu ne pourra rassasier celle qui est capable de Dieu [2].

2. *Capax Dei.* Cette expression se trouve par exemple chez Hilaire, *In Ps. 118,* gimel 12 (SC 344, p. 162, 10 : en parlant de Marie), Paulin de Nole : *Epist.* 16, 6 (*CSEL* 29, p. 120, 10-11), Julien Pomère 2, 8, 1 (*PL* 59, 465 C), et enfin dans Bernard, *Cant.* 10, 17 (*Opera* I, 189, 9) ; cf. du même, *Sermo 2 in Dedicatione* (*Opera* V, 367, 20).

Capit. XXVI

De circuitu impiorum

455   **31.** Inde est quod naturali quidem desiderio summum quivis probatur appetere bonum, nullam nisi adepto eo requiem habiturus. Ceterum errant miseri non invenientes viam et, ut scriptum est, *ambulant impii in circuitu*[a], dum
5 minora quaeque bona quaerentes, illud semper desiderant, quod sibi vicinius necdum videntur adepti. Atque utinam, si fieri potest, cetera omnia obtinuisset unus ; eodem procul dubio et ipsum, quod sibi solum deesse videret, summum utique bonum, desiderio quaesiturus,
10 quo cetera quoque semper expetit non adepta. Sed innumera sunt haec, et a ceteris quoque pariter requiruntur. Quod valet, quisque trahit in partem, nec aliquando poterit hic circuitus peragrari. Vis pervenire ? Incipe transilire. Alioquin praeripieris miser in desiderio terrenorum,
15 et a summo bono eo longius invenieris, quo te amplius dederis caducis rebus et transitoriis appetendis. In circuitu siquidem ambulas[b] ; et quod prope erat in corde et in ore tuo, si corde crederes et ore confitereris[c], terga vertens declinas et elongaris ab eo. Hinc est quod vociferatur

---

26, *In tit. :* impiorum : temporum *R Sc W* ‖ 7 potest : posset *Cm Cl R Sc* ‖ 8 eodem : *om Cm,* eodemque *Cl Rg* ‖ 10 expetit non : pariter requiruntur *Sc* ‖ 11 pariter : parum *Scpc* ‖ 18 confitereris : sed *add Sc in interl.* ‖ 19 vociferatur : ipse *add Sc in interl.*

---

a. Ps. 11, 9   b. Ps. 11, 9   c. Rom. 10, 8-9

Chapitre 26

De la ronde des impies

31. De là vient que chacun est reconnu aspirer, d'un désir tout naturel, au bien suprême et ne trouver nul repos qu'il ne l'ait obtenu. Pour le reste, ils errent, les malheureux, sans trouver leur voie et, comme il est écrit : « Les impies marchent en rond », quand, cherchant des biens médiocres, ils désirent toujours ce bien-là qui, tout près d'eux, visiblement leur échappe encore. Souhaitons, si c'est possible, qu'un seul homme obtienne tous les autres biens. Sans aucun doute il chercherait alors ce seul bien dont il se verrait privé, à savoir le bien suprême, du même désir dont il convoite toujours les autres biens qu'il n'a pas. Or ces biens sont innombrables et d'autres aussi les réclament pareillement. Ce qui veut dire que chacun en tire sa part et que jamais cette ronde ne pourra se terminer. Veux-tu, toi, en venir à bout ? Commence par t'en échapper d'un bond. Sinon, malheureux, tu seras happé par le désir des biens terrestres et tu te trouveras d'autant plus loin du bien suprême que tu te seras voué davantage à l'appétit des choses caduques et transitoires. Oui, tu marches en rond et, tournant le dos à ce bien qui était proche en ton cœur et en ta bouche — si tu y croyais en ton cœur et le confessait par ta bouche —, tu t'en détournes et t'en éloignes. D'où cette clameur : « Convertissez-vous, fils des hommes » ; et

20 dicens : *Convertimini filii hominum*[d]. Et item : *Revertere,
revertere, Sunamitis ; revertere, revertere ut intueamur te*[e].
Anfractuosa siquidem via est et inambulabilis : faci-
liusque pervenies spretis omnibus quam adeptis.

20 Revertere : inquit *add R Sc W*

de même : « Reviens, reviens, Sulamite, reviens, reviens pour que nous te regardions. » Oui, la voie est tortueuse et ne facilite pas la marche ; tu viendras plus facilement au terme en dédaignant tout qu'en tout obtenant.

d. Ps. 89, 3   e. Cant. 6, 12

Capit. XXVII

De acceleranda conversione

32. *Ecce reliquimus omnia et secuti sumus te, quid ergo erit nobis*[a] *?* Dignum plane apostolica fide et devotione verbum. Iam reliquisti omnia ; iam Dominum, Petre, secutus es ; et nunc demum quid sis accepturus, interro-
5 gas. Vere Symon vere oboediens in auditione auris, sine pacti conventione. Ad unius enim iussionis vocem Petrus et Andreas relictis omnibus secuti sunt Redemptorem[b]. Quod si homini carnali stultitia forte videtur, audiat : *Quod stultum est Dei, sapientius esse hominibus*[c] *;* et
10 quoniam *placuit Deo per stultitiam praedicationis salvos facere credentes ;* quippe *cum mundus eum in sapientia minime cognovisset*[d]. Quantos enim mundi sapientia ma-ledicta supplantat ! Et conceptum in eis exstinguit spiri-tum, quem voluerat Dominus vehementer accendi[e].
15 « Noli, inquit, praecipitanter agere, diu considera, dili-gentius intuere. Magnum est quod proponis et opus habens multa deliberatione. Experire quid possis, amicos consule, ne post factum paenitere contingat[f]. »

27, 1 Ecce : nos *add Cl R Rg Sc W* ‖ 9 esse : est *Cl Rg* ‖ 10-11 salvos facere : salvare *Cm Cl R Rg Sc W* ‖ 15-16 diligentius : -ter *A Cm Cl Rg*

---

a. Matth. 19, 27   b. Matth. 4, 20   c. I Cor. 1, 25   d. I Cor. 1, 21   e. Lc 12, 49   f. Sir. 32, 24

Chapitre 27

Qu'il faut hâter la conversion

32. « Voici, nous avons tout quitté et nous t'avons suivi, qu'en sera-t-il pour nous ? » Parole bien digne de la foi et du dévouement de l'Apôtre ! Déjà tu as tout quitté, déjà, Pierre, tu as suivi le Seigneur. Alors seulement tu demandes ce que tu en recevras. Vraiment Simon, vraiment obéissant[1] : sitôt entendu le commandement et sans préalable convention ; car il a suffi d'un seul ordre et Pierre et André, ayant tout quitté, ont suivi le Rédempteur. Peut-être l'homme charnel ne verra-t-il là que folie ; alors qu'il écoute : « Ce qui est folie de Dieu est plus sage que les hommes » ; et : « Il a plu à Dieu de sauver par la folie de la prédication ceux qui croient, puisqu'aussi bien le monde ne l'eût certes pas reconnu dans la sagesse. » Combien en effet la maudite sagesse du monde en culbute ! Elle éteint l'esprit né en eux, dont le Seigneur avait voulu faire un violent brasier. « Ne te presse pas d'agir », dit-elle, « prends le temps de voir, examine l'affaire de plus près. Ton propos est d'importance, il exige longue réflexion. Pèse ce que tu peux, consulte les amis, pour n'avoir pas de regret après coup ».

1. Jérôme, *Interpret.* 73, 7.

33. Haec sapientia mundi terrena, animalis, diabolica,
456 20 inimica salutis, suffocatrix vitae, mater tepiditatis eius
quae Deo solet vomitum provocare[g]. « Cave tibi »[h] ait.
Utquid enim ? Cum a Deo verbum esse non dubites,
quid opus est deliberatione ? Vocat magni consilii Angelus, quid aliena consilia praestoleris ? Quis enim fide-
25 lior, quis vero sapientior illo ? Seduc me, Domine, et
seducar ; fortior esto et invalesce[i]. Novi ego quaenam
sint quae oportet fieri cito[j]. Ab ore putei gehennae eripior
et inducias petam et retardabo et cunctabor exire si forte
interim fiat aliquid ? Abscondi ignem in sinu meo[k] et
30 exusto iam latere, iam nudatis visceribus, iam sanie de-
fluente, diu michi deliberandum est an expergiscar, an
excutiam, an abiiciam illum ? Magnum est omnino quod
offertur ; sed eo utique libentius et festinantius suscipiendum et obviis arripiendum manibus cum fervore et hi-
35 laritate. Probet autem seipsum[l], qui de propria virtute
praesumit ; nam divina quidem omnino probata est. Amicos consulat qui non legit : *Inimici hominis domestici
eius*[m].

20 eius : *om Cl Rg* ‖ 24 aliena : alia *A Sc W* ‖ 27 gehennae : ego *add
Cr* ‖ 33-34 suscipiendum : est *add Sc W* ‖ 34 arripiendum : *om Cm*

g. Apoc. 3, 16   h. Sir. 13, 16   i. Jér. 20, 7   j. Apoc. 1, 1
k. Prov. 6, 27   l. I Cor. 11, 28   m. Mich. 7, 6

33. Telle est la sagesse du monde : terrestre, animale, diabolique, ennemie du salut, étrangleuse de vie, mère de cette tiédeur qui, chez Dieu, provoque d'ordinaire la nausée. « Prends garde à toi », dit-il. Pourquoi donc ? Comme tu ne doutes pas que cette parole soit de Dieu, qu'est-il besoin de délibérer ? L'Ange du grand conseil [2] appelle, pourquoi attends-tu d'autres conseils que les siens ? Qui donc est plus fidèle, qui plus sage que lui ? Séduis-moi, Seigneur, et je serai séduit, sois le plus fort et l'emporte. Je sais moi-même ce qui doit arriver bientôt. Arraché que je suis à la gueule du puits de la géhenne, je demanderais des délais, je tarderais, j'hésiterais à sortir, pour le cas où quelque chose viendrait à se produire dans l'intervalle ? J'ai caché un feu dans mon sein et, le flanc déjà brûlé, mes entrailles déjà mises à nu, la sanie déjà s'écoulant, il me faut plus longtemps délibérer si je vais m'éveiller, me secouer, l'expulser ? C'est un très grand bien qui est offert, mais il faut d'autant plus volontiers et hâtivement le recevoir et le saisir à mains tendues avec une joyeuse ferveur. Qu'il s'éprouve lui-même, celui qui présume de ses propres forces, car la force divine, elle, est tout-à-fait éprouvée. Qu'il consulte des amis celui qui n'a pas lu : « Les ennemis de l'homme sont les gens de sa maison ».

2. Voir ch. 5, n. 2.

Capit. XXVIII

**De tribus responsionibus Domini
ad eos qui promittebant sequi eum**

34. Quid frequentat evangelium, qui evangelio non
oboedit ? At in eo sane legimus promittenti cuidam sequi
Dominum, sed defunctum prius patrem sepelire volenti
responsum ab eo ut sineret mortuos sepelire mortuos
5 suos[a]. Alteri quoque tantum suis qui in domo erant
valedicere cupienti : *Nemo,* inquit, *mittens manum ad
aratrum et respiciens retro, aptus est regno Dei*[b].
    Sed quid audierat primus ? *Magister,* ait, *volo te sequi
quocumque ieris.* Cui respondens Dominus : *Vulpes foveas*
10 *habent,* inquit, *et volucres caeli nidum ; Filius autem ho-*
minis non habet ubi caput reclinet[c]. Prudentiam carnis in
fovea vulpis, in nido volucris arguens cordis elationem.
Est enim interdum videre nonnullos, qui relictis omnibus
abrenuntiare saeculo disponentes, cum recte offerre velint,
15 nolunt dividere recte, calliditate humana totos se divino
committere nutui formidantes, sed reservantes nescio quid
fermenti, ut totam massam corrumpat[d] ; quod in multis
frequenter expertum est. Alius sine duce et praeceptore

28, *In tit.* : sequi eum : eum se secuturos *Cl* ‖ 7 respiciens : aspiciens
Cl Rg ‖ 8 ait : *om Cr,* inquit *Sc W* ‖ 10 nidum : nidos *Sc W.* —
autem : *om Cl Rg* ‖ 11 caput : suum *add Rg Sc W* ‖ 15 se : sese *Cm
Cl R* ‖ 18 frequenter : sepe *W*

---

a. Matth. 8, 22   b. Lc 9, 62   c. Matth. 8, 19-20   d. I Cor. 5, 6

Chapitre 28

Des trois réponses du Seigneur
à ceux qui promettaient de le suivre

34. Que fréquente-t-il l'évangile, celui qui n'obéit pas à l'évangile ? Nous y lisons le cas de quelqu'un qui promet de suivre le Seigneur, mais veut d'abord ensevelir son père défunt. Il s'entend répondre de laisser les morts ensevelir leurs morts. A cet autre aussi qui ne désire que dire adieu aux gens de sa maison il dit : « Celui qui met la main à la charrue et regarde en arrière n'est pas apte au royaume de Dieu ».

Pour revenir au premier, que s'était-il entendu répondre ? Il avait dit : « Maître, je veux te suivre où que tu ailles. » Le Seigneur lui répond : « Les renards ont des tanières et les oiseaux du ciel un nid, mais le Fils de l'homme n'a pas où reposer sa tête. » Dans la tanière du renard, il dénonce la prudence de la chair et, dans le nid de l'oiseau, l'élèvement du cœur. Il arrive parfois en effet qu'on voie certains se disposer à renoncer au siècle après avoir tout quitté. Mais alors que leur volonté d'offrande est droite, celle de partager ne l'est pas. Avec une cautèle toute humaine, ils redoutent de s'en remettre tout entiers au bon vouloir divin et ils se réservent je ne sais quel ferment qui corrompt toute la pâte. C'est un fait d'expérience fréquent pour beaucoup. Tel autre, estimant pouvoir, sans maître ni précepteur, aborder aisément

spirituale studium apprehendere facile cogitans, ambulat
20 in magnis et mirabilibus super se[e] ; ut vulgo dicitur :
« Saliens antequam videat, casurus antequam debeat ».

Petrus cogitatum suum iactans in Domino[f] et omnem
sollicitudinem suam in eum proiiciens[g], certus quod illi
foret cura de eo, reliquit omnia, secutus est Dominum,
25 ne interrogans quidem de praemio, donec ex periculo
divitum quod Salvator prosequebatur, sumeret occasionem.

21 videat : vigeat *W* ‖ 23 proiiciens : prospiciens *Rg* ‖ 24 omnia : et
add Cr R Sc W ‖ 26-27 occasionem : percunctari *add Cl R Rg*

e. Ps. 130, 1   f. Ps. 54, 23   g. I Pierre 5, 7

l'étude spirituelle, court après des grandeurs et des mer-
veilles qui le dépassent et, comme on dit vulgairement :
« Il saute avant de regarder, sa chute sera prématurée [1] ».

Pierre, mettant sa confiance dans le Seigneur et s'en
remettant à lui de tout ce qui le préoccupe, assuré qu'il
prendra soin de lui, a tout quitté et suivi le Seigneur. Il
ne s'enquiert pas de récompense avant que le Sauveur,
s'expliquant sur le danger que courent les riches, ne lui
en fournisse l'occasion.

---

1. Proverbe non identifié : *Saliens antequam videat, casurus antequam
debeat.*

Capit. XXIX

De secunda regeneratione

457   **35.** *Quid ergo erit nobis ?* Ait illi Iesus : *Amen dico
         vobis.* Verbum confirmationis praemittitur : magnum no-
         veris esse quod sequitur. *Amen dico vobis, quod vos qui
         secuti estis me, in regeneratione, cum sederit Filius homi-*
    5   *nis* [a], etc. Quid est quod dicit : « in regeneratione » ? Aut
         quae est haec nova regeneratio ? Neque enim iam igno-
         ramus quoniam oportet hominem nasci denuo [b], non ex
         sanguinibus, neque ex voluntate viri [c], sed ex aqua et
         Spiritu Sancto [d]. Ceterum cum nullatenus ad eam rege-
   10   nerationem valeat haec promissio pertinere, forte et altera
         regeneratione opus esse videtur ; nec solum denuo, sed
         et tertio hominem nasci necesse est. Infelix ego et mise-
         rabilis casus meus, cui non una sufficit, cui duplex est
         necessaria regeneratio. Nimirum ex corpore et anima
   15   constans, cecidi totus simul ; simul totus resurgere om-
         nino non possum. An vero dignum non est ut ea quae
         videtur potior, prior quoque portio reparetur ? At ipsam
         sane animam esse nemo sanae mentis ignorat. Prior ergo
         reficiatur, quae prior corruit ; praesertim quod ab eius

---

29, 5 etc. : in s(ede) m(aiestatis) s(uae) *Cl Rg* ‖ 12 1° et : *om Cm Cl
Rg,* etiam *W. —* ego : homo *add Cl Rg W* ‖ 15 constans : constitutus
Cl Rg ‖ 17 prior quoque : prioque *Cm Cl Rg. —* At : An *Cl Rg Sc*

Chapitre 29

De la seconde régénération

35. « Qu'en sera-t-il donc pour nous ? » Jésus lui dit :
« En vérité je vous le dis ». Il commence par cette parole
d'affirmation : sache que ce qui suit est d'importance.
« En vérité je vous le dis, vous qui m'avez suivi, lors de
la régénération, lorsque le Fils de l'homme siègera », etc.
Qu'est-ce à dire : « Lors de la régénération ? » Quelle est
cette nouvelle régénération ? Car nous n'ignorons pas
que, déjà, l'homme doit naître à nouveau, non des sangs
ni de la volonté de l'homme, mais de l'eau et du Saint-
Esprit. Comme la promesse en question ne peut s'appli-
quer à cette régénération-là, peut-être est-il besoin d'une
autre régénération. Il faudrait que l'homme naisse non
seulement une seconde, mais une troisième fois. Malheureux que je suis et misérable mon cas, moi à qui ne suffit
pas une régénération, mais à qui une seconde est indis-
pensable. Oui, fait de corps et d'âme, je suis tombé tout
entier d'un coup ; d'un coup je ne puis nullement me
relever tout entier. Mais n'est-il pas convenable que cette
part de moi-même qui paraît la plus importante soit
aussi réparée la première ? Or nul être sain d'esprit
n'ignore que c'est l'âme. Elle est donc restaurée la première, elle qui a chu la première, d'autant plus que sa

a. Matth. 19, 27-8   b. Jn 3, 7   c. Jn 1, 13   d. Jn 3, 5

20 culpa alterius poena prodierit, et ipsius corruptio cor-
poreae quoque fuerit causa corruptionis. Hinc est quod
animabus primum Salvator advenit, tollere utique peccata
mundi [e], non molestias carnis. Quod sane manifestius
docuit in seipso, poenis omnibus corpus exponens, ani-
25 mam autem immunem prorsus custodiens a peccato.

21 fuerit : fuit *Cm Cl Rg*

faute a entraîné la peine de l'autre part et que sa propre corruption a été aussi cause de la corruption du corps. C'est pourquoi le Sauveur est venu d'abord pour les âmes, ôter les péchés du monde, non les fardeaux de la chair. C'est à vrai dire ce qu'il a manifesté très clairement en lui-même, en exposant son corps à toutes les peines, mais gardant son âme absolument indemne de péché.

e. Jn 1, 29

Capit. XXX

Ut tempus suae regenerationis
corpus exspectet

36. Non sic hodie filii hominum, non sic[a], sed animae
curam negligunt, curam autem carnis perficiunt in omni
desiderio. Neque enim peccare metuunt, sed puniri ; nec
virtuti cordis datur opera, sed valetudini corporis, immo
5 etiam voluptati. De schola Hippocratis et Epicuri didi-
cerunt haec ; neque enim suis Christus discipulis horum
quippiam tradidit, sed : *Discite,* inquit, *a me quia mitis
sum et humilis corde*[b]. *Usquequo gravi corde ? Utquid
diligitis vanitatem et quaeritis mendacium*[c] *?* Tempus hoc
10 animabus, non corporibus est assignatum ; dies salutis
utique, non voluptatis. Omnia tempus habent[d] ; animabus nunc operam dare necesse est. Nam in carne qui
seminat, solam exinde metet corruptionem[e]. At *nemo,*
inquiunt, *carnem suam odio habuit*[f]. Verum est ; sed zelum
15 habens absque scientia, dum prodesse festinat, invenitur
obesse. Cum enim iudicium carnis ex anima pendeat,
nichil carni potest utilius quam salus animae provideri,

30, 3 enim : *om Sc W* ‖ 5 etiam : et *R Sc W. —* voluptati : voluntati
Sc ‖ 11 Omnia : tempora *add Sc W* ‖ 14 sed : quod *Cm* ‖ 15 absque :
om Sc W ‖ 17 utilius : salubrius *W*

Chapitre 30

Que le corps attend
le temps de sa régénération

36. Il n'en est pas ainsi aujourd'hui des fils d'hommes, non, mais ils négligent le soin de l'âme et satisfont le soin de la chair en tous ses désirs. Car ils ne craignent pas de pécher, mais d'être punis. On ne cultive pas la vertu du cœur, mais la santé du corps, et plus encore la volupté. Ils ont appris cela à l'école d'Hippocrate et d'Épicure, car le Christ n'a rien transmis de tel à ses disciples : « Apprenez de moi, dit-il, que je suis doux et humble de cœur. » « Jusqu'où s'alourdira votre cœur ? Pourquoi aimez-vous la vanité et cherchez-vous le mensonge ? » Ce temps-ci est assigné aux âmes, non aux corps ; c'est un jour de salut, non de volupté. Chaque chose en son temps. A présent ce sont les âmes qu'il faut cultiver. Car : « Celui qui sème dans la chair n'en récoltera que corruption. » « Mais, dira-t-on, nul n'a de haine pour sa propre chair. » C'est vrai, mais, avec le zèle sans la science, on se trouve être nuisible, alors qu'on se presse d'être utile. Puisque en effet le jugement de la chair dépend de l'âme, rien ne peut être plus utile à la chair que de pourvoir au salut de l'âme, sans doute pour qu'en son temps on ait égard à la chair et qu'ayant

a. Ps. 1, 4   b. Matth. 11, 29   c. Ps. 4, 3   d. Eccl. 3, 1   e. Gal. 6, 8   f. Éphés. 5, 29

ut videlicet in tempore sit respectus illius, et socia pas-
sionis, felicitatis quoque consortium mereatur. Unde
20 Apostolus : *Salvatorem,* inquit, *exspectamus Dominum
nostrum Iesum Christum, qui reformabit corpus humilitatis
nostrae, configuratum corpori claritatis suae*[g]. Requiesce
in hac spe, caro mea misera[h] : qui propter animam venit,
pro te quoque venturus est ; qui reformavit illam, tui
25 quoque non obliviscetur in finem[i]. Regeneretur interim
anima et tamquam praescita et praedestinata a Domino,
conformis fiat imagini Filii eius[j] in mansuetudine et
humilitate cordis[k]. Ipsius enim merito te quoque noveris
458 aliquando regenerandam et conformandam corpori eius
30 in gloria et claritate.

23 mea : *om Cm Cl R Rg Sc W* ‖ 24 2° quoque : utique *Rg* ‖ 25 in
finem : misereri *Cr* ‖ 30 claritate : caritate *R*

eu part à la souffrance, elle mérite d'être également associée à la félicité. D'où le mot de l'Apôtre : « Nous attendons le Sauveur, notre Seigneur Jésus Christ, qui réformera notre corps d'humilité, le configurant à son corps de gloire. » Repose dans cette espérance, ma chair misérable. Celui qui est venu pour l'âme viendra aussi pour toi ; celui qui l'a reformée, elle, ne t'oubliera pas, toi non plus, à jamais. En attendant, que l'âme se régénère et, telle qu'elle est connue d'avance et prédestinée par le Seigneur, qu'elle devienne conforme à l'image de son Fils dans la mansuétude et l'humilité du cœur. Car, grâce à son mérite, tu te connaîtras, toi aussi un jour, apte à être régénérée et conformée à son corps dans la gloire et dans la clarté.

g. Phil. 3, 20-21   h. Ps. 15, 9 ; Act. 2, 26   i. Ps. 73, 19   j. Rom. 8, 29   k. Matth. 11, 29 ; Éphés. 4, 2

Capit. XXXI

Ut non resideamus in via

37. *In regeneratione,* inquit, *cum sederit Filius hominis
in sede maiestatis suae, sedebitis et vos*[a]*,* etc. Consequi-
mini, ait, quem sequimini, ut cum ipse sederit et vos
pariter sedeatis. Quando enim ille resedit in mundo,
5 quando substitit, quando reclinavit caput[b]? Exultavit ad
currendam viam[c], benefaciendo pertransiit[d]; quippe nec
nidum nec foveam[e] nec locum habens in diversorio[f],
donec, opere tandem quod susceperat consummato, se-
dendi praeceptum mereretur accipere et diceret : *Dominus
10 Domino meo : Sede a dextris meis*[g]. Insipiens tu qui
praesidere eligis quam consedere, quaerens in itinere
diverticula. Ille ministrare venit non ministrari[h] ; tu supra
magistrum et maior Domino, immo nec discipulus, profecto nec servus, recumbere iam festinas[i]? *Paululum dor-
15 mies, paululum dormitabis, paululum conseres manus*[j]. Ille
salit in montibus, transilit colles[k]. Clama ad eum, anima
mea : *Trahe me post te, in odore unguentorum tuorum
curremus*[l]. Alioquin quando eum remorando, tepescendo,

31, 2 suae : *om Cl Rg.* — suae... vos : *om R* ‖ 3 ut : et *Sc W* ‖
4 sedeatis : sedebitis *Sc W* ‖ 8 opere : corpore *R* ‖ 9 praeceptum : -pta
Sc W ‖ 15 paululum dormitabis : *om Cm, Rg in marg* ‖ 16 transilit : -
liens *Cm Sc W*

Chapitre 31

Ne nous installons pas en chemin

37. « Lors de la régénération, dit-il, quand le Fils de l'homme siègera sur le trône de sa majesté, vous siégerez vous aussi », etc. « Rejoignez, dit-il, celui que vous suivez, afin de siéger, vous aussi, quand il siégera. » Quand donc en effet s'est-il installé en ce monde, quand y a-t-il fait halte, quand y a-t-il reposé sa tête ? « Il a bondi pour courir son chemin », il a passé en faisant le bien, sans même un nid, un antre, une place dans l'hôtellerie, jusqu'à ce que, ayant achevé l'œuvre qu'il avait acceptée, il ait mérité de recevoir l'ordre de s'asseoir et d'entendre le Seigneur dire à mon Seigneur : « Siège à ma droite ». Insensé que tu es, toi qui choisis de t'asseoir d'abord plutôt que de siéger avec lui, cherchant des écarts sur le chemin. Lui, il est venu pour servir, non pour être servi ; mais toi, es-tu au-dessus du maître et plus grand que le Seigneur, que tu te hâtes de t'allonger, n'es-tu pas plutôt disciple et même esclave ? Tu te dis : « Un peu dormir, un peu m'assoupir, un peu croiser les bras ». Lui, il saute sur les montagnes, bondissant à travers les collines. Crie lui, mon âme : « Tire-moi après toi, nous courrons au parfum de tes onguents. » Autrement, quand donc es-

a. Matth. 19, 28   b. Matth. 8, 20   c. Ps. 18, 6   d. Act. 10, 38
e. Matth. 8, 20   f. Lc 2, 7   g. Ps. 109, 1   h. Matth. 20, 28
i. Lc 22, 27   j. Prov. 6, 10   k. Cant. 2, 8   l. Cant. 1, 3

pausando consequi speras ? *Exultavit ut gigas ad curren-*
20 *dam viam* [m]. Hilarem sine dubio diligit [n] secutorem. Necdum ad bravium pervenisti [o], necum apprehendisti me-
tam. Grandis adhuc restat via [p] ; noli sistere gradum, noli
in medio itinere residere. *In sudore,* inquit, *vultus tui*
comedes panem tuum, donec revertaris in terram, de qua
25 *sumptus es* [q]. Ex tunc sane tempus erit requiei, nimirum
quando iam ipse Spiritus dicet ut requiescas a laboribus
tuis [r]. Necdum tamen erit consummata pax, necdum perfecta quies, denique necdum sessio plena.

19 speras : sperabis *Sc W*

---

m. Ps. 18, 6   n. II Cor. 9, 7   o. I Cor 9, 24   p. III Rois 19, 7
q. Gen. 3, 19   r. Apoc. 14, 13

pères-tu le rejoindre, si tu tardes, si tu traînes, si tu te reposes ? « Il a bondi comme un géant pour courir son chemin. » Sans nul doute, il aime qui le suit dans la joie. Tu n'es pas encore parvenu au trophée, tu n'as pas encore touché le but. Longue est encore la route ; ne t'asseois pas sur la marche, ne t'arrêtes pas au milieu du chemin. « A la sueur de ton visage, dit-il, tu mangeras ton pain jusqu'à ce que tu retournes à la terre d'où tu es tiré. » Alors seulement viendra le temps du repos, à savoir quand l'Esprit en personne te dira lui-même de te reposer de tes labeurs. Et pourtant ce ne sera pas encore la paix consommée, pas encore le parfait repos, pas encore la plénière session.

Capit. XXXII

Quomodo nunc nulla ex parte sedemus

38. *In regeneratione,* inquit, *cum sederit Filius hominis
in sede maiestatis suae, sedebitis et vos*[a]. Felix regeneratio !
Quando enim renascar ad sessionem, miser homo natus
ad laborem[b] ? O si umquam sedebo totus, cuius modo
5 nec minima quidem portio sedet, in quo nichil tranquil-
lum, nichil quietum, sedatum nichil, nichil inquam in
eodem permanet statu[c] ! *Sedebitis et vos.* O sessio ! Quis
mihi tribuat[d] ut dignis exprimam verbis quae de sessione
hac cordis affectione concipio ? Immo quis mihi tribuat
10 sessionis huius imperturbata frui requie, quam desidero,
quam cupio, quam require ? Ecce enim, ut dixi, nil in
me sedet, sed cuncta in motu sunt, omnia nutant, fluc-
tuant universa. Postremo ubi concupiscit adhuc caro
adversus spiritum, spiritus adversus carnem[e], quidnam
15 hominis sedere videtur ? Nec sola iam concupiscentia
pacem turbat, impedit sessionem, vetat esse sedatum ;

32, 4 sedebo : sedeam *Cm Sc W,* sedeo *Clac R Rg,* sedero *Clpc* ‖
5 nec : ne *A Sc.* — quidem : *om Sc W* ‖ 6 inquam : unquam *Cm.* ‖ 7
permanet : -nens *Cl R Rg Sc W* ‖ 8 quae : quod *R Rg Sc W* ‖
16 turbat : tribuat *W*

---

a. Matth. 19, 28   b. Job 5, 7   c. Job 14, 2   d. Job 19, 23
e. Gal. 5, 17

Chapitre 32

Comment, pour le moment,
nous ne sommes assis d'aucune façon

38. « Lors de la régénération, dit-il, quand le Fils de l'homme sera assis sur le siège de sa majesté, vous serez assis vous aussi. » Heureuse régénération ! Quand donc renaîtrai-je pour m'asseoir, malheureux homme, né pour le labeur ? Oh si un jour, de tout mon être, je m'assoyais, moi dont, pour le moment, nulle partie, fût-ce la moindre, ne s'asseoit, moi en qui rien n'est tranquille, rien n'est apaisé, rien n'est reposé, rien, dis-je, ne demeure dans le même état ! « Vous serez assis, vous aussi ». Oh, s'asseoir ! Qui m'accordera d'exprimer en termes convenables ce que, par l'affection du cœur, je perçois de cette session ? Plus encore, qui m'accordera de jouir de l'imperturbable repos de cette session que je désire, que je convoite, que je cherche [1] ? Car, comme je l'ai dit, voici que rien en moi ne s'asseoit, mais tout est en mouvement, tout vacille, tout tangue, tout. Et pour finir, quand la chair convoite encore contre l'esprit, l'esprit contre la chair, quelle partie de l'homme paraît-elle assise ? Et ce n'est pas seulement la convoitise qui trouble la paix, empêche la session, interdit l'apaisement, mais une double

---

1. Voir l'Antienne de Magnificat des I[es] Vêpres de sainte Agnès : *quem amavi, quem quaesivi, quem semper optavi.*

sed duplex quoque secundum corpus miserum hominem
contritio vexat, praesentis videlicet sensu doloris et mortis
metu futurae. Nimirum cum et passibile et mortale,
20 duplex nichilominus animam agitare sollicitudo videtur
459   spei utique et timoris. Inter haec nempe fluctuat iugiter,
donec peccati corpus [f] inhabitat, ascendens usque ad caelos et iterum usque ad abyssos descendens [g]; tabescens
in malis [h], et ad bona nichilominus inardescens.

f. Rom. 6, 6   g. Ps. 106, 26   h. Éz. 24, 23

oppression tourmente l'homme misérable selon le corps :
le sentiment de la douleur présente et la crainte de la
mort future. Cela n'est point surprenant puisqu'il est à
la fois et passible et mortel. Néanmoins un double souci
semble agiter l'âme, celui de l'espérance et celui de la
crainte. Entre elles, n'est-il pas vrai, elle oscille constam-
ment tant qu'elle habite un corps de péché ; elle monte
jusqu'aux cieux pour, de nouveau, redescendre aux
abîmes ; elle languit dans le mal et pourtant s'enflamme
pour le bien.

Capit. XXXIII

De imperfecta sessione

39. Erit autem cum luteum hoc egrediens domicilium,
a timore quidem penitus liberabitur, sed necdum ab
exspectatione ᵃ. Ex tunc enim iam non erit timor in finibus
nostris, sed in spe singulariter constituti ᵇ psallemus sin-
5 guli mente et spiritu ᶜ : quod praelibarat quodam modo
qui dicebat : *Convertere, anima mea, in requiem tuam,
quia Dominus benefecit tibi ; quia eripuit animam meam
de morte, oculos meos a lacrimis, pedes meos a lapsu* ᵈ.
Ceterum de exspectatione idem ipse sic ait : *Me exspec-*
10 *tant iusti donec retribuas mihi* ᵉ. Nec modo numerum
fratrum, ut compleatur ᶠ, sed et ipsum corpus, ut sua
regeneratione restituatur, exspectant. Immo vero et ex-
petunt cum desiderio, sub altare Dei vociferantes ᵍ ad
ipsum et qui audire meruit, potuit et testificari. Nam
15 corpus illo quidem in tempore sedere quis dicat, dum
effluit et in saniem pulveremque redigitur ?

33, 7 eripuit : eruit *W* ‖ 14 1° et : ut *Cl Sc*

---

a. Lc 21, 26   b. Ps. 4, 10   c. I Cor. 14, 15   d. Ps. 114, 7-8
e. Ps. 141, 8   f. Apoc. 6, 11   g. Apoc. 6, 9-10

Chapitre 33

De la session imparfaite

39. Or quand elle sortira de cette maison d'argile, elle sera certes totalement délivrée de la crainte, mais non pas encore de l'attente[1]. Dès lors en effet, « il n'y aura plus de crainte dans nos frontières », mais, chacun étant établi dans l'espérance, nous psalmodierons, tous et chacun, de cœur et d'esprit. C'est ce que, d'une certaine façon, goûtait par avance celui qui disait : « Retourne, mon âme, à ton repos, parce que le Seigneur t'a fait du bien : il a soustrait mon âme à la mort, mes yeux aux larmes, mes pieds au faux-pas. » Par ailleurs, le même parle de l'attente en ces termes : « Les justes m'attendent jusqu'à ce que tu me rétribues. » Non seulement ils attendent que le nombre des frères soit parfait, mais aussi que le corps lui-même soit restitué par sa régénération. Plus encore, ils demandent cela avec passion, clamant vers lui sous l'autel de Dieu, et il a pu en témoigner, celui qui a mérité de l'entendre. Car, pour ce qui est du corps, en ce temps-ci, qui oserait dire qu'il est assis, quand il se liquéfie et se réduit en sanie et en poussière ?

---

1. Affirmation discrète, mais nette, d'un état intermédiaire entre la mort et la résurrection, entre le « jugement particulier » et le « jugement général », qui conduira à la doctrine du « purgatoire ». Cf. Bernard, *Opera* V, 342-348, OS II, etc.

Capit. XXXIV

De perfecta sessione

40. *In regeneratione,* inquit, *sedebitis et vos*[a]. Seminatur
enim corpus animale, resurget corpus spirituale[b] ; seminatur in ignominia, surget in gloria[c]. Ubi iam tunc mors
victoria tua[d], siquidem et tu inimica novissima destrue-
5 ris[e] ? Corpus enim resurrectionis iam non moritur, mors
illi ultra non dominabitur[f]. Sed et dolor et gemitus omnis
abscedet, quoniam absterget Deus omnem lacrimam ab
oculis sanctorum, et iam non erit amplius neque luctus
neque clamor, sed neque ullus dolor, quoniam priora
10 transierunt[g]. Felices lacrimae, quas benigna manus
Conditoris absterget ; et beati oculi, qui in talibus liquefieri fletibus elegerunt, quam elevari in superbiam, quam
omne sublime videre, quam avaritiae et petulantiae famulari. Sedebit igitur corpus immortalitatis et impassi-
15 bilitatis gemina quadam felicitate dotatum, liberum ab
omni necessitate, ab omni corruptione securum, alienum
et immune ab omni concupiscentia, plenum gloria, configuratum denique claritati corporis Christi[h]. Sedebit et
anima sicut nil metuens, sic nec cupiens ultra ; nimirum

34, 2 resurget : surget *R Sc W* ‖ 3 ignominia : ignobilitate *Sc W* ‖
10 benigna : magna *add Cm* ‖ 12 fletibus : *om Cl Rg* ‖ 15 dotatum :
donatum *Cm* ‖ 17 plenum gloria : *om Sc W* ‖ 18-19 et anima : etiam
W

Chapitre 34

De la session parfaite

40. « Lors de la régénération, dit-il, vous serez assis, vous aussi. » Car : « On est semé corps animal, on ressuscitera corps spirituel ; on est semé dans l'ignominie, on ressuscitera dans la gloire. » Où sera donc alors ta victoire, ô mort, puisque toi aussi, ultime ennemie, tu seras détruite ? En effet, le corps ressuscité ne meurt plus, la mort sur lui n'aura plus d'empire. Et toute douleur, tout gémissement cessera, parce que Dieu essuiera toute larme des yeux des saints, et il n'y aura plus désormais ni deuil, ni cri, ni douleur aucune, car les premières choses auront passé. Heureuses les larmes qu'essuiera la main bénigne du Créateur, et heureux les yeux qui ont préféré se répandre en de tels pleurs plutôt que de s'élever par la superbe, de viser tout ce qui est grand, de s'habituer à l'avarice et à l'arrogance. Le corps immortel et impassible sera donc assis, pourvu en quelque sorte d'une double félicité, libre de toute nécessité, garanti contre toute corruption, étranger à toute convoitise et indemne d'elle, plein de gloire, enfin configuré au corps glorifié du Christ. L'âme elle aussi sera assise, ne craignant rien, ne convoitant plus rien, sinon jouir d'une pleine béatitude

a. Matth. 19, 28   b. I Cor. 15, 44   c. I Cor. 15, 43   d. I Cor. 15, 55   e. I Cor. 15, 26   f. Rom. 6, 9   g. Apoc. 21, 4   h. Phil. 3, 21

20 plena beatitudine et secura plenitudine fruens ; nullos iam cogitationum fluctus, nullos tentationum conflictus, nullos affectionum sentiens motus ; sed aeternae illi incommutabilitati prorsus immersa, et sic adhaerens Deo, ut unus iam spiritus sit facta cum eo[i].

i. I Cor. 6, 17

et d'une plénitude assurée, sans plus éprouver ni les flots des pensées, ni les assauts des tentations, ni les mouvements des affections, mais immergée dans cette inamovible éternité et adhérant à Dieu de manière à ne plus faire qu'un esprit avec lui.

Capit. XXXV

De sessione Domini

41. Sed quando haec, aut quibus haec erunt ? *Vos,*
inquit, *qui secuti estis me, cum sederit Filius hominis in*
sede maiestatis suae, sedebitis et vos[a]. Iam quidem sedet
Filius hominis in sede maiestatis, siquidem ascendens in
5 caelum sedet a dextris Dei[b]. Sed *cum sederit* dictum est :
hoc est : cum apparuerit sedens, sicut Apostolus ait :

460   *Cum enim Christus apparuerit vita vestra, tunc et vos*
apparebitis cum ipso in gloria[c].

An magis audebimus dicere et ipsum adhuc stare
10 quodam modo, utpote cuius sedes necdum consummata
videtur, necdum pedibus eius scabello supposito[d], quod
promissum est a Patre ? Non quod illi plenitudini qui-
piam desit, sed quod membra caput exspectet. Audeat
hoc testari, qui meruit intueri. *Ecce,* ait Stephanus, *video*
15 *caelos apertos et Filium hominis stantem a dextris virtutis*
Dei[e]. Paulus quoque sic scribit : *Christus assistens ponti-*
fex futurorum bonorum introivit semel in sancta, aeterna
redemptione inventa[f]. Ceterum in regeneratione corporum

35, 2 me : in regeneratione *add Sc* ‖3-4 suae... maiestatis : *om Cl* ‖
4 maiestatis : suae *add Cr ScW* ‖ 5 sedet : sedit *Cm Cl R Rg* ‖ 6 cum :
om Cr Sc W ‖ 7 enim : *om Sc W.* — vestra : nostra *Cr Cl R Sc W* ‖
12 a Patre : *om Cm Cl Rg* ‖ 16-17 pontifex : *om R*

Chapitre 35

De la session du Seigneur

41. Mais quand cela sera-t-il et pour qui ? « Vous, dit-il, qui m'avez suivi, quand le Fils de l'homme sera assis sur le siège de sa majesté, vous serez assis, vous aussi. » A vrai dire, dès maintenant, le Fils de l'homme est assis sur le siège de sa majesté, puisque, montant au ciel, il s'asseoit à la droite de Dieu. Pourtant, quand on dit : « quand il sera assis », on veut dire : « Lorsqu'il apparaîtra assis », ainsi que dit l'Apôtre : « Quand en effet le Christ, votre vie, apparaîtra, alors vous apparaîtrez vous aussi avec lui dans la gloire ».

Oserions-nous plutôt dire que, d'une certaine manière, il se tient encore debout, comme il convient à celui dont le siège ne semble pas encore achevé, qui n'a pas encore sous les pieds l'escabeau que le Père a promis ? Non qu'il manque quoi que ce soit à sa plénitude, mais parce que la tête attend ses membres. Qu'il ose en témoigner, celui qui a mérité de le percevoir. « Voici, dit Étienne, je vois les cieux ouverts et le Fils de l'homme debout à la droite de la force de Dieu. » Paul, lui aussi, écrit de même : « Le Christ, debout en qualité de pontife des biens futurs, est entré une fois pour toutes dans le sanctuaire, ayant acquis une rédemption éternelle. » Il reste que, lors de la

a. Matth. 19, 28   b. Mc 16, 19   c. Col. 3, 4   d. Ps. 109, 1
e. Act. 7, 55   f. Hébr. 9, 11-2

sedebit in sede maiestatis [g], qui pro animarum regenera-
20 tione stetit in ignominioso supplicio crucis et interrogatus
est contumeliis pariter et tormento ; nec modo durissima
morte, sed et turpissima condemnatus [h]. Quoniam enim
« Patri oboediens factus est usque ad mortem, mortem
autem crucis, propter hoc exaltavit illum et donavit illi
25 nomen quod est super omne nomen, ut in nomine Iesu
omne genu flectatur » [i].

Haec autem dixerim, fratres, ut noveritis quaenam sint
duo latera scalae, quae volentibus sequi Dominum proponitur ascendenda, quae bases eorum, quae capita,
30 quive gradus quorum summitati Deus innixus est [j].

---

19 maiestatis : suae *add Sc W* ‖ 20 crucis : *om Sc W* ‖ 22 et : *om Cm
W* ‖ 26 nomine Iesu : *om Rg* ‖ 28-29 proponitur : -nuntur *Cl Rg W* ‖
29 eorum : earum *A R Sc W*

---

g. Matth. 19, 28   h. Sag. 2, 20   i. Phil. 2, 8-10   j. Gen. 28, 13

régénération des corps, il sera assis sur le siège de sa majesté, lui qui, pour la régénération des âmes, s'est tenu debout dans le supplice ignominieux de la croix, fut soumis aux outrages et au tourment, fut condamné à la mort non seulement la plus cruelle, mais encore la plus honteuse. En effet : « Il s'est fait obéissant au Père jusqu'à la mort et à la mort de la croix, et c'est pourquoi il l'a élevé et lui a donné un nom au-dessus de tout nom, pour qu'au nom de Jésus tout genou fléchisse ».

Voilà ce que je voulais vous dire, frères, pour que vous sachiez quels sont les deux montants de cette échelle qu'on propose de monter [1] à ceux qui veulent suivre le Seigneur, quelles en sont les bases et les sommets, quels sont les barreaux au plus haut desquels Dieu est appuyé.

---

1. Voir Benoît, *Règle* 7, 18 : *actibus nostris ascendentibus scala illa erigenda est.*

Capit. XXXVI

De lateribus scalae

42. Oportet siquidem nos domare carnem, calcare
mundum, ut, voluptatem corporis declinantes, caveamus
nichilominus saeculi vanitatem. Hae nimirum abominationes Aegyptiorum, quas immolamus Domino Deo nos-
5 tro[a]. Et totum quod a via vitae et disciplinae[b] deterret
filios huius saeculi, totum quod exercet interim servos
Dei, in his duobus est, quae sub uno versu propheta
commendat : *Vide,* inquiens, *humilitatem meam et laborem
meum*[c]. Haec ergo sint latera scalae, vilitas et asperitas :
10 quibus deinceps internae virtutis et gratiae gradus firmiter
inserantur. Est enim videre homines mundi spernentes
gloriam, favorem calcantes populi, non desiderantes humanum diem[d] : sed non adeo fortes in tolerantia corporalis molestiae, non adeo reiicientes mollia, non adeo
15 carnis illecebras superantes. Quid istos dixerim, nisi latus
alterum non tenere ? Porro uni tantum lateri innitentis
periculosus nimis ascensus et proximus est ruinae.

36, 5-6 quod a... totum : *om Cr* ‖ 7 Dei : et totum quod a via vitae
et disciplinae deterret filios huius saeculi *add Cr* ‖ 9 ergo sint : ergo
sunt *Rg,* sunt igitur *Sc,* sint ergo *W.* -- sint : duo *add A Sc W* ‖
17 nimis : *om Cl Rg*

Chapitre 36

Des montants de l'échelle

42. Oui, il nous faut dompter la chair, mépriser le monde, pour que, refusant la volupté du corps, nous nous gardions aussi de la vanité du siècle. Ce sont là les « abominations des Égyptiens » que nous immolons au Seigneur notre Dieu. Et tout ce qui détourne le fils de ce siècle de la voie de vie et de discipline, tout ce qui exerce, dans l'intervalle, les serviteurs de Dieu tient en ces deux choses que le prophète recommande en un même verset, disant : « Vois mon humilité et mon labeur ». Que ce soit donc là les deux montants de l'échelle — faire peu de cas de soi et se rudoyer —, dans lesquels ensuite on fixe solidement les barreaux de la vigueur intérieure et de la grâce. Car on peut voir des hommes qui dédaignent la gloire du monde, qui méprisent la faveur du peuple, qui ne désirent pas le « jour de l'homme », et qui pourtant ne sont pas assez forts pour supporter les désagréments corporels, pour rejeter l'amollissement, pour dépasser les attraits de la chair. Que dire de ces gens, sinon qu'ils tiennent un montant, non l'autre ? Or la montée est fort périlleuse, et bien près de la chute celui qui ne s'appuie que sur un montant.

a. Ex. 8, 26   b. Sir. 45, 6 (legem vitae...)   c. Ps. 24, 18   d. Jér. 17, 16

43. Quod si periclitatur qui circa carnem videtur plus
quam oporteat infirmari, licet mundi respuat gloriam,
20 nec contumeliis moveatur : profecto longe horribilius est
periculum, et multo magis inexcusabile, si quis forte, licet
castigans viriliter corpus suum [e] et non parcens eius af-
flictioni, inveniatur tamen minus resistens gloriae desiderio, minus patiens iniuriarum, minus puritatis et solidae
25 humilitatis habens, minus immunis a saeculi vanitate.
Quid enim tibi, infelix homo, cum his nugis et calami-
tatibus, cum hoc fastu et vanitate ista, quae nec animae
nec corpori prodest ? Quid irritaris, quid inflammaris ad
verbi flatum, quod nec carnem vulnerat, nec inquinat
30 mentem ? Nichil sic alienum a natura tua, nil tam contrarium rationi. Neque enim sic dicere possum : Quid tibi
cum cibis et vestibus ? aut frigore vel esurie quid move-
ris ? cum unita personaliter anima non huic mundo sed
corpori, longe minus carnem possit odisse [f] quam mun-
35 dum, quippe quae huic multum debeat, illi nichil. Quod
quidem dixerim, non ut voluptas perinde excusetur, sed
ut vanitas et impuritas ante omnia fugiatur.

20 longe : *om* W

e. I Cor. 9, 27   f. Éphés. 5, 29

43. Si donc celui qui semble plus faible qu'il ne faut envers la chair est en péril, bien qu'il rejette la gloire du monde et ne s'émeuve pas des outrages, assurément le péril est de beaucoup plus terrifiant, et bien plus inexcusable le cas où quelqu'un, tout en châtiant virilement son corps sans lui épargner l'affliction, se trouve pourtant moins résistant au désir de la gloire, moins patient aux injures, moins pourvu de pureté et de solide humilité, moins insensible à la vanité du siècle. Car, malheureux homme, qu'as-tu à faire de ces bagatelles et de ces fléaux, de ce faste et de cette vanité qui ne sont utiles ni à l'âme ni au corps ? Pourquoi t'irriter, pourquoi t'embraser au souffle d'un mot qui ne blesse pas ta chair, ni ne souille ton esprit ? Rien n'est à ce point étranger à ta nature, rien si contraire à la raison. Car je ne puis dire de même : Que t'importe la nourriture et le vêtement ? Pourquoi t'émouvoir du froid ou de la faim ? puisque ton âme, personnellement unie non au monde mais à ton corps, peut bien moins haïr la chair que le monde, d'autant qu'elle doit beaucoup à celle-là et rien à celui-ci. Voilà ce que je voulais dire, non pour excuser le moins du monde la volupté, mais pour qu'on fuie avant tout la vanité et l'impureté.

Capit. XXXVII

De gradibus scalae

44. Sane ubi sic stabilieris et firmaveris in corde tuo
et asperitatem corporalis abstinentiae ac laboris amplecti
et omni vilitate et extremitate esse contentus, bona sunt
latera, securus iam insere gradus exercitii spiritualis, ut
5 totum quod carni et mundo subtrahis, studio pietatis
impendas : oblitus quae retro sunt, et extentus in ante-
riora[a], ut ascensionibus dispositis de virtute proficias in
virtutem, ut videre Deum deorum in Sion[b] merearis.

Et primum quidem per desertum proprii cordis et
10 convallem plorationis ascendes ut virgula fumi[c] ; dehinc
iam in serenius quiddam elapsus, ascendes etiam de
deserto deliciis affluens, innixus super dilectum[d], ductus
de claritate in claritatem, tamquam a Domini Spiritu[e],
illo utique qui scrutatur etiam alta Dei[f]. Nec paucos in
15 his gradus invenies gratiae multiformis[g]. Verum haec
spiritualia sunt et spiritualibus utique comparanda[h].
Nunc vero ad initiandos potius sermo dirigitur, cuius

37, 2 ac : et *Cl R Rg Sc W* ‖ 8 deorum : *om Cl Rg W* ‖ 10-11 ut...
elapsus : *om Cl Rg* ‖ 11 etiam : et *Rg Sc, om W*

---

a. Phil. 3, 13   b. Ps. 83, 6.8   c. Cant. 3, 6   d. Cant. 8, 5
e. II Cor. 3, 18   f. I Cor. 2, 10   g. I Pierre 4, 10   h. I Cor.
2, 13

Chapitre 37

Des degrés de l'échelle

44. Assurément, dès que tu seras stabilisé ainsi et te seras fermement décidé dans ton cœur à embrasser la rudesse de l'abstinence corporelle et du labeur et à t'estimer content dans la plus vile condition et le plus grand dénuement [1] — ce sont de bons montants —, dès lors fixes-y en toute assurance les barreaux de l'exercice spirituel pour accorder à la pratique de la piété tout ce que tu soustrais à la chair et au monde. Oublie ce qui est derrière et tends-toi vers ce qui est devant, afin que, ayant disposé des montées, tu progresses de vertu en vertu pour mériter de voir Dieu dans Sion.

D'abord, à travers le désert de ton propre cœur et la vallée des pleurs, tu monteras comme une colonne de fumée. Puis, déjà libéré pour quelque degré plus serein, tu monteras du désert, comblé de délices, appuyé sur le bien-aimé, guidé de clarté en clarté comme par l'Esprit du Seigneur, par celui-là en vérité qui scrute même les profondeurs de Dieu. Tu y trouveras les nombreux degrés de la grâce multiforme de Dieu. Il est vrai, ce sont des réalités spirituelles réservées bien sûr aux spirituels. Mais pour l'instant c'est plutôt à des commençants que s'adresse

---

1. Benoît, *Règle* 7, 149 : ... *si omni vilitate et extremitate contentus sit*...

tota intentio est revocare ad cor praevaricatores [i]. Ceterum habent proficientes editum olim de duodecim gra-
20 dibus humilitatis ex sermonis occasione libellum, quos
videlicet gradus ille iustorum omnium spiritu plenus in
Regula sua tradit vere per omnia Benedictus.

20 ex : et *Sc W*

i. Is. 46, 8

ce discours [2] dont toute l'intention est de rappeler les prévaricateurs à leur propre cœur. Pour ce qui est d'ailleurs des progressants, ils disposent d'un livret édité naguère [3] à partir d'un entretien sur les douze degrés d'humilité, je veux parler de ces degrés que Benoît, plein de l'esprit de tous les justes et vraiment béni [4] en toute chose, nous a transmis dans sa Règle [5].

2. Benoît, *Règle* Prol. 6 : *Ad te ergo nunc mihi sermo dirigitur* ...
3. Allusion possible au *De gradibus humilitatis* de Bernard de Clairvaux. Voir *Introduction* p. 22.
4. 4e Antienne des Ies Vêpres de saint Benoît.
5. Benoît, *Règle* 7.

Capit. XXXVIII

De via orientali
quae a beati Benedicti cella processit

45. Ille enim spiritualem nobis erexit scalam, cuius
utique summitas caelos tangit[a], quod in eius glorioso
transitu evidenti legimus miraculo commendatum, beato
papa Gregorio sic scribente : « Inter discipulorum manus
5 imbecilla membra sustentans, erectis in caelum manibus
stetit, et ultimum spiritum inter verba orationis efflavit.
Qua scilicet die duobus de fratribus, uni longius posito,
alteri autem in cella commoranti, revelatio unius atque
indissimilis visionis apparuit. Viderunt namque quia
10 strata palliis et innumeris corusca lampadibus via, recto
orientis tramite ab eius cella in caelum usque tendebatur.
Cui venerando habitu vir desuper clarus assistens, cuius
esset via quam cernerent inquisivit. Illi vero se nescire
professi sunt. Quibus ille ait : Haec est via qua dilectus
15 Domini caelum Benedictus ascendit ». Quae est enim via
ab eius cella progrediens, nisi ordo quem idem beatus
instituit, et forma vitae quae ab eo sumpsit exordium ?
Qua nimirum via dilectus Domini ascendit, quia « non
potuit vir sanctus aliter docere quam vixit ». Et haec

462

38, *In tit. :* Benedicti : abbatis *add Cl.* — processit : -cedit *Cl* ‖
1 enim : *om Sc W* ‖ 4 scribente : XXXVII *add Sc W* ‖ 7 de : *om Cl*
Rg ‖ 15 enim : *om Cl Sc W* ‖ 16 idem : vir *add Cm Cl R Rg Sc W*

a. Gen. 28, 12

Chapitre 38

De la voie orientale
qui part de la cellule du bienheureux abbé Benoît

45. C'est lui qui a dressé pour nous l'échelle spirituelle, cette échelle dont le sommet touche les cieux, comme l'atteste un miracle évident que nous lisons dans le récit de son glorieux trépas. Le bienheureux pape Grégoire [1] écrit en effet : « Au milieu de ses disciples dont les mains soutenaient ses membres affaiblis, debout, les mains levées vers le ciel, il rendit le dernier soupir avec les mots de sa prière. Or, ce jour-là, deux des frères — l'un parti assez loin, l'autre resté en cellule — eurent révélation d'une seule et identique vision. Ils virent, couvert de tapis et rutilant d'innombrables lampes, un chemin qui, en plein orient, allait de sa cellule jusqu'au ciel. Il y avait là un homme à l'aspect vénérable et tout resplendissant. Il leur demanda quel était le chemin qu'ils voyaient. Ils avouèrent ne pas le savoir. Il leur dit : C'est le chemin par où l'aimé de Dieu, Benoît, est monté au ciel ». Qu'est-ce que ce chemin partant de sa cellule, sinon l'ordre que ce bienheureux homme a institué et la forme de vie à laquelle il a donné l'essor ? Oui, c'est par cette voie que l'aimé de Dieu est monté, car cet homme saint n'a pu enseigner autrement qu'il n'a vécu. Et c'est bien là la

1. Grégoire le Grand, *Dial.* II, 37.

20 quidem eorum vel maxima fiducia est, qui ipsius utcumque student inhaerere vestigiis, ipsum praeceptorem
praeviumque sequuntur. Neque enim venire aliquatenus
in dubium potest, quin omnino sacer sit modus conversationis, et divina magis inspiratione atque consilio, quam
25 humana prudentia vel adinventione formatus, quo nimirum tantam in vita gratiam sanctitatis, tantam post
obitum gloriam felicitatis idem vere Benedictus obtinuit.

46. Sed haec hactenus : ne quis forte (quod longe sit
semper a cordibus nostris) derogare nos eis qui sibi
30 varios, prout cuique visum est, religiose vivendi forma-
vere modos, quam alios consolari et animare voluisse
causetur. Eam tamen, quam videmus in ecclesiis hodie,
formam cleri (ne informem dixerim vitam), a quo sanctorum habuerint ? Quis unquam vel in Novo vel in Veteri
35 Testamento sic vixerit, sic vivere docuerit homines ? Utinam ipsi sese interrogent singuli, nec conscientias super
hoc proprias convenire dissimulent. Quantos enim videmus sectatores viarum, quae videntur quidem hominibus
bonae [b], sed in profundum inferni descendit finis earum ?
40 Quantos ascensores scalae, non cuius summitas caelos
tangit, sed quae illi omnino contraria est, habens latera
concupiscentiam carnis et concupiscentiam oculorum,
gradus vero superbiam vitae [c] ? Quae ex mundo sunt, non
ex Patre.

---

29 derogare : magis *add W.* — nos : potius *add Cl Rg* ‖ 39 bonae :
rectae *W* ‖ 43 Quae : quidem *add Cr Sc W*

---

b. Prov. 14, 12   c. I Jn 2, 16

très grande confiance de ceux qui s'efforcent, à leur manière, de marcher sur ses traces et le suivent comme leur précepteur et comme leur guide. Car, nul doute n'est possible, il est vraiment saint et né d'une inspiration et d'un conseil divins plutôt que d'une prudence et d'une invention humaines, ce mode de vie par lequel Benoît, vraiment béni, a obtenu une telle grâce de sainteté en sa vie et une telle gloire de fidélité après sa mort.

46. Mais il suffit sur ce sujet, pour qu'on n'aille pas nous accuser d'avoir voulu — que cela soit à jamais loin de notre pensée ! — dénigrer ceux qui, chacun selon ses vues, se sont forgé des modes différents de vie religieuse, plutôt que consoler et animer les autres. Toutefois, pour ce qui est de cette forme — ne devrais-je pas parler de vie informe[2] ? — du clergé que nous voyons aujourd'hui dans les églises, de quel saint la tient-on ? Qui jamais, soit dans le Nouveau, soit dans l'Ancien Testament, a vécu de cette manière, a enseigné aux hommes à vivre de cette façon ? Puissent-ils s'interroger chacun à part soi et ne pas dissimuler ce dont convient leur propre conscience sur ce point. Combien en effet en avons-nous vu suivre des voies qui aux hommes semblaient bonnes, mais dont la fin descendait aux profondeurs de l'enfer[3] ? Combien gravissent l'échelle, non celle dont le sommet touche les cieux, mais au contraire celle qui a pour montants la convoitise de la chair et la convoitise des yeux, et pour barreaux l'orgueil de la vie ? Tout cela vient du monde, non du Père.

---

2. *Forma/informis :* Variante d'un parallélisme fréquent. Chez Bernard, c'est habituellement avec le mot *deformis* (un seul emploi de *informis* dans toute son œuvre). Voir aussi Geoffroy, *Liber miraculorum :* MGH SS xxvi, 94-95.

3. Cette citation de Prov. 16, 25 se trouve aussi chez Benoît, *Règle* 7, 64-66.

45   **47.** At eius sane quam vobis commendare volumus
scalae gradus et latera, ex Patre utique sunt, non ex
mundo, cui nimirum innixus apparuit ᵈ. *Sobrie,* inquit
Apostolus, *et pie et iuste vivamus in hoc saeculo* ᵉ. Sobrietas voluptatem carnis impugnat ; iustitia, saeculi vanita-
50   tem, dum videlicet cuique reddens quod suum est, et
adulantem deplorat et compatitur irascenti. Denique ipse
Salvator dum Baptistae manibus celsum illum verticem
inclinaret, *Sic,* inquit, *decet nos implere omnem iustitiam* ᶠ
solam nimirum humilitatem iustitiam reputans. Exhibea-
55   tur ergo sobrietas nobis, iustitia proximo, pietas Deo.
Pietas enim ipsa est cultus Dei. Sane ut voluptas et
vanitas elationem cordis fovere noscuntur, sic sobrietas
et iustitia pietatem : ut inter haec latera de fide in fidem ᵍ
spe mediante proficiens, supereminentiam aliquando te-
60   neas caritatis ʰ.

---

46 utique : *om Sc W* ‖ 48 Apostolus : *om Sc W.* — saeculo : sed *add*
Sc W ‖ 51 deplorat : plorat *Cl Rg* ‖ 56 ipsa : *om Cm Cl Rg* ‖ 59-
60 teneas : -neat *Cr Cl R Rg Sc W*

---

d. Gen. 28, 13   e. Tite 2, 12   f. Matth. 3, 15   g. Rom. 1, 17
h. Éphés. 3, 19

47. En revanche, les barreaux et les montants de l'échelle que nous voulons vous recommander sont, non du monde, mais bien du Père, cette échelle où, assurément, il s'est montré appuyé. « Vivons en ce siècle, dit l'Apôtre, avec sobriété, justice et piété ». Or la sobriété s'en prend à la volupté de la chair ; la justice à la vanité du siècle. Rendant à chacun ce qui lui appartient, elle déplore qui adule, elle compatit à qui s'irrite. Enfin le Sauveur lui-même a dit, inclinant sa noble tête sous les mains du Baptiste : « C'est ainsi qu'il nous convient d'accomplir toute justice », estimant justice la seule humilité. Faisons donc preuve de sobriété envers nous, de justice pour le prochain, de piété envers Dieu [4]. Car la piété est le culte de Dieu [5]. Assurément, de même que la volupté et la vanité alimentent, on le sait, l'élèvement du cœur, de même la sobriété et la justice nourrissent la piété, de sorte que, progressant entre ces montants de la foi à la foi, par le moyen de l'espérance, on obtienne un jour la suréminente charité.

4. Voir Bernard, *Opera* VI, 2, 67, 22-23 : *Sent.* III, 7.
5. Cf. Bernard, *Opera* III, 403, 9-10 : *Csi* I, vii, 8. — Cette définition est familière à saint Bernard. Le *Thesaurus S. Bernardi* ne relève pas moins de quatorze occurrences dont neuf quasi littérales et cinq par allusion, comme me le signale Jean Figuet — que je remercie de son obligeance — qui relève la même définition plusieurs fois chez Augustin : *Enarr. in Ps.* 135, 8 (*CC* 40, p. 1962, l. 12-19 ; *De Spir. et Litt.* 11, 18 (PL 44, 211) ; *Civ. Dei* X, i (*CC* 40, 446-447). Augustin serait donc probablement la source de Bernard.

Capit. XXXIX

De basibus scalae

48. Innituntur autem haec latera basibus, quas sup-
posuit artifex sapientia, duobus forsitan lignis crucis. Ubi
enim ille mulctatur morte, cruce turpatur, quis suorum
delicias seu gloriam sustinere queat, nedum audeat quae-
5 rere ? Flagellatus Christus et sputis illitus baiulat sibi
crucem [a], et ludibrio factus irrisoria veste, arundineo scep-
tro, corona spinea, foditur clavis, annumeratur sceleratis,
in ligno extenditur, etiam mortuus vulneratur [b] ; et haec
intuens qui dicitur christianus, propriis nichilominus vo-
10 luptatibus indulgere et florere velle in saeculo nullatenus
erubescit ! Ceterum si omnis qui se dicit in Christo
manere, debet, sicut ille ambulavit, et ipse ambulare [c],
multo magis qui pro eo manere se dicit, qui pro eo
legatione fungitur, qui ei ministrat, si eum non sequitur,
15 inexcusabilis est. Sane nisi abnegaverit semetipsum et
tulerit crucem suam, sequi eum omnino non potest [d].
Quid vero crucem tollere est, nisi laborem amplecti et
humilitatem ? sicut scriptum est : *Elegi abiectus esse in
domo Dei* [e].

463

39, 1 quas : nobis *add Sc W* ‖ 4 seu : se *Cr,* sui *Sc* ‖ 8 etiam : et
W ‖ 10 in : hoc *add Sc W* ‖ 16 eum : apostolo teste *add Cr in marg.*
— omnino : ipso teste *Cm, om Cl Rg* ‖ 19 Dei : mei *add Sc*

---

a. Jn 19, 17   b. Jn 19, 34   c. I Jn 2, 6   d. Matth. 16, 24

Chapitre 39

Des bases de l'échelle

48. Ces montants s'appuient sur des bases que la sagesse artisane nous a données, sans doute les deux bois de la croix. Quand lui, en effet, est puni de mort, déshonoré par la croix, qui donc, parmi les siens, pourrait supporter les délices ou la gloire, ou même oserait les rechercher ? Le Christ, flagellé et couvert de crachats, porte sa croix ; en butte à la dérision d'un vêtement ridicule, d'un sceptre de roseau, d'une couronne d'épines, il est percé de clous, compté au nombre des scélérats, étendu sur le bois et blessé même après sa mort. Et le soi-disant chrétien, contemplant cela, n'a pas honte de se laisser aller à ses propres voluptés et de vouloir briller dans le siècle ?

Au reste, si quiconque qui prétend demeurer en Christ doit marcher comme il a marché, combien plus est-il inexcusable, celui qui prétend être son lieutenant, son ambassadeur et son ministre, s'il ne le suit. Il est sûr qu'à moins de renoncer à soi-même et de prendre sa croix, il ne peut le suivre en aucune façon. Qu'est-ce donc que prendre la croix, sinon embrasser labeur et humilité, selon qu'il est écrit : « J'ai choisi d'être méprisé dans la maison de Dieu » ?

e. Ps. 83, 11

Capit. XL

De capitellis

49. Sed fortasse minus adhuc firmiter stabilita haec videantur, si tantum fuerint subnixa basibus, non etiam desuper cohaerentia capitellis. Hinc est quod minime suis contentus exemplis Salvator, etiam praemia repromittit,
5 ut quem forte non provocat imitatio vel invitatio praecedentis, trahat vel desiderium retributionis. Et, si quidem voluptuosus est, illum sitiat torrentem voluptatis[a]. Sin vero gloriae cupidus, aspiret ad illam celsitudinem iudiciariae potestatis. *Sedebitis,* ait, *et vos super sedes duo-*
10 *decim, iudicantes duodecim tribus Israel*[b]. Ac si diceret : *Pro confusione vestra duplici et rubore pars vestra laudabitur. Propterea enim in terra vestra duplicia possidebitis, laetitia sempiterna erit vobis*[c]. In exsilio vobis afflictio duplex humilitatis utique et laboris. Sed consolamini et
15 nolite deficere, quoniam in terra vestra, terra utique viventium[d], duplex vos nichilominus renumeratio manet, sublimitatis et delectationis. In sedibus enim quies imperturbata, in iudicio dignitatis eminentia commendatur.

40, 3 cohaerentia : coercenda *Cl Rg* ‖ 5 imitatio vel : *om Cm Cl.* — vel invitatio : *om Rg* ‖ 6 vel : *om A Sc W* ‖ 7 sitiat : sciat esse *W.* — Sin : Si *Cr R Rg* ‖ 8 illam : gloriam vel *add Sc W* ‖ 9 potestatis : voluptatis *W* ‖ 9-10 duodecim : *om Cl Rg* ‖ 10 diceret : dicat *R Sc W* ‖ 11 1° vestra : sua *Cl* ‖ 12 possidebitis : -debunt *Cl,* et *add Cl Rg Sc W* ‖ 13 sempiterna : *om Rg.* — vobis : eis in Christo *Cl*

Chapitre 40

Des sommets (de l'échelle)

49. Il se peut que ces montants n'apparaissent pas encore très solides, s'ils ne s'appuient que sur ces bases, sans être en haut fixés à leurs sommets. D'où vient que le Sauveur, au lieu de se contenter de donner l'exemple, a promis également des récompenses, pour que le désir de rétribution attire celui que n'entraînerait pas l'imitation ou l'invitation du guide. Et s'il est voluptueux, qu'il ait soif de ce « torrent de volupté ». S'il est avide de gloire, qu'il aspire à cette grandeur du pouvoir judiciaire : « Vous serez assis, dit-il, vous aussi, sur douze sièges, jugeant les douze tribus d'Israël. » Comme s'il disait : « Pour prix de votre confusion et de votre double honte, on célèbrera votre part. Voilà pourquoi dans votre terre vous posséderez le double ; votre joie sera éternelle. » En exil, double est votre affliction : celle de l'humilité et celle du labeur. Mais consolez-vous et ne défaillez pas, parce que, dans votre terre, qui est la terre des vivants, une double rémunération vous attend, celle de la grandeur et celle de la délectation. Car, sur ces sièges, est assuré un repos inaltérable et, dans ce jugement, une éminente dignité.

a. Ps. 35, 9   b. Matth. 19, 28   c. Is. 61, 7   d. Ps. 26, 13

Capit. XLI

De iudicio futuro

50. Quis vero saecularis honor excogitari potest, qui non prorsus in tantae sublimitatis comparatione vilescat ? Non unius siquidem civitatis aut populi seu regionis unius, sed universitatis iudices habent praesidere cum
5 Christo. Non solum homines, sed et ipsos angelos iudicabunt [a], qui parentem ad modicum vaporem [b] praesentis gloriae dedignantes et exsufflantes, improperium Christi universis praeferunt titulis dignitatum. *Nolite timere, pusillus grex, quoniam complacuit Patri vestro dare vobis*
10 *regnum* [c]. Definitum est consilium quod non evacuabitur, propositum immutabile perseverat ; denique iuravit Dominus et non paenitebit eum [d] : *Amen dico vobis, quod vos qui secuti estis me, in regeneratione, cum sederit Filius hominis in sede maiestatis suae, sedebitis et vos iudicantes* [e].
15 Quid gloriosius ? Iudicent nunc et praeiudicent superbiae filii, cum rege suo sedeant, qui sibi latera aquilonis [f] elegit. Exaltentur et eleventur sicut cedri Libani. Transibimus

---

41, *In tit. :* futuro : *om Cl* ‖ 1 vero : ergo *Sc W*. — saecularis : singularis *Clac* (vel saecularis *add Clpc in interl*) *Rg* ‖ 3 seu : aut *W* ‖ 5 Non : Nec *Cl R Rg*. — ipsos : *om Sc W* ‖ 9 complacuit : placuit *W* ‖ 11 immutabile : immobile *Sc W*

---

a. I Cor. 6, 3   b. Jac. 4, 14   c. Lc 12, 32   d. Ps. 109, 4
e. Matth. 19, 28   f. Is. 14, 13

Chapitre 41

Du jugement à venir

50. À vrai dire, quel honneur séculier peut-on évoquer qui n'apparaisse tout à fait vil en comparaison d'une telle grandeur ? Ce ne sont pas les juges d'une seule cité, d'un seul peuple, d'une seule région, mais de tout l'univers qui doivent siéger avec le Christ. Ils n'auront pas à juger les hommes seulement, mais les anges eux-mêmes, ceux qui, dédaignant l'éphémère fumée de la gloire présente, la dissipent d'un souffle, préférant l'opprobre du Christ à tous les titres de dignité. « Ne craignez pas, petit troupeau, car il a plu à votre Père de vous donner le royaume. » C'est un arrêt définitif qui ne sera pas annulé, une décision qui demeure immuable ; le Seigneur l'a juré, il ne s'en repentira pas : « En vérité je vous le dis, vous qui m'avez suivi, quand, lors de la régénération, le Fils de l'homme sera assis sur le siège de sa majesté, vous serez assis, vous aussi, et jugerez. » Quoi de plus glorieux ? Qu'ils jugent à présent et préjugent [1], les fils de superbe, qu'ils siègent avec leur roi qui a choisi pour lui « les montants de l'aquilon ». Qu'ils se poussent et s'élèvent comme les cèdres du Liban. Nous passerons par

---

1. « Préjugent » a ici le sens de « juger avant le temps » : la justice des hommes anticipe indûment la seule qui compte vraiment : le jugement après la mort.

464   et ecce non erunt[g]. Opprimant nunc quos possunt, blas-
phement, congerant maledicta ; veniant super nos oppro-
20 bria exprobrantium[h] Christo, quoniam merces nostra
copiosa est in caelis[i]. Gloriam quae ab invicem est
habeant vanam utique et mendacem, quoniam vani filii
hominum, mendaces filii hominum[j]. Gloriam enim quae
a solo Deo est nolunt, veram utique et manentem ;
25 quoniam ipse veritas et ipse est qui est[k].

19 nos : vos *Cl* ‖ 20 nostra : vestra *Cl* ‖ 22 utique : gloriam *add Cm Cl Rg* ‖ 23 mendaces filii hominum : *om Cm Cl Rg* ‖ 25 1° ipse : est *add Cm Cl Rg*

là et ils n'y seront plus. Qu'ils oppriment à présent ceux
qu'ils peuvent ; qu'ils blasphèment, qu'ils amassent des
malédictions ; que viennent sur nous les opprobres de
ceux qui outragent le Christ, parce que notre récompense
est copieuse dans les cieux. Qu'ils aient la gloire qu'ils
s'attribuent les uns les autres, vaine assurément et men-
songère, car vains sont les fils des hommes, mensongers
les fils des hommes. Car, de la gloire qui vient de Dieu
seul, ils ne veulent pas, gloire vraie et qui demeure, parce
qu'il est la vérité, parce qu'il est celui qui est.

g. Ps. 36, 35-6   h. Ps. 68, 10   i. Matth. 5, 12   j. Ps. 61, 10
k. Jn 14, 6 ; Ex. 3, 14

Capit. XLII

De grossis ficuum

51. Infelix prorsus ambitio, quae ambire magna non
novit, quaerens de modico crescere, de maximo minui[a].
Amant enim primas cathedras[b], quae velut grossi ficuum[c]
velociter sunt casurae. Sunt enim grossi primae quaedam
5 ficus prorsus inutiles, solam habentes speciem ficuum,
non saporem, nec tam fructus quam futurorum quaedam
praesagia fructuum, quas et decidere necesse est, ut eis
aliae humano usui et esui aptae succedant. Unde sponsa
in Canticis canticorum : *Hiems transiit, imber abiit et*
10 *recessit*[d], et post pauca : *Ficus,* inquit, *protulit grossos*
suos[e] *;* quod videlicet, persecutione cessante, inclyta facta
sit Ecclesia, posita in superbiam saeculorum. Quam sane
sublimitatem et excellentiam dignitatum congrue satis
grossos vocat, ut futura in his moneat quam praesentia
15 cogitare. Quae enim videntur temporalia sunt ; quae non
videntur aeterna sunt[f]. Caveant igitur qui primas cathedras amant[g], ne contingat carere secundis et qui primos

---

42, 2 crescere : et *add A Cl Sc W* ‖ 4 primae : velut *add Cl Rg* ‖
9 Canticis : -co *Cm Cl R Rg Sc.* — transiit imber : *om Sc W* ‖ 12 sane :
humilitatem *add W* ‖ 15 2° quae : autem *add W* ‖ 15-16 temporalia...
videntur : *om R* ‖ 16 sunt : *om Cm Cl R Rg Sc W.* — Caveant : Paveant
W

Chapitre 42

Des figues vertes

51. Bien malheureuse l'ambition qui ne sait pas am-
bitionner de grandes choses : elle cherche à s'accroître de
peu et à s'amoindrir de ce qui est le plus grand. Ils
aiment en effet les premières places, qui sont comme les
figues vertes, promptes à tomber. Car ces sortes de
premières figues sont inutiles ; elles n'ont que l'aspect des
figues, non leur saveur. Ce ne sont pas tant des fruits
que la promesse de fruits à venir. Il faut qu'elles tombent
pour que d'autres leur succèdent qui soient propres à
l'usage et à la nourriture des humains. D'où la parole
de l'épouse dans le Cantique des cantiques : « L'hiver est
passé, la pluie a cessé et s'est retirée. » Et peu après :
« Le figuier, dit-elle, porte ses fruits verts. » C'est le cas
évidemment de l'Église qui, la persécution cessant, se met
à briller du plus vif éclat, exposée à l'orgueil du monde.
Il convient parfaitement de donner le nom de figue verte
à cette grandeur et à cette excellence, pour recommander
d'y considérer l'avenir plus que le présent. Car le visible
est temporel ; l'invisible est éternel. Que ceux qui aiment
les premières places prennent donc garde à ne pas man-
quer les secondes, et que ceux qui choisissent maintenant

a. Jn 3, 30   b. Matth. 23, 6   c. Apoc. 6, 13   d. Cant. 2, 11
e. Cant. 2, 13   f. II Cor. 4, 18   g. Matth. 23, 6

nunc recubitus eligunt incipiant cum rubore locum tenere
novissimum [h].

20　　　*Sedebitis,* inquit, *et vos super sedes, iudicantes duodecim
tribus Israel* [i]. Hae iam ficus erunt, non utique grossi.
Has nimirum sedes praeviderat qui de superna civitate
dicebat : *Illic sederunt sedes in iudicio, sedes super domum
David* [j]. Illic plane, non hic. Quomodo enim sedent quas
25　hic videmus sedes, quae totiens nutant, totiens titubant,
totiens subvertuntur ? Nimirum grossi ficuum [k] sunt, quos
tenuis aura deiicit et dispergit.

Ceterum quid sibi vult, quod duodecim tribus Israel
iudicaturos fore promittit, in quibus etiam ipse mundus
30　cognoscitur iudicandus ? An quia notus adhuc tantum in
Iudaea Deus [l], universitatem fidelium appellatione duodecim tribuum voluit designari, et quasi solas meminit
iudicandas propter illud : *Qui non credit iam iudicatus
est* [m] *?* Haec enim est perfectorum gloria singularis, inter
35　ipsos etiam eminere fideles et ceteris quoque salvandis
praeeminere auctoritate iudiciariae potestatis, ut, iuxta
illud de psalmo, « sedeant supra domum David » [n]. Quid
istud miseriae est, quod ad verbum tantae promissionis
negligentia humana dormitat !

20 et vos : = *om R Sc W.* — sedes : duodecim *add Crpc R Sc W* ‖
21 utique : *om Rg* ‖ 22 superna : superba *Sc* ‖26-30 Nimirum... iudicandus : *Cr in marg infer* ‖ 29 etiam : et *Sc W* ‖ 36 iudiciariae : iudicarie
Cl ‖ 37 de : ipso *add W*

les premiers divans n'en viennent pas à occuper, à leur honte, le dernier recoin.

« Vous serez assis, dit-il, vous aussi, sur des sièges, jugeant les douze tribus d'Israël. » Alors ce seront des figues et non des fruits verts. Il avait bel et bien prévu ces sièges, celui qui disait de la cité d'en haut : « Là, ils seront assis sur des sièges pour juger, des sièges au-dessus de la maison de David. » Là-haut, oui ; ici-bas, non. Car, comment s'asseoir sur les sièges que nous voyons ici, si souvent bancals, si souvent branlants, si souvent renversés ? Ce sont vraiment des figues vertes qu'une légère brise fait tomber et éparpille.

Par ailleurs, que signifie la promesse qu'ils jugeront les douze tribus d'Israël, en qui doit être jugé, on le sait, le monde lui-même ? N'est-ce pas que Dieu, n'étant alors connu qu'en Judée, a voulu signifier la totalité des fidèles en parlant des douze tribus, rappelant leur jugement comme s'il s'agissait d'elles seules, en vertu de cette parole : « Celui qui n'a pas cru est déjà jugé » ? Car telle est la gloire singulière des parfaits : non seulement ils se distinguent des fidèles, mais aussi, par l'autorité du pouvoir judiciaire, ils ont prééminence sur tous les autres qu'il faut sauver, afin que, selon le mot du psaume : « Ils siègent au-dessus de la maison de David. » Quelle misère, que l'humaine négligence somnole à l'énoncé d'une telle promesse !

h. Lc 14, 8-10   i. Matth. 19, 28   j. Ps. 121, 5   k. Apoc. 6, 13
l. Ps. 75, 2   m. Jn 3, 18   n. Ps. 121, 5

Capit. XLIII

Querimonia Salvatoris

52. *Popule meus,* ait Dominus, *quid debui facere tibi
et non feci*[a] *?* Quid causae est quod inimico meo vestroque
libet servire quam mihi ? Neque enim ille creavit vos, sed
nec pascit quidem, aut tempora vestra ipse disponit. Si
5 parva haec videntur ingratis, non ille, sed ego redemi
vos. Sed quo pretio[b] ! Non utique corruptibilibus auro
et argento, non sole vel luna, non saltem aliquo angelorum, sed proprio vos cruore redemi[c]. Ceterum si neque
tam multiplici iure debitum a vobis elicere est famulatum,
10 omissis his omnibus, mecum saltem ex denario diurno
convenite[d]. Nihil vobis ille nocuerit, nihil vobis ipse
videar profuisse. Ei obtemperate, qui plurima vobis et
potiora pollicetur, apud quem certior copiosiorque remuneratio est ; ut illud quoque benignissima miseratione
15 dissimulem, quod, bonorum vestrorum non egens[e], vobis
tantummodo velim esse consultum, ne praesentia suscipere detrectetis quae nunc offero dona gratiae, futuris
gloriae muneribus eadem coronanda promittens.

465

43, 2 vestroque : et vestro *Sc W* ‖ 3 servire : magis *add Sc* ‖
8 Caeterum : Denique *Cr* ‖ 12 vobis : *om Cm Cl R Rg Sc W.* — ipse :
om Cr

---

a. Is. 5, 4   b. I Cor. 6, 20   c. Apoc. 5, 9   d. Matth. 20, 2

Chapitre 43

Doléances du Sauveur

52. « Mon peuple, dit le Seigneur, que devais-je donc faire pour toi que je n'ai pas fait ? Pour quelle raison préférez-vous servir mon ennemi et le vôtre plutôt que moi ? Car ce n'est pas lui qui vous a créés, ni lui qui vous nourrit ni règle votre vie. Si tout cela vous paraît peu de choses, ingrats, ce n'est pas lui qui vous a rachetés, mais moi. Et à quel prix ! Non par l'or et l'argent corruptibles, ni par le soleil et la lune, ni par quelqu'un des anges, mais je vous ai rachetés de mon propre sang. Ou alors, si l'on ne peut obtenir de vous un service qui est dû à tant de titres, tous étant oubliés, convenez du moins avec moi d'un denier par jour ! Celui-ci ne vous causera nul tort, et moi, je paraîtrai ne vous procurer nul profit ! Obéissez à celui qui vous fait des promesses plus nombreuses et plus avantageuses, auprès de qui la rédemption est plus certaine et plus large ; par excès de bonté miséricordieuse, je tairai le fait que, n'ayant nul besoin de vos biens, c'est pour vous seulement que je voudrais vous voir décider de ne pas refuser les dons présents de la grâce que je vous offre maintenant, promettant de les couronner par les dons futurs de la gloire. »

e. Ps. 15, 2

Capit. XLIV

De excusatione saecularium

53. Quid ad haec conscientia humana respondet ? Cum
improperari haec coeperint in die iudicii, quomodo miseri
sustinebunt ? Quid excusationis habere poterunt de peccato ? Numquid tunc dicere incipient : Modo, ecce modo,
5 sine paululum ? Sic enim nunc dissimulant infelices, sed
« Modo et modo » non habet modum ; et « Sine paululum » in longum vadit. Bonus est, inquiunt, Deus qui in
proximo iuvat. Magna quidem divina promissio, sed
longa nimis dilatio et molesta exspectatio est. Terrenam
10 deserere sortem et necdum obtinere caelestem, afflictio
est intolerabilis et inconsolabilis dolor. Quid accelerare
necesse est ? Ut miseria prolongetur ? Misera prorsus et
seductoria cogitatio. Nova siquidem haec quaerela est,
nec prolixiorem vitam filii hominum hactenus causaban-
15 tur. Breves dies hominis sunt[a], donec conscientia stimu-
lante de paenitentia et conversione vel intus a spiritu vel
foris commoneatur ab homine. Ex tunc sane novum
concipitur taedium longioris vitae, differendae mortis ori-
tur fiducia nova.

44, 1 respondet : -debit *W* ‖ 5 sed : et *Cm Cl R Rg Sc W* ‖ 6 habet :
habent *Rg Sc W* ‖ 9 nimis : nimium *Cm Cl R Rg W*, nimirum *Sc* ‖
13 cogitatio : est *add Cl Rg* ‖ 16 1° vel : *om A Sc W* ‖ 17 commoneatur :
-neantur *Cr*, -veantur *Cl Rg*, -ventur *R Sc W*. — Ex : Et *Cl R Rg Sc*

Chapitre 44

De l'excuse alléguée par les séculiers

53. Que répondra à cela la conscience humaine ? Quand, au jour du jugement, tout cela viendra en discussion, comment le supporteront-ils, les malheureux ? Quelle excuse pourront-ils alléguer pour le péché ? Ne se mettront-ils pas à dire alors : « Un instant, un instant, attends un petit peu » ? Car c'est ainsi que, dès à présent, les malheureux, ils s'obnubilent. On redit : « Un instant, un instant » à longueur de temps, et « attends un petit peu » à n'en plus finir. « Il est bon, disent-ils, le Dieu prompt à secourir. Certes la promesse divine est grande, mais le délai trop long et pénible l'attente. Se priver de sa part terrestre avant d'avoir obtenu la part céleste, c'est une affliction intolérable, une inconsolable douleur. Quelle nécessité de se hâter ? Pour faire durer la misère ? » Raisonnement pitoyable vraiment et séducteur. Voilà une plainte bien nouvelle : jusqu'ici les fils des hommes ne prétextaient pas que la vie fut trop longue. Les jours de l'homme sont brefs, jusqu'à ce que, sous l'aiguillon de sa conscience, il soit ébranlé soit par l'esprit au-dedans, soit par un homme au-dehors, à l'idée de la pénitence et de la conversion. Alors assurément il conçoit une répugnance nouvelle pour la vie qui se prolonge, et naît alors une confiance neuve dans une mort qu'il lui faut attendre.

a. Job 17, 1

20   **54.** Sed esto : multa tibi annorum curricula restant.
Adolescens es usque ad senectutem victurus et senium [b],
quid necesse habes amittere tempora tanta, perdere tanta
lucra ? Nihil pretiosius tempore, sed heu ! nihil hodie
vilius aestimatur ! Transeunt dies salutis [c] et nemo reco-
25 gitat, nemo sibi non reditura momenta perisse causatur.
An putas, o homo, biennii tantum aut triennii opus ab
Omnipotenti posse recompensari ? Sic abbreviata est manus Domini [d], ut centum annorum non possit remunerare
laborem ? Sede, computa quid diebus singulis acquirere
30 valeas, certus equidem apud Deum nullum omnino bonum irremuneratum fore ; et sicut non capillum de corpore [e], sic nec momentum de tempore periturum. Quid
illud Sapientis consilium ingeram : *Ne tardes converti ad
Dominum, nescis quid superventura pariat dies* [f] ? Quid
35 insaniam causer de futuro tam temerarie praesumentis :
quasi vero tempora et momenta Pater in tua et non
magis in sua posuerit voluntate [g] ! Postremo, quid de
incerto fine, quid de certa brevitate laboris, retributionis
aeternitate loquar ? Novit Dominus figmentum nostrum [h],
466 40 consulit pusillanimitati nostrae, humanae obviat cogita-
tioni, anxietatem abigit, praevenit trepidationem.

---

21 es : *om Sc W.* — victurus : es *add W* ‖ 27 recompensari : compensari
R ‖ 31 irremuneratum : non remunerandum *Cr R Sc W* ‖ 33 illud :
illius *Sc W.* — consilium : -lii *Cl Rg* ‖ 36 Pater : *om R Sc W* ‖ 37 in :
om Cm Cl R Rg ‖ 38 brevitate : brevi *Sc W* ‖ 40 consulit : Dominus
add Cr Sc W. — humanae : *om W*

54. Mais soit ; il te reste bien des années à parcourir. Adolescent, tu vivras jusqu'à la vieillesse et aux cheveux blancs ! Quel besoin de perdre tant de temps, de gâcher tant de gains ? Rien de plus précieux que le temps, mais, hélas, rien de plus vil, estime-t-on de nos jours ! Les jours du salut passent et nul n'y pense, nul ne se reproche d'avoir laissé perdre des instants qui ne reviendront plus. T'imagines-tu, ô homme, que le Tout-Puissant ne puisse récompenser que le travail de deux ou trois ans ? Ou que la main du Seigneur est à ce point avare qu'il ne puisse rémunérer un labeur de cent ans ? Assieds-toi et suppute ce que tu peux acquérir jour après jour, bien assuré qu'auprès de Dieu aucun bien ne demeure sans récompense et que pas plus ne périra une parcelle de ton temps que ne tombera un cheveu de ta tête. Pourquoi serinerais-je le conseil du Sage : « Ne tarde pas à te convertir au Seigneur, tu ne sais pas ce qu'il adviendra demain. » Pourquoi incriminerais-je la folie de celui qui, si témérairement, présume de l'avenir, comme si le Père avait placé les temps et les instants en ton pouvoir plutôt que dans le sien ? Enfin pourquoi parlerais-je de la fin incertaine, de la brièveté certaine du labeur, de l'éternité de la rétribution ? Le Seigneur sait de quoi nous sommes faits, il tient compte de notre faiblesse, il vient à la rencontre de la réflexion humaine, il dissipe l'anxiété, il prévient la peur.

b. Ps. 70, 18   c. II Cor. 6, 2   d. Is. 59, 1   e. Lc 21, 18   f. Sir. 5, 8 ; 8, 21   g. Act. 1, 7   h. Ps. 102, 14

Capit. XLV

De duplici promissione

55. Sequitur enim : *Et omnis qui reliquerit patrem aut matrem aut domum aut agrum propter nomen meum, centuplum accipiet et vitam aeternam possidebit*[a]. Quid ultra dicetis, filii hominum, quando et in hoc medio tanta
5 vobis promissa sunt, ut dormiatis inter medios cleros[b] de quibus paulo ante causabamini ? Et exeuntes a sorte terrena amplior statim excipiat consolatio, quam non modo patienter sed etiam gratulanter exspectetis sortem sanctorum[c] in regeneratione promissam. Siquidem et ipsa
10 exspectatio iustorum laetitia est. *Centuplum,* inquit, *accipiet et vitam aeternam possidebit*[d]. Habetis, filii Adam, promissionem vitae eius quae nunc est pariter et futurae, ut obstruatur omne os loquentium iniqua[e] et confundantur omnes iniqua agentes supervacue[f]. An non superva-
15 cue penitus agit iniqua, qui non modo fructuosius sed et

45, 1 enim : ergo *Sc* ‖ 2 aut domum... nomen meum : *om Sc* ‖ 4 medio : mundo *Cm Crpc Sc W* ‖ 5 vobis : nobis *Cm Cl Rg*. — ut : *om Cm*. — dormiatis : iam *add Cm* ‖ 6 quibus : psalmista *add Rg*. — Et : *om Cm Cl Sc W*. — Exeuntes : enim *add Cm* ‖ 8 etiam : et *Cm Cl Rg*. — gratulanter : gratanter *Cm*. — exspectetis : -ctes *Sc W* ‖ 9 et : *om Sc W* ‖ 15 penitus : *om Sc*. — et : *om Cl Rg*

---

a. Matth. 19, 29   b. Ps. 67, 14   c. Col. 1, 12   d. Matth. 19, 29
e. Ps. 62, 12   f. Ps. 24, 4

Chapitre 45

De la double promesse

55. Il est dit ensuite : « Quiconque aura quitté son père ou sa mère ou sa maison ou son champ à cause de mon nom recevra le centuple et possèdera la vie éternelle ». Que direz-vous encore, fils des hommes, quand, même en ce temps intermédiaire, vous sont faites des promesses telles que vous reposiez entre ces héritages que naguère vous mettiez en cause [1] ? Et qu'au sortir de la vie terrestre, vous accueille aussitôt une consolation si vaste que vous attendrez, non seulement avec patience mais avec gratitude, le sort promis aux saints lors de la régénération [2]. Oui, l'attente des justes est liesse. « Il recevra, dit-il, le centuple et possèdera la vie éternelle ». Vous avez, fils d'Adam, la promesse de cette vie, aussi bien la présente que la future. Ceci pour fermer la bouche de tous ceux qui disent des iniquités et pour confondre tous ceux qui commettent en vain l'iniquité. Ne commet-il pas en vain l'iniquité celui qui pouvait, non seulement

1. Selon Ps 67, 14, « dormir entre les deux parts *(cleros)* » qui délimitent le pacage nocturne du troupeau et le préservent des prédateurs, c'est « reposer en paix ». Ici, comme à plusieurs reprises dans le texte de Geoffroy, le mot *clerus* que j'ai traduit par « héritages » constitue une sorte de jeu de mots : le « clerc » est celui dont la « part » (héritage) est Dieu.
2. Nouvelle attestation d'un temps intermédiaire entre la mort et la régénération dernière ; voir ch. 33, n. 1.

iucundius, non modo salubrius sed et suavius Deo poterat
servire quam mundo ? Et attende quod Petro quidem
Dominus tantum de futuro respondit : neque enim super
his quae experiebatur praesentialiter, haesitare poterat
20 aut opus habebat interrogare. Denique non : « Quid nobis est ? » dixit, sed : « Quid erit [g] » ?

56. An vero dubitat quis instantis esse temporis centupli promissionem ? Manifeste id quidem ipsa verborum
consequentia probat ubi centuplum accepturi et posses-
25 suri dicimur vitam aeternam. Ceterum ne quis omnino
impudenti obstinationi locus remaneat, mitto vos ad
evangelium secundum Marcum, ubi promissio eadem
descripta manifestius invenitur. Ait enim Dominus :
Nemo est qui reliquerit patrem aut matrem aut filios aut
30 *agrum aut domum propter me et propter evangelium, qui*
non accipiat centies tantum nunc in hoc tempore [h]. Atque
ut vehementius admiretur carnalis anima, non percipiens
quae sunt spiritus Dei, sed stultitiam reputans [i], addit
signanter, *cum persecutionibus* [j]. Forte enim cum audisset
35 in tempore hoc promitti centuplum, coniectabatur etiam
de temporalibus exhiberi : sed praeripit hunc intellectum
nomen additum persecutionis. Quid enim terrenae est
consolationis, quod non facile terrena tollat persecutio ?
Quid terrenum inter persecutiones sancti martyres acce-
40 perunt, quando et ipsa quoque beatorum corporum terra
data est in manibus hominum impiorum ?

---

17 attende : -dite *Cl Rg* ‖ 20-21 nobis : nunc *Sc W* ‖ 30 agrum : agros
R Rg Sc W. — et : aut *W* ‖ 31 tantum : modo *add R*. — in : *om Cm
Sc W* ‖ 34 enim : autem *Cm, om Sc* ‖ 41 hominum : haec omnium *Sc*,
hoc omnium *W*

avec plus de fruit mais avec plus de joie, de manière non seulement plus salutaire mais plus savoureuse, servir Dieu plutôt que le monde ? Note que le Seigneur n'a répondu à Pierre que sur le futur, car Pierre ne pouvait hésiter et n'avait donc nul besoin d'interroger sur ses expériences présentes. Au reste, il n'a pas dit : « Qu'en est-il pour nous ? », mais : « Qu'en sera-t-il ? »

56. Quelqu'un douterait-il que la promesse du centuple soit pour le temps présent ? C'est pourtant ce que prouve clairement la suite même des paroles où nous sommes dits recevoir le centuple, puis posséder la vie éternelle. D'ailleurs, pour couper court à toute obstination impudente, je vous renvoie à l'évangile selon Marc où cette promesse se trouve transcrite très clairement. Le Seigneur dit en effet : « Quiconque aura quitté son père ou sa mère ou ses enfants ou son champ ou sa maison à cause de moi et de l'évangile recevra cent fois autant maintenant en ce temps-ci. » Et pour plonger dans une plus grande admiration l'âme charnelle qui ne perçoit pas ce qui vient de l'Esprit de Dieu mais l'estime folie, il ajoute expressément : « avec des persécutions ». Peut-être en effet, entendant parler de la promesse du centuple en ce temps-ci, elle en aurait conjecturé que cela valait pour les choses temporelles, mais l'addition du mot de persécutions ruine cette interprétation. Car quelle est la consolation terrestre dont ne prive aisément une persécution terrestre ? Quel avantage les saints martyrs ont-ils tiré des persécutions, alors que la terre même de leur corps bienheureux a été livrée au pouvoir d'hommes impies ?

g. Matth. 19, 27   h. Mc 10, 29-30   i. I Cor. 2, 14   j. Mc 10, 30

Capit. XLVI

De incredulitate

57. Interim tamen undecumque centuplum sint accepturi, dummodo sit centuplum, dum valeat centupliciter,
centupliciter placeat, consoletur, delectet, ametur : quid
insaniae est quod cunctantur homines relinquere simpla
5 pro centuplis ? Ubi est cupidus, ubi ambitiosus, ubi
conquisitor huius saeculi[a] ? Quid ad fidele negotium et
467 nundinas quaestuosissimas avaritia intepuit et obdormivit
humana ? Cui id Iudeo negares, o homo, qui in vanum
accepisti nomen Domini[b] Iesu Christi ? Cui sacrilego dare
10 quidquid habes pro centuplo cunctareris ? Usura saeculi
dat centum ad unum, Deus accipit unum ad centum. Sed
exsecrabilis est tibi manus Domini, ut nullam ab eo
commutationem recipere, non ei in ratione dati vel accepti communicare penitus adquiescas.
15 An forte non ex odio, sed ex incredulitate detrectas ?
Nam id mihi, fateor, credibilius est. Nemo enim perire
magis optaret minimae cuiuspiam consolationis obtentu,

46, 5 2° ubi : est *add Sc W* ‖ 7 intepuit : imputet *Cl* ‖ 8 humana :
in terra *Cl Rg.* — o : *om Cm Cl Rg* ‖ 9 Domini : nostri *add Cr Rg* ‖
10-11 Usura... 2° centum : *om Cl R Rg Sc W* ‖ 13 recipere : accipere
Cr ‖ 15 incredulitate : crudelitate *Cl*

---

a. I Cor. 1, 20   b. Ex. 20, 7

Chapitre 46

De l'incrédulité

57. En attendant toutefois, de quelque côté que leur vienne le centuple, pourvu que ce soit le centuple, qu'il vaille le centuple, qu'il plaise, qu'il console, qu'il délecte, qu'il soit aimé au centuple, quelle est cette démence des hommes que de tarder à laisser le simple pour le centuple ? Où est-il le cupide, où l'ambitieux, où l'homme avide des biens de ce siècle ? Pourquoi l'avarice humaine s'est-elle émoussée et endormie devant ce négoce assuré et ce marché si avantageux ? À quel juif refuserais-tu cela [1], ô homme qui as reçu en vain le nom du Seigneur Jésus Christ ? À quel sacrilège hésiterais-tu à donner tout ce que tu as pour ce centuple ? L'usurier de ce monde donne cent pour un, Dieu accepte un pour cent. Mais, à tes yeux, la main du Seigneur est exécrable, parce que tu n'admets en aucune façon de recevoir de lui aucun échange, de communiquer avec lui sous la clause du donné et du reçu.

Peut-être est-ce par incrédulité et non par haine que tu refuses ? Cela, je l'avoue, me paraît plus vraisemblable. Car nul ne choisirait de périr en vue de je ne sais quelle menue consolation plutôt que d'être sauvé en grande

---

1. Cette boutade montre qu'au temps de Geoffroy les juifs avaient la réputation d'être de bons commerçants, sinon des usuriers.

quam in maxima exultatione salvari. Sed non est omnium
fides, ne eorum quidem qui nominetenus sunt fideles.
20 Poteram sane multorum vobis exempla proponere, multos producere testes, qui id profecto sicut credidere sic
sentiunt, sicut audiere sic experiuntur. Abundat huiusmodi testimoniis, huiusmodi carbonibus desolatoriis [c] omnis natio, regio omnis et omnis lingua, ubicumque sanc-
25 torum congregatio est. Sed quando humanis credat ex-
perimentis, qui veritati non credit promittenti ? Illud ego
vehementius arbitror admirandum, quod fideles magis in
maximo quam in modico [d] videamini. Num enim difficile
est ei dare centuplum in praesenti, qui daturus est vitam
30 aeternam in futuro ? Qui daturus est quod nec oculus
vidit, nec auris audivit, nec in cor hominis ascendit [e], non
modo dare centuplum potest ?

---

20 vobis : nobis *A Cl Rg* ‖ 22 audiere : -dierunt *Cl R Rg Sc W* ‖
24 regio omnis : regionis *Cl Rg* ‖ 25 credat : *om Scac W*, credet *Scpc*
‖ 26 credit : -didit *Cm Sc W*. — ego : ergo *Cm Sc* ‖ 28 Num : Non
Cr W

allégresse. Mais la foi n'est pas le partage de tous, pas même de ceux qui se disent croyants. A vrai dire, je pourrais vous proposer les exemples d'un grand nombre, produire une foule de témoins qui vraiment sentent comme ils ont cru et qui pratiquent ce qu'ils ont entendu. Toute nation abonde en témoignages de ce genre, en « charbons ardents » de ce genre, de même toute région et toute langue, où qu'il y ait une assemblée de saints. Mais quand croirait-il aux expériences humaines celui qui ne croit pas à la promesse faite par la Vérité ? Pour moi, j'estime qu'il faut bien davantage s'étonner de ce que vous vous montriez fidèles dans ce qui est très grand que dans ce qui est petit. Car, pour celui qui donnera la vie éternelle dans l'autre monde, est-il difficile de donner le centuple en ce monde-ci ? Ne peut-il donner le centuple à présent, celui qui donnera ce que nul œil n'a vu, nulle oreille entendu, ce qui n'est venu à l'esprit d'aucun homme ?

c. Ps. 119, 4   d. Lc 16, 10   e. I Cor. 2, 9

Capit. XLVII

De labore ficto

58. Sed quomodo, inquit, possunt haec fieri[a]? Qua
ratione accipit centuplum qui nil sibi relinquit ex omnibus? Nempe hoc est quod paulo ante commemoravi :
Tollite iugum meum super vos et invenietis requiem[b]. Mira
5 novitas, sed eius qui nova omnia facit[c]. Iugum tollens
invenit requiem ; relinquens omnia centuplum habet. No-
verat hoc et ille nimirum homo secundum cor Dei, qui
ei loquebatur in Psalmo : *Numquid adhaeret tibi sedes
iniquitatis, qui fingis laborem in praecepto*[d] ? An non fictus
10 in praecepto labor « relinque omnia et habebis centuplum »[e] ; « tollite iugum meum et invenietis requiem »[f] ?
An non fictus in praecepto labor, onus leve, suave iugum,
crux inuncta ? Huius enim rei sacramentum est, quod in
dedicatione ecclesiarum depictas in pariete cruces oleo
15 sancto pontifex linit. Sic et olim cum Abrahae dictum
est : *Tolle filium tuum quem diligis Isaac et offeres eum*

47, 1 inquit : inquis *Sc W* ‖ 2 relinquit : reliquit *Cr Sc W* ‖ 5 Iugum :
enim *add R* ‖ 8 ei : *om A Sc W* ‖ 10 labor : *om Cm Cl R Rg* ‖ 10-
12 relinque... fictus : *om Cm Cl R Rg* ‖ 11 meum : super vos *add Sc
W* ‖ 12 in praecepto : *om Cm Cl R Rg Sc W* ‖ 15 cum : quando *Cm,*
quidem *Cl Rg* ‖ 16 eum : illum *W*

a. Jn 3, 9   b. Matth. 11, 29   c. Apoc. 21, 5   d. Ps. 93, 20
e. Matth. 19, 29   f. Matth. 11, 30

Chapitre 47

Du labeur fictif[1]

58. Comment est-ce possible, dis-tu ? A quel titre re-çoit-il le centuple, celui qui ne se réserve rien du tout ? C'est précisément ce que je viens de rappeler : « Prenez sur vous mon joug et vous trouverez le repos. » Éton-nante nouveauté, mais elle vient de celui qui fait toute chose nouvelle. Prenant le joug, il trouve le repos ; laissant tout, il a le centuple. Assurément il savait cela, l'homme selon le cœur de ce Dieu qui lui disait dans le psaume : « N'es-tu pas rivé au siège de l'iniquité, toi qui feins de voir un labeur dans le précepte ? » Le labeur n'est-il pas fictif dans le précepte : « Laisse tout et tu auras le centuple », « prenez mon joug et vous trouverez le repos » ? N'est-ce pas un labeur fictif qu'un fardeau léger, qu'un joug suave, qu'une croix ointe ? Le sacrement de cette réalité est que, dans la consécration des églises, le pontife oint d'huile sainte les croix peintes sur les murs. De même, jadis, quand il fut dit à Abraham : « Prends ton fils, celui que tu aimes, Isaac, et offre le

---

1. Le sens de l'adjectif découle du texte qui suit ; il qualifie un travail qui, si pénible soit-il, n'est pas sans douceur. Geoffroy donne trois exemples de ce genre de paradoxes : un fardeau ou un joug qui ne pèsent pas, parce qu'ils sont « léger » ou « suave » ; l'onction des croix, lors de la dédicace d'une église, où s'unissent les symboles de la souffrance et de la douceur ; le sacrifice d'Isaac qui, finalement, épargne le fils d'Abraham.

mihi in holocaustum [g], labor fictus est in praecepto. Obla-
tus siquidem Isaac sanctificatus est, non mactatus. Et tu
igitur, si vocem Domini audieris [h] intus in animo, et
20 dicatur tibi ut offeras Isaac tuum, tuum quodcumque est
gaudium immoles Deo — interpretatur enim Isaac gaudium seu risus [i] —, fideliter et constanter obedi. Ne
timeas : nimirum etsi rem grandem dicit tibi propheta,
facere debes [j] et obtemperandum ei per omnia, etiamsi
25 oportuerit ipsum Isaac iugulari. Nunc autem quicquid
affectio propria iudicet, securus esto, non Isaac, sed aries
morietur ; non peribit tibi laetitia sed contumacia, cuius
utique cornua vepribus haerent [k] et sine punctionibus
anxietatis esse non potest. Temptat enim te Dominus
30 Deus nec mactabitur Isaac, ut opinaris : vivens vivet, sed
elevatus utique super ligna, ut in sublime gaudeas ; nec
in carne propria, sed in cruce Domini glorieris, per quem
nimirum crucifixus et ipse es, sed crucifixus mundo [l], nam
ei vivis.

468

19 igitur : ergo *Sc W* ‖ 21-22 immoles... gaudium : *om Cl Rg* ‖ 21 Isaac :
om Sc W ‖ 21-22 gaudium seu : *om Cr* ‖ 22 risus : risum *Cl R Rg* ‖
27 tibi : *om Cm Sc W* ‖ 30 Deus : tuus *add Sc W* ‖ 31 elevatus : est
add Cl Rg ‖ 33 nimirum : *om Sc W*

g. Gen. 22, 2   h. Ex. 19, 5   i. Gen. 21, 6   j. IV Rois 5, 13
k. Gen. 22, 13   l. Gal. 6, 14

moi en holocauste. » Voilà un labeur fictif dans le précepte. Oui, Isaac offert est sanctifié, non sacrifié. Et toi donc, si tu entends la voix du Seigneur au fond de toi-même qui te dit d'offrir ton Isaac, d'immoler à Dieu ce qui fait ta joie — car Isaac veut dire joie ou rire[2] —, obéis avec foi et constance. Ne crains pas. Car, même si le prophète te dit de faire une chose difficile, tu dois le faire, et il faut lui obéir en tout, même s'il faut égorger Isaac lui-même. Mais, en réalité, malgré ce qu'éprouve ta sensibilité, sois sans crainte, ce n'est pas Isaac qui mourra, mais un bélier. Ce n'est pas ta joie qui périra, mais ton entêtement, dont on peut dire que les cornes s'emmêlent dans les buissons. Cela ne peut aller sans les épines de l'anxiété. Car le Seigneur ton Dieu t'éprouve et Isaac ne sera pas égorgé, comme tu l'imagines ; vivant, il vivra, mais monté sur le bois, pour que tu trouves ta joie en haut et que tu te glorifies non dans ta propre chair, mais dans la croix du Seigneur en qui tu es, toi aussi, crucifié il est vrai, mais crucifié au monde, car tu vis pour Dieu.

2. Jérôme, *Interp.* 7, 15.

Capit. XLVIII

De nigredine et decore sponsae

59. Haec nimirum conversatio perfectorum, haec sanctorum vita, haec gratia spiritualis denique : *Tamquam tristes,* inquiunt, *semper autem gaudentes ; tamquam nihil habentes et omnia possidentes ; tamquam morientes et ecce*
5 *vivimus* [a]. *Qui videbant me foras fugerunt a me* [b], dicit etiam filia regis, ea utique cuius gloria omnis ab intus est [c]. Unde et clamitat in Cantico canticorum adolescentulas revocans, quas exteriori sua incompositione deterritas videt : *Nigra sum sed formosa, filiae Ierusalem, sicut*
10 *tabernacula Cedar, sicut pelles Salomonis. Nolite me considerare quod fusca sim, quia decoloravit me sol* [d]. Ac si manifeste spiritualis quispiam dicat, teneras et infirmas mentes exhortans : Quid laboriosa quaeque et humilia conversationis meae tam sedule numeratis ? Saga cilicina [e]
15 sunt et pelles arietum rubricatae [f], quibus interior ille splendor et interna tegitur gloria, ut illaesa a pulveris et imbris iniuria conservetur. « Nolite me considerare quod fusca sum » [g], nolite pavere, nolite mirari. Neque enim

---

48, 6 etiam : et *Cl R Rg Sc W* ‖ 7 est : *om R Sc W*. — clamitat : clamat *Cr Sc W* ‖ 8-9 deterritas : territas *R* ‖ 13 mentes : ait *add W* ‖ 14 meae : nostrae *Cm R Rg Sc W*, vestrae *Cl*

Chapitre 48

De la noirceur et de la beauté de l'épouse

59. Voilà bien le comportement des parfaits, voilà la vie des saints, voilà enfin la grâce spirituelle : « apparemment tristes, disent-ils, mais toujours en joie ; apparemment dépourvus de tout, mais possédant tout ; apparemment à la mort, et voici que nous vivons ». « Ceux qui me voyaient au dehors m'ont fui », dit aussi la fille du roi, celle bien sûr dont la gloire est toute à l'intérieur. De là ses cris dans le *Cantique des cantiques,* rappelant les adolescentes qu'elle voit effrayées par sa disgrâce extérieure : « Je suis noire mais belle, filles de Jérusalem, comme les tentes de Cédar, comme les tentures de Salomon. Ne faites pas attention à mon teint bruni, car le soleil m'a bronzée. » Comme si quelque homme spirituel disait en clair, exhortant des esprits malléables et faibles : « Pourquoi comptez-vous si soigneusement ce qu'il y a de laborieux et d'humble dans mon genre de vie ? Ce sont des sayons de poil de chèvre et des peaux de béliers rougies, dont on couvre cette splendeur intérieure et cette gloire du dedans pour les garder indemnes des injures de la poussière et de la pluie. Ne faites pas attention à mon teint bruni, n'ayez pas peur, ne soyez pas surpris. Car cet extérieur négligé et cette noirceur du

a. II Cor. 6, 10.9   b. Ps. 30, 12   c. Ps. 44, 14   d. Cant. 1, 4-5
e. Ex. 26, 7   f. Ex. 25, 5   g. Cant. 1, 5

tristitiae aut necessitatis est exterior iste neglectus et
20 nigredo forinseca, sed occulti splendoris et exultationis
internae. *Decoloravit,* inquit, *me sol*[h], lux interior exterio-
ris impatiens. Nimirum ignis est et inania folia non
admittit. Alioquin aut exuri folia aut certe, si praevalue-
rint, ignem extingui necesse est. Quod quidem omnino
25 cavendum Apostolus docet : *Spiritum,* inquiens, *nolite
extinguere*[i]. Magis autem id Christus prohibet volens eum
vehementer accendi[j]. Igitur sponsa quidem nigra est sed
formosa[k] ; Apostoli tanquam tristes, semper autem gaudentes[l] ; ipsi Christo, si iudaicis consideretur oculis, non
30 erat species neque decor[m].

E contra sane alios dealbatis Veritas comparat mo-
numentis, foris quippe splendidos et nitentes, intus sor-
didos et fetentes[n]. *Ambulant* enim *in stolis et primas,* ut
dictum est, *cathedras amant*[o], gloriosi, honorati et magni
35 in oculis hominum ; intus autem, ubi Deus videt, pleni
avaritia, invidia, ambitione, superbia, luxuria fortasse
nonnulli. Quando enim talibus detur pretiosum illud
continentiae munus, nisi forte ad iudicium et condemnationem[p], ne quando paveant et resipiscant et conver-
40 tantur a studiis suis et obdormiscant a peccatis et deterius
pereant ipsa irreverentia et securitate ?

---

23 exuri : exurit *R Sc W* ‖ 24 quidem : *om Cl Rg* ‖ 27 Igitur : Ideo *Sc
W*. — est : *om Cl Rg* ‖ 30 erat : ei *add Cm*. — decor : XLVII *add Sc*,
XLVIII *add W* ‖ 35 hominum : omnium *Cm Rg Sc W* ‖ 36 superbia :
et *add Clpc R Sc W* ‖ 39-40 convertantur : revert- *Sc W* ‖ 40 suis :
pessimis *add Sc*. — 1° et : sed *Cm Cl R Rg Sc W*. — a : in *Cm Cl R
Rg Sc W* ‖ 41 ipsa : sua *add Cl Rg*

dehors ne viennent ni de la tristesse ni de la nécessité, mais d'une splendeur cachée et d'une exultation intérieure. » « Le soleil m'a bronzée », dit-elle, lumière intérieure qui ne supporte pas celle de l'extérieur. Car c'est un feu et il ne souffre pas les feuilles inutiles. Du reste, ou bien il brûle les feuilles, ou bien, si elles ont le dessus, il faut bien que le feu s'éteigne. C'est ce contre quoi l'Apôtre nous met bien en garde quand il dit : « N'éteignez pas l'esprit ». Le Christ l'interdit plus encore, désirant que ce feu brûle avec ardeur. Il est donc vrai, l'épouse est noire, mais belle ; les apôtres, apparemment tristes, mais toujours en joie ; pour le Christ lui-même, considéré avec les yeux des juifs, il n'avait ni éclat ni beauté.

Tout à l'inverse, la vérité compare certains autres à des sépulcres blanchis, splendides et brillants certes au dehors, mais souillés et fétides au dedans. Car, comme il est dit : « Ils marchent en vêtements longs et affectionnent les premières places », glorieux, honorés et grands aux yeux des hommes, mais, au-dedans, là où Dieu voit, remplis d'avarice, d'envie, d'ambition, de superbe et certains sans doute de luxure. Quand en effet le don précieux de la continence pourrait-il être donné à de telles gens, à moins que ce ne soit pour leur jugement et leur condamnation ; pour qu'ils ne viennent pas à craindre, à se repentir et à changer de préoccupations, et perdent conscience de leurs péchés et aillent à une perte plus terrible du fait de leur irrévérence et de leur assurance ?

h. Cant. 1, 5   i. I Thess. 5, 19   j. Lc 12, 49   k. Cant. 1, 4
l. II Cor. 6, 10   m. Is. 53, 2   n. Matth. 23, 27   o. Lc 20, 46
p. Rom. 5, 16

Capit. XLIX

Quomodo egestas interior foras eiiciat

60. Sane ut exercitii spiritualis et curae cordis indicium
evidens est contemptus exteriorum, sic eorumdem sollicitudo certum nihilominus est signum mentis incultae ,
scriptum quippe est : *In desideriis est omnis otiosus*ᵃ *;* et
5 idem : *De stercoribus boum lapidabitur piger*ᵇ. Vae, vae
misero ! dum stercoratur, putatur ornari. Bos erat Paulus,
trituransᶜ in area Domini et suum utique cognoscens
possessoremᵈ, unde et dicebat : *Propter Christum omnia
detrimentum feci et arbitror ut stercora, ut Christum lu-*
10 *crifaciam*ᵉ. Haec amplexatur stercora, etiamsi quondam
nutritus fuerit in croceisᶠ, his lapidatur stercoribus pigerᵍ,
qui Christum lucrifacereʰ negligens, corde vacuo et deserto foras cogitur evagari. Siquidem famis necessitate
Iacob patriarcha descendere in Egyptumⁱ ; et prodigus
15 ille filius servire porcis, esurire siliquas egestate coactus
estʲ.

49, 1 indicium : iudicium *Rg* ‖ 2 est : *om Cl R Rg* ‖ 3 est : *om Cm*
Cl R Rg Sc W ‖ 4 desideriis : -rio *Cr R Sc W* ‖ 5 idem : item *A Cl*
W, iterum *Rg* ‖ 6 putatur : putat *Cm R Sc W* ‖ 11 lapidatur : -dabitur
Cr Sc W ‖ 14 descendere : legitur *add Cl Rg* ‖ 16 est : *om Cl Rg*

Chapitre 49

Comment le dénuement intérieur jette à l'extérieur

60. Oui, de même que le mépris des choses extérieures est l'indice évident de l'exercice spirituel et du soin du cœur, de même le souci de ces mêmes biens extérieurs est tout autant le signe certain d'un esprit inculte. Il est écrit en effet : « Tout oisif est en désir » ; et de même : « Des excréments des bœufs on lapidera le paresseux ». Malheur, malheur à ce miséreux ! On le couvre d'excréments et il s'imagine en être orné. Paul était un bœuf foulant sur l'aire du Seigneur et il connaissait bien son maître ; c'est pourquoi il disait : « A cause du Christ, j'ai tenu toute chose pour perte et j'ai considéré toute chose comme excréments, pour gagner le Christ. » On embrasse ces excréments, même si jadis on a été nourri dans la pourpre. On lapide de ces excréments le paresseux qui, négligeant de gagner le Christ, est contraint d'errer au dehors, le cœur vide et désert. C'est ainsi que le patriarche Jacob fut contraint, par l'urgence de la faim, de descendre en Égypte, et le fils prodigue de servir des porcs et, par dénuement, de désirer manger leurs caroubes.

a. Prov. 21, 5 (omnis autem piger in egestate est)   b. Sir. 22, 2
c. I Cor. 9, 9 ; Deut. 25, 4   d. Is. 1, 3   e. Phil. 3, 8   f. Lam.
4, 5   g. Sir. 22, 2   h. Phil. 3, 8   i. Gen. 43   j. Lc 15, 11-9

Capit. L

De verme qui non moritur

61. Sed quid dicit Scriptura ? *Habenti dabitur et abun-dabit ; non habenti autem et hoc ipsum quod videtur habere auferetur ab eo*[a]. Arescet fenum et decidet flos[b] ; ipsae quoque fenestrae claudentur, ut nihil ultra valeant ter-
5 renae consolationis haurire ; denique : *Arguam te,* dicit Dominus, *et statuam contra faciem tuam*[c]. Quid illud confusionis erit, quid miseriae, quid doloris, quando dissipatis foliis et dispersis universa nudabitur turpitudo, revelabitur ignominia[d], sanies apparebit ; quando iam
10 immortalis factus, internus ille conscientiae vermis tota malignitate corrodet, sed non consumet, animam infeli-cem, nec erit omnino dissimulationis locus aut spes ulla consolationis. Quid enim causae est quod ne modo qui-dem conscientiae stimulos sustinere aliquatenus possunt,
15 sed avertunt oculos cordis et ad consolationes miseras convertuntur, aut certe simulationibus aliquibus decipiunt semetipsos et mentitur iniquitas sibi[e], nisi quod intole-rabilis ille est cruciatus, licet adhuc blandiatur spes et extenuet omnino dolorem ? Dum sibi ipsis pro libitu

---

50, 5 dicit : ait *Cm Cl R Rg* ‖ 6 statuam : te *add Cr W in interl* ‖ 15 sed : forte *add Cr* ‖ 16 simulationibus : dissimul — *Cl Rg* ‖ 19 ipsis : vel *add Cm*

Chapitre 50

Du ver qui ne meurt pas

61. Que dit l'Écriture ? « A celui qui possède on donnera et il sera dans l'abondance ; à celui qui ne possède pas, cela même qu'il semble avoir lui sera ôté. » Le foin sèchera et la fleur tombera. On fermera aussi les fenêtres pour qu'ils ne puissent plus se pénétrer d'aucune consolation terrestre. Enfin : « Je t'accuserai, dit le Seigneur, et me dresserai devant toi. » Quelle confusion, quelle misère, quelle douleur ce sera, quand, les feuilles étant dispersées, éparpillées, toute la turpitude sera mise à nu, l'ignominie révélée, la sanie manifestée ! Alors, devenu immortel, le ver intime de la conscience rongera de toute sa malignité l'âme malheureuse sans la consumer. Il n'y aura plus de place pour la dissimulation ni aucun espoir de consolation. Pourquoi en effet ne peuvent-ils même pas supporter jusqu'à un certain point les aiguillons de leur conscience, mais détournent-ils les yeux de leur cœur et se tournent-ils vers de misérables consolations, ou bien se leurrent-ils eux-mêmes de quelques faux-semblants ? Pourquoi l'iniquité se ment-elle à elle-même, sinon parce que ce tourment est intolérable — bien que l'espérance adoucisse encore et atténue beaucoup la douleur ? Tandis qu'ils se mesurent le temps à leur gré, ils promettent avec

a. Matth. 13, 12   b. Is. 40, 7-8   c. Ps. 49, 21   d. Is. 47, 2-3
e. Ps. 26, 12

20 tempora metiuntur et omne quod agunt facile diluendum
deserendumque quod appetunt, temeraria praesumptione
promittunt. Sed et ipsa consuetudine et incuria stupidi
et insensati corde fere nihil sentiunt. Quae quidem omnia
longius aberunt, ubi fiet quod scriptum est : *Arguam te*
25 *et statuam contra faciem tuam*[f].

21 deserendumque : disser- *Cl Rg* ‖ 24 longius : *om Sc.* — est : *om R*
Sc

une présomption téméraire d'effacer aisément tout ce qu'ils font et de quitter tout ce à quoi ils aspirent. Mais, rendus stupides par l'habitude et l'incurie, et insensibles de cœur, ils n'éprouvent presque plus rien. Tout cela sera bien loin, quand adviendra ce qui est écrit : « Je t'accuserai et me dresserai devant toi ».

f. Ps. 49, 21

Capit. LI

Quod aliter spiritum nostrum
spiritualia quam corporalia tangant

62. Quanto enim sibi vicinior et naturali necessitate
carior anima est carne sua, tanto acrius doleat necesse
est et molestius ferat propriam quam corporis laesionem,
ubi a stupore isto et insensibilitate fuerit excitata ; sicut
5 e contra bona propria et delicias spirituales internamque
animi voluptatem ubi contigerit experiri, eo utique delec-
tabilius amplectatur iucundiusque fruatur oportet, quo
propius et expressius eam tangunt nec exterius mendi-
cantur. Nemo quippe eo modo iumenti sui quo corporis
10 sui refectione poterit delectari. Placet quidem et illa, sed
longe aliter ista sapit, aliterque sentitur. Quod si iumentum animae corpus esse fateris, eadem utique ratio tibi
observanda est et in ipsis. Noli igitur errare [a], noli seduci,

---

51, *Tit.* : Quod.. tangant : Quod aliter oblectent spiritum spiritualia
quam carnalia *Cl* ‖ 1 necessitate : -situdine *Cm Cl R Rg,* consuetudine
Sc W ‖ 3 corporis : -ream *Cm Cl Rg* ‖ 4 ubi : nisi *Cl.* — sicut : sic et
R Sc W ‖ 7 quo : quod *Sc W* ‖ 8 propius : -prius *Rg* ‖ 11 sentitur : -
tit *Sc W* ‖ 12 tibi : *om Cm Cl Rg*

---

a. I Cor. 6, 9

Chapitre 51

Que les choses spirituelles touchent notre esprit autrement que les corporelles

62. Plus l'âme est proche d'elle-même et, par une nécessité naturelle, plus chère à elle-même qu'à sa chair, plus aussi elle souffre inévitablement avec davantage d'amertume et supporte sa propre blessure avec davantage de peine que celle de son corps, dès qu'elle est éveillée de cette stupeur et de cette insensibilité. De même, dans l'autre sens, dès qu'il lui arrive de faire l'expérience de ses propres biens, des délices spirituelles et de la volupté intérieure de l'esprit, elle les embrasse forcément avec d'autant plus de plaisir et en jouit avec d'autant plus de joie qu'ils la touchent de plus près et avec plus d'urgence et ne sont pas mendiés à l'extérieur. Nul assurément ne pourra trouver la même sorte de plaisir à la nourriture de son cheval qu'à celle de son propre corps. L'une est chose plaisante, mais l'autre a une toute autre saveur, un tout autre goût. Si tu reconnais que le corps est le cheval de l'âme [1], il te faut observer ce même comportement à leur propos. Ne va donc pas te tromper,

---

1. Le corps, cheval de l'âme *(Corpus equus animi),* est une expression dont la source n'a pas été identifiée. Le seul texte approchant est celui d'Ambroise, *De Nabuthe* 15, 64 *(CSEL* 32, p. 469-516) : *si... anima currus est, vide ne caro equus sit.*

470   ut in corporalibus credas spiritum magis posse quam in
    15 spiritualibus oblectari. Vel humanam consule rationem,
    si fides in te penitus obdormivit.

14-15 in corporalibus... spiritualibus : non magis spiritum credas quam
in corporalibus *Cl Rg*

ni te laisser séduire au point de croire que l'esprit peut goûter plus de plaisir dans les biens corporels que dans les biens spirituels. Ou alors consulte la raison humaine, si la foi s'est totalement endormie en toi[2].

2. Alors que la foi est un guide sûr pour le croyant, la raison peut jouer ce rôle pour l'incroyant. Ce parallélisme foi/raison dénote une haute estime pour la raison humaine chez Geoffroy.

Capit. LII

De tribus in carcere, tribus in cruce

63. Tres in carcere quondam fuisse legimus, tres in cruce. Ioseph siquidem cum pincerna et pistore regis carcerali custodiae mancipatus[a] ; Christus verus Ioseph cum duobus utique sceleratis reputatus est[b]. Et illi qui-
5 dem in carcere videre somnia et audiere interpretatio- nem ; isti in cruce verba locuti sunt et unus accepit promissionem. Priorum siquidem alter propinabat regi et audivit : *Restitueris in gradum pristinum*[c]. Alter pascebat corvos et responsum mortis accepit[d]. Ipsi quippe sunt
10 porci quos pavit ille prodigus adolescens[e]. Spurci siqui- dem et elati merito porcorum pariter et corvorum nomine designantur. Porro eorum qui crucifixi sunt cum Salva- tore, alteri utique confitenti dictum est : *Hodie mecum eris in paradiso*[f], alteri blasphemanti, non quidem a Do-
15 mino, neque enim ille tunc iudicabat quemquam, sed a socio responsum est : *Neque tu times Deum, quod in eadem damnatione es*[g] ? Quid ergo putamus, quid duobus illis, quorum alteri dictum est : *Restitueris post tres dies*[h] ;

52, 8 corvos : aves *Cl R Rg Sc W* ‖ 9 quippe : quidem *Cr Cl R Sc W* ‖ 10 pavit : pascebat *Cr* ‖ 11 pariter et corvorum : et avium *Cl R Rg Sc W* ‖ 12 Porro : et *add Sc W* ‖ 15 tunc : *om Cl Rg* ‖ 16 Neque : Nec *Cm Cl R Rg Sc W*. — quod : qui *Cl R Rg*

Chapitre 52

Des trois prisonniers et des trois crucifiés

63. Nous lisons qu'autrefois il y en eut trois en prison, trois en croix. Joseph en effet a été mis au secret de la prison avec l'échanson et le panetier du roi. Le Christ, le véritable Joseph, a été compté avec deux scélérats. Les premiers ont vu des songes en prison et en ont entendu l'interprétation. Les seconds ont proféré des paroles en croix et l'un d'eux a reçu une promesse. Parmi les premiers, l'un présentait la coupe au roi et il s'entendit dire : « Tu rentreras dans ton ancienne fonction ». L'autre nourrissait les corbeaux et il reçut un arrêt de mort. Ce sont là les porcs que paissait l'adolescent prodigue. Les impudiques et les superbes sont à juste titre désignés des noms de porcs et de corbeaux. Quant à ceux qui ont été crucifiés avec le Sauveur, à l'un qui avouait il fut dit : « Aujourd'hui tu seras avec moi en paradis » ; à l'autre qui blasphémait il fut répondu — non par le Seigneur, car il ne jugeait alors personne —, mais par son compagnon : « Ne crains-tu pas Dieu, toi qui souffres le même tourment ? » Qu'est-ce donc, à notre avis, qui a pu être pénible en attendant pour ces deux, celui à qui il a été dit : « Tu seras rétabli dans trois jours », et celui à qui

a. Gen. 40   b. Is. 53, 12 ; Matth. 27, 38   c. Gen. 40, 13   d. Gen. 40, 19   e. Lc 15, 15   f. Lc 23, 43   g. Lc 23, 40   h. Gen. 40, 12-3

alteri : *Hodie mecum eris in paradiso*[i], interim potuit esse
20 molestum ? Quid vero illum potuit delectare, cui dictum
est : Truncato capite post triduum suspenderis, avium
esca futurus[j] ? Sane in hoc positi sumus omnes, et nemo
nisi in carcere, sine cruce interim nemo ; quippe ubi nec
innocens invenitur immunis, quando peccator veniam vel
25 requiem speret ? Ceterum si volens sustinet et dicens :
Nos quidem iuste[k], mercedem habebit ; sin autem invitus
et blasphemans et negans Deum factis, duplex ei contritio
est. Si quis testimonium habet salutis, etiam caro eius
requiescit in spe[l], et farinula illa prophetae pulmentum
30 condit atque dulcorat, ut in olla iam non mors[m], sed
vita sit.

19 Hodie : *om Sc W* ‖ 24 immunis : a peccato *add Sc W* ‖ 24-25 vel
requiem : *add A Cr in interl, om Cm Cl R Rg Sc W* ‖ 25 si : quis *add*
Cl Rg. — dicens : dicit *R Sc W* ‖ 29 illa : *om Cl R Rg Sc W*

il a été dit : « Tu seras avec moi en paradis » ? Par contre
qu'est-ce qui a pu réjouir celui à qui il a été dit : « Dans
trois jours, décapité, tu seras pendu et serviras de nourriture aux oiseaux » ? A vrai dire, nous sommes tous
dans cette situation : nul n'échappe à la prison, nul
n'échappe à la croix en attendant, car lorsque l'innocent
même n'est pas indemne, quand le pécheur espèrerait-il
le pardon ou le repos ? Au reste, si, supportant volontiers
son mal, il dit : « Pour nous c'est justice », il aura sa
récompense. Si au contraire il le fait malgré lui en
blasphémant et en reniant Dieu par ses actes, il y aura
pour lui double écrasement. Si quelqu'un possède un
témoignage de salut, sa chair elle-même repose dans
l'espérance, et la farine du prophète aromatise et adoucit
son ragoût, de sorte que, dans la marmite, il y a non
pas la mort mais la vie.

i. Lc 23, 43   j. Gen. 40, 19   k. Lc 23, 41   l. Ps. 15, 9   m. IV
Rois 4, 40-1

Capit. LIII

Quod sine exceptione centuplum promittitur

64. Denique nemo sanae mentis ampliorem esse credat in vitiis quam in virtutibus delectationem ; praesertim cum sit Dominus virtutum, totius verae iocunditatis fons, laetitiae et exultationis [a] origo. Neque enim carni seu
5 mundo aut maligno principi, sed Christo utique servire regnare est. Audi hominem de propria utique experientia perhibentem fidele testimonium veritati : *In via,* inquit, *testimoniorum tuorum delectatus sum sicut in omnibus divitiis* [b]. Quid erit in patria, si tanta est copia delectatio-
10 nis in via ? Sic et Apostolus non in spe solum, sed etiam in tribulatione docuit gloriari [c]. Ille quidem sic, ait amicus huius saeculi, auctoris saeculi inimicus, illi quidem sic, ego forte non ita. Delicatus sum, homo peccator sum, nec subsistere in tanto labore sine gratia multa, nec ipsam
15 valeo gratiam promereri. Quasi vero gratia non sit gratia, sed operum merces ; quasi non omnes peccaverint, aut
471 non omnes egeant gratia Dei. Aestimas, o homo, quia personarum acceptio sit apud Deum [d] et non omnes

53, 4 laetitiae : *om Cm Cl Rg* ‖ 6 experientia : expergentia *Sc* ‖ 10 Sic et Apostolus : Apostolus quoque *Sc W* ‖ 11 gloriari : delectari *Rg,* gaudere *Sc.* — Ille : Illi *Cr Cl R Rg Sc* ‖ 12 illi : ille *A Cl Rg Sc* ‖ 13 Delicatus : Delectatus *Rg Sc W*

a. Ps. 44, 16   b. Ps. 118, 14   c. Rom. 5, 3   d. Col. 3, 25

Chapitre 53

Le centuple est promis sans exception

64. Nul esprit sensé ne croit qu'il y ait plus grande délectation dans les vices que dans les vertus, d'autant plus que le Seigneur des vertus est source de toute vraie joie et origine de toute liesse et de toute exultation. Car servir, c'est régner [1], quand on sert non pas la chair ou le monde ou le prince du mal, mais le Christ. Écoute celui qui, à partir de sa propre expérience, rend fidèlement témoignage à la vérité : « Dans la voie de tes témoignages, je me suis autant délecté que dans toutes les richesses. » Qu'en sera-t-il dans la patrie, s'il y a déjà une telle abondance de délectation sur la route ? De même l'Apôtre a enseigné à se glorifier non seulement dans l'espérance, mais également dans la tribulation. Au contraire, l'ami de ce siècle, ennemi de l'auteur de ce siècle, dit : « Oui, l'Apôtre pense ainsi, — c'est vrai et c'est bien pour lui —, mais pas moi. Je suis délicat, je suis un homme pécheur. Je ne puis tenir dans un tel labeur sans une grâce abondante, or je ne puis mériter cette grâce ». Comme si la grâce n'était pas grâce, mais récompense des œuvres ! Comme si tous n'avaient pas péché et n'avaient pas besoin de la grâce de Dieu ! Penses-tu, ô homme, que Dieu fasse acception des per-

1. Postcommunion de la messe *Pro pace* (Bruylants n° 204).

omnia relinquentes tam copiose consoletur ? Noli esse
20 incredulus[e], acquiesce vel veritati, de cuius testimonio
nulli licet dubitare fideli : *Et omnis,* inquit, *qui reliquerit*
patrem aut matrem aut domum aut agrum propter nomen
meum, centuplum accipiet[f]. Neminem Christus excipit.
Miseri qui dicunt : « Praeter me » ; qui excludunt seme-
25 tipsos et excipiunt a beneficio generali. Nimirum indignos
se iudicant multo magis vitae aeternae, qui ne ipsum
quidem centuplum sperant. Sed quia Deus verax est qui
promittit, homo utique mendax est qui diffidit.

21-28 Et omnis... difidit : *om Cm* ‖ 24 qui : quid *Cl Rg*. — me : nos
Cl Rg ‖ 25 generali : Hi *add Sc W* ‖ 27 quidem : *om Cl Rg* ‖ 27-
28 qui promittit : *om Sc* ‖ 28 est : *om Cl Sc W*

sonnes et qu'il ne console pas avec la même abondance tous ceux qui quittent tout ? Ne sois pas incrédule, consens à la vérité dont le témoignage ne saurait licitement être mis en doute par aucun homme de foi. « Tout homme, dit-il, qui aura quitté son père ou sa mère ou sa maison ou son champ à cause de mon nom recevra le centuple. » Le Christ n'excepte personne. Malheureux ceux qui disent : « Sauf moi », ceux qui s'excluent et s'exceptent eux-mêmes du bienfait général. Car bien davantage ils se jugent indignes de la vie éternelle, ceux qui n'espèrent même pas ce centuple. Mais parce que Dieu est véridique quand il promet, l'homme est menteur quand il doute.

e. Jn 20, 27   f. Mt 19, 29

Capit. LIV

De his qui videntur omnia reliquisse
nec centuplum habent

65. *Et omnis qui reliquerit patrem aut matrem aut domum aut agrum propter nomen meum, centuplum accipiet et vitam aeternam possidebit*[a]. Facile ergo ego poteram contradictionem sustinere linguarum[b], si id loquerer
5 ex meipso ; siquidem non percipit carnalis homo quae sunt Spiritus Dei[c], sed stultitia illi videtur[d]. Nunc autem ipse id loquitur cuius verba, etiam caelo et terra transeuntibus, non transibunt[e]. Sed audivi, ait homo qui perditionis suae occasionem et, ut vulgo dicitur, festucam
10 quaerit unde sibi eruat oculum, audivi, inquit, de illo et illo qui reliquerant omnia et ad vomitum sunt reversi[f] ; quomodo illi acceperant centuplum ? Exsurge, Domine, iudica causam tuam[g]. Et istorum nempe calumnia et murmur ipsorum qui forte omnia reliquere iussi, minime

---

54, *In tit. :* habent : accipiunt *Cl* ‖ 1 omnis : inquit *Cm* ‖ 2 domum... agrum : domos... agros *Cm* ‖ 3 ergo : *om Cl R Rg W*. — ego : *om Sc* ‖ 5 me ipso : memetipso *Sc W* ‖ 6 videtur : videntur *Cm Cl R Rg W*, vident *Sc* ‖ 10-11 illo et illo : illis *Sc W* ‖ 11 illo : illa *Crac*, illis *Crpc* ‖ 14 reliquere : relinquere *Cm Cl R Rg Sc W*. — iussi : visi *Cl R Rg Sc W*, sunt *add Cl Rg Sc*

---

a. Matth. 19, 29   b. Ps. 30, 21   c. Jn 7, 18   d. I Cor. 2, 14
e. Mc 13, 31   f. II Pierre 2, 22   g. Ps. 73, 22

Chapitre 54

De ceux qui visiblement ont tout quitté
et ne possèdent pas le centuple

65. « Quiconque aura quitté son père ou sa mère ou
sa maison ou son champ à cause de mon nom recevra
le centuple et possèdera la vie éternelle. » Je supporterais
donc facilement la contradiction des langues, si je disais
cela de moi-même, car l'homme charnel ne perçoit pas
ce qui vient de l'Esprit de Dieu, mais cela lui paraît
sottise. Mais en l'occurrence celui qui parle ainsi est celui
dont les paroles ne passeront pas, même quand passeront
le ciel et la terre. « J'ai entendu, dit celui qui cherche
une occasion de se perdre et, comme on dit vulgairement,
une paille pour s'éborgner [1], j'ai entendu parler de tel et
tel qui avaient tout quitté et sont revenus à leur vomissement. Comment avaient-ils reçu le centuple ? » —
« Lève-toi, Seigneur, et juge ta cause. » La calomnie de
ces gens et le murmure de ceux qui ont peut-être reçu
l'ordre de tout quitter et n'ont pourtant pas obtenu le
centuple ne sont pas contre nous, mais contre toi qui as
dit : « Quiconque aura quitté son père » etc. « recevra le
centuple ». Que disons-nous donc ? Quelqu'un peut-il être
repoussé du collège des disciples, sinon celui qui tient la
cassette [2] ? Car il y a une cassette non seulement pour

1. Proverbe non identifié : *festucam quaerit unde sibi eruat oculum.*
2. Voir ch. 5, n. 5 et ch. 14, n. 1.

15 tamen centuplum acceperunt, non contra nos, sed contra
te est, qui dixisti : *Omnis qui reliquerit patrem,* etc.,
centuplum accipiet[h]. Quid tamen dicimus ? An ex collegio
discipulorum reprobari quis potest, nisi loculos habens[i] ?
Sunt enim loculi non modo pecuniae, sed et propriae
20 voluntatis. Scrutetur proinde vias suas[j] et studia sua, qui
promissi centupli gratiam sibi deesse causatur ; nec dubium quin inveniat angulum et diversorium reclinato-
riumque, non quidem Filii hominis, sed aut foveam vulpis
aut volucris nidum[k]. Magis autem perfectius, obsecro,
25 relinquat omnia et solum sequatur Christum, iactans
cogitatum suum in eo[l], enutriendus ab eo et centuplum
sine dubio percepturus[m]. Neque enim solvi potest Scriptura quae tam certa veritate subnixa omnibus id sine
exceptione promittit. Nihil sibi retineat, nihil suis, ne
30 modicum fermentum totam massam corrumpat[n]. Sunt
enim qui sibi retinent aliquid, dominicae vocis obliti qui
non suam venit facere voluntatem[o], et in ipsis quoque
sanctorum collegiis proprio aut desiderio aut consilio
importunius adhaerentes, sciolos sese faciunt, de se sibi
35 aliquid retinentes, quos penitus abnegasse et divinae pro-
videntiae ac oboedientiae patrum, consiliis quoque spi-
ritualium virorum debuerant commisisse. Sunt qui pro-
472 pinquis retinent et amicis quod abiiciunt a seipsis, pro
eorum prosperitate praesenti, inani prorsus et saeculari
40 sollicitudine aestuantes ; crudeles plane, qui nequaquam
proximos diligant tamquam se ; crudeles, inquam, vel in
se vel in suos, immo quod verius est, in utrosque. Nemo
ergo, cum se videt non omnia reliquisse, centuplum non
accepisse miretur.

---

20 voluntatis : voluptatis *W* ‖ 21 promissi : -missam *Cl R Rg Sc W.*
— causatur : causabatur *Cm Sc W,* causantur *R* ‖ 26 1° eo : Deo *Cl
Rg* ‖ 33 aut : fortasse *add Cl R Sc W,* forte *Rg*

l'argent, mais aussi pour la volonté propre. Qu'il scrute
donc ses voies et ses soucis, celui qui se plaint que lui
manque la grâce du centuple promis. A n'en point douter,
il trouvera un recoin, une auberge, un refuge, non ceux
du Fils de l'homme, mais tanière de renard ou nid
d'oiseaux. Mais je vous prie de le croire, il est bien plus
parfait pour lui de tout quitter et de suivre le Christ
seul ; de s'en remettre à lui de ses préoccupations, d'en
attendre la nourriture et d'en recevoir sans nul doute le
centuple. Car l'Écriture ne peut être réduite à rien, elle
qui, s'appuyant sur une vérité si sûre, le promet à tous
sans exception. Qu'il ne retienne rien pour soi, rien pour
les siens, de peur que cette miette de ferment ne corrompe
toute la pâte. Il en est en effet qui retiennent quelque
chose pour eux — oubliant la voix du Seigneur qui ne
vient pas faire sa volonté —, et qui, même dans les
assemblées des saints, s'attachant de façon inopportune
à leur propre désir ou à leur propre avis, s'érigent en
petits savants et, de leur propre gré, retiennent pour eux
ce à quoi ils devaient absolument renoncer, ce qu'ils
auraient dû confier à la providence divine, à l'obéissance
à leurs Pères, aux conseils d'hommes spirituels. Il en est
qui retiennent pour leurs proches et leurs amis ce qu'ils
se refusent à eux-mêmes, brûlant pour leur prospérité
présente d'une sollicitude vaine assurément et séculière.
Ils sont bien cruels ceux qui n'aiment nullement leur
prochain comme eux-mêmes ; cruels, dis-je, soit envers
eux-mêmes soit envers les leurs, et pour dire plus vrai,
envers les uns et les autres. Que nul ne s'étonne donc de
n'avoir pas reçu le centuple, quand il voit qu'il n'a pas
tout quitté.

h. Matth. 19, 29   i. Jn 12, 6   j. Lam. 3, 40   k. Lc 9, 58   l. Ps.
54, 23   m. Jn 10, 35   n. I Cor. 5, 6   o. Jn 6, 38

Capit. LV

Quod caelesti consolatione se privant qui resilire parati sunt ad terrena

66. Pretiosa siquidem divina consolatio est, nec omnino tribuitur admittentibus alienam. Infelix tu, Esau, qui dixisti : *Num unam tantum benedictionem habes, pater*[a] *?* Quanto melius diceres cum propheta : *Unam petii,*
5 *hanc requiram*[b]. Indignus enim benedictione caelesti convincitur qui dubio quaerit affectu, duplici petit intentione, aliud sibi refugium parans, si forte eam non obtinere contingat. *Maior est iniquitas mea,* ait fratricida primus, *quam ut veniam merear*[c]. Quid ergo ? Renuat
10 consolari anima tua[d], si veniam non meretur. Hoc solum deplora, hoc solum plange ; aliud ne cogites quidem. Sed : *Nunc,* inquit, *omnis qui invenerit Cain, occidet me*[e]. Grave scilicet damnum, grandis iactura, si perimatur corpus, quandoquidem anima periit ! Sic enim occiden-
15 dum sese causabatur infelix, tamquam pro magno beneficio habiturus si prohiberetur occidi. Quod et factum est : consolationem miseram obtinuit quam quaerebat, et oblitus est desolationis maximae, pro qua multo studio-

---

55, 1 consolatio : -sideratio *Cm Sc* ‖ 2 alienam : -na *Cl* ‖ 3 Num : Non *Cr* ‖ 4 diceres : dices *Cr,* erat dicere *R Sc W.* — petii : a Domino *add Cm* ‖ 7 parans : parat *R Sc W* ‖ 8 primus : plus *W* ‖ 11 solum : *om W* ‖ 12 scilicet : *om Sc W* ‖ 13 grandis : gravis *Cm* ‖ 17-18 desolationis : consol- *Cl Rg Scac*

Chapitre 55

Ils se privent d'une consolation céleste, ceux qui sont prêts à revenir aux biens terrestres

66. La consolation divine est vraiment précieuse ; elle n'est en aucun cas accordée à ceux qui en acceptent une étrangère. Malheureux es-tu, Ésaü, toi qui as dit : « N'as-tu donc qu'une bénédiction, Père ? » Tu ferais mieux de dire avec le prophète : « J'ai demandé une seule chose, c'est elle que je cherche. » Car il s'avère indigne de la bénédiction céleste celui qui la cherche avec un sentiment douteux, qui la demande avec une intention ambiguë, se préparant un autre refuge, si d'aventure il lui arrivait de ne pas l'obtenir. « Trop grande est mon iniquité, dit le premier fratricide, pour que je mérite le pardon. » Quoi donc ? Que ton âme refuse d'être consolée si elle ne mérite pas le pardon ! Que ce soit là l'unique objet de ta plainte, de tes pleurs ; ne pense à rien d'autre. Mais, dit-il, « A présent, quiconque rencontrera Caïn me tuera. » Dommage écrasant évidemment, perte énorme, si le corps s'anéantit alors même que l'âme a péri ! Car le malheureux prétextait qu'il allait être tué, comme s'il tenait pour un grand bienfait qu'on défendit de le tuer. Or il en fut ainsi : il obtint la misérable consolation qu'il réclamait, oubliant la suprême désolation pour laquelle il aurait

a. Gen. 27, 38　　b. Ps. 26, 4　　c. Gen. 4, 13　　d. Ps. 76, 3　　e. Gen. 4, 14

sius supplicare et remedium quaerere oportebat. Simile
20 quiddam et de Saule legisti, cum, Amalechitarum rege
servato, primum quidem Samueli sancto visus est pro
indulgentia supplicare, sed eo tamen in sententia persis-
tente : *Nunc,* inquit, *honora me coram populo.* Hoccine
est quod dicebas : *Peccavi, roga Dominum pro me*[f]. Me-
25 rito non pepercit qui intuebatur cor[g], nec simulatae est
humiliationi misertus. Non ita sane, post maiora licet
crimina, inexorabilem eum David potuit invenire. Denique vix adhuc dixerat : *Peccavi !* et responsum illi est :
Et Dominus abstulit peccatum tuum[h].

30   **67.** Sic nimirum, sic usque hodie, dilectissimi, cuius
mens ad alias consolationes inhiat, et non penitus renuit
in caducis et transitoriis consolari, ipse sibi profecto
caelestis subtrahit gratiam consolationis, quam si digna
devotione, pleno affectu, desiderio vehementi petere,
35 quaerere, pulsare satageret, sine dubio petens acciperet,
quaerens inveniret, pulsanti aperiretur[i]. Alioquin si forte,
quod absit, pudendum illum apostasiae saltum praesum-
pserit, certum omnino sit testimonium veritatis accipien-
tibus, aut nunquam eum omnia reliquisse, aut ipsum
40 quoque postea deseruisse centuplum quod accepit. Nonnulli siquidem cum spiritu coeperint, heu ! carne postea
473   consummantur[j]. Quod si insanum est centuplum nolle
recipere, velle relinquere plus quam insanum iure cense-
tur. An vero plangendus tibi videtur qui abstractus et
45 illectus a concupiscentia sua[k], sponte id deserit, libens
abiicit, voluntarie derelinquit, et qui nutriebatur in croceis
amplexatur stercora[l] ? Non est unde causetur qui eius-

19-29 Simile... tuum : *om R* ‖ 23 est : *om Rg Sc W* ‖ 25 simulatae...
humiliationi : -ta ... -ne *Rg* ‖ 28 2° Et : *om Sc W* ‖ 29 tuum : a te *add*
A Sc W ‖ 44 vero : non *add A Cl R Sc W, om Cl* ‖ 46 abiicit : abscedit
Sc

---

f. I Sam. 15, 30   g. I Sam. 16, 7   h. II Sam. 12, 13   i. Matth.
7, 7-8 ; Lc 11, 9-10   j. Gal. 3, 3   k. Jac. 1, 14   l. Lam. 4, 5

fallu supplier et chercher remède avec plus d'ardeur. De même, à propos de Saül, tu as lu que, ayant épargné le roi des Amalécites, il parut d'abord supplier Samuel le saint pour son pardon ; mais, Samuel persistant dans sa sentence, « maintenant honore-moi, dit-il, devant le peuple. » Que ne disais-tu : « J'ai péché, prie pour moi le Seigneur » ! À juste titre celui qui voit au fond des cœurs n'a pas pardonné et n'a pas fait miséricorde pour une feinte humiliation. En dépit de plus grands crimes, David ne l'a pas trouvé à ce point inexorable. Car à peine avait-il dit : « J'ai péché », que la réponse lui vint : « Le Seigneur a ôté ton péché ».

67. Ainsi donc, très chers, ainsi, jusqu'à ce jour, celui dont l'esprit aspire à d'autres consolations et qui n'a pas renoncé à se consoler dans des choses éphémères et transitoires se prive assurément de la grâce de la consolation divine qu'il recevrait, s'il se mettait en peine, avec une dévotion convenable, une grande affection, un désir véhément, de demander, de chercher, de frapper ; sans nul doute, demandant il recevrait, cherchant il trouverait, frappant on lui ouvrirait. Autrement, si, par malheur, il lui arrivait d'avoir la présomption d'oser faire le bond infâmant de l'apostasie, que tous ceux qui reçoivent le témoignage de la vérité tiennent pour assuré, ou bien qu'il n'a jamais tout quitté, ou bien qu'il a renoncé ensuite au centuple qu'il avait reçu. Certains, à vrai dire, ont commencé par l'esprit, qui, hélas, ont fini par la chair. S'il est insensé de ne pas vouloir recevoir le centuple, vouloir y renoncer est tenu à juste titre pour une plus grande folie. Mais ne te semble-t-il pas qu'il faille pleurer celui qui, tenaillé et entraîné par sa convoitise, abandonne spontanément, rejette volontairement, refuse de plein gré ce centuple, et celui qui, ayant été nourri dans la pourpre, embrasse des excréments ? N'est-

modi est, tamquam in eo irritum videatur verbum Domini aut evacuata promissio. Dum enim reliquit omnia, 50 habuit sine dubio repromissam centupli beatitudinem. Sine causa contendat ; non ei magis quam Christo credimus, nec omnino acquiescimus mendacem eum facere qui promisit.

50 beatitudinem : benedictionem *A Cl R Rg W* ‖ 51 contendat : -dit *Cl*

ce pas de cela que tire prétexte ce genre d'homme, comme si chez lui la parole du Seigneur semblait stérile et sa promesse vide. Car, lorsqu'il a tout quitté, il a eu sans aucun doute le bonheur du centuple promis. Qu'il proteste sans motif ! N'allons pas le croire, lui plutôt que le Christ, et ne consentons pas à faire mentir l'auteur de si grandes promesses.

R Rg Sc W

Capit. LVI

De centuplo et vita aeterna

68. *Centuplum,* inquit, *accipiet et vitam aeternam pos-sidebit*[a]. Illud enim in via, haec in patria est ; immo haec patria, illud via ; illud consolatio praesentis laboris, haec futurae felicitatis consummatio est. Sic nimirum et ope-
5 rariis huius saeculi solet cibus in opere, merces in fine dari ; sic militantibus et stipendia ministrantur pro ne-cessitate temporis, et novissime donativum maius eroga-tur pro quantitate laboris. Sic et filiis Israel, donec terram promissionis intrarent, in deserto manna non defuit ; et
10 ab Ecclesia, post quaesitum regni caelestis adventum, quotidianus panis quotidie petitur in oratione quam ipse Salvator instituit[b]. Habes hanc duplicem promissionem et in propheta evidenter expressam, ubi ait : *Reddet Deus mercedem laborum sanctorum suorum et deducet illos in*
15 *via mirabili*[c]. Ipsa est enim via testimoniorum Domini in qua propheta alius sicut in omnibus divitiis delectatum[d] se esse testatur. Utquid ergo in incredulitate moriemini, filii hominum ?

56, 2 est : *om Sc W* ‖ 4 consummatio : -solatio *R Sc W* ‖ 6 militantibus : quoque *add A Sc W* ‖ 8 quantitate : qualitate *Sc W* ‖ 11 quotidie : *om Cl Rg,* itidem *add R* ‖ 14 illos : eos *Cl R Rg Sc W* ‖ 15 Ipsa : Ipse *Cr Cl R Rg Sc* ‖ 17 ergo : enim *Cm.* — incredulitate : hac *add Sc W*

Chapitre 56

Du centuple et de la vie éternelle

68. « Il recevra, dit-il, le centuple et possèdera la vie éternelle. » L'un en chemin, l'autre dans la patrie. Ou, pour mieux dire, cette autre est la patrie, le premier est le chemin. Il est consolation du labeur présent ; elle est consommation de la félicité future. C'est bien ainsi, d'ordinaire : on donne aux ouvriers de ce siècle leur nourriture pendant le travail, le salaire à la fin. De même, aux soldats, on distribue des soldes selon les exigences du moment, mais en tout dernier lieu on leur accorde une gratification plus large à la mesure de leur service. De même, la manne n'a pas manqué aux fils d'Israël jusqu'à ce qu'ils entrent dans la terre promise ; et, dans la prière que le Sauveur lui-même a composée, l'Église, après avoir demandé la venue du royaume des cieux, demande chaque jour le pain quotidien. Tu as la même double promesse clairement exprimée chez le prophète quand il dit : « Dieu récompensera le labeur de ses saints et les conduira dans la voie admirable. » Car cette voie est celle des témoignages du Seigneur dans laquelle un autre prophète atteste qu'il s'est délecté autant que dans toutes les richesses. Pourquoi donc, fils d'hommes, mourriez-vous dans l'incrédulité ?

a. Matth. 19, 29   b. Lc 11, 3   c. Sag. 10, 17   d. Ps. 118, 14

Capit. LVII

Quod centuplum hoc spirituale sit

69. Et forte adhuc saecularis ad haec quispiam dicat :
Ostende mihi centuplum quod promittis et libens universa
relinquo. Utquid ostendam ? Fides enim non habet me-
ritum, cui humana ratio praebet experimentum. An po-
5 tius homini ostendenti quam Veritati crederes promittenti ? Deficis scrutans scrutinio[a] ; nisi credideris, non
intelliges. Manna absconditum est quod in Apocalypsi
Ioannis victori promittitur. Nomen novum est, quod
nemo scit nisi qui accipit[b]. Videtur enim forte nonnullis
10 praesentem sanctorum communionem, facultatum pariter
et voluptatum, hoc loco centupli nomine designari. Et
magna quidem haec ipsa consolatio ; sed non adeo ge-
neralis ut possit haec omnibus convenire. Quantos enim
sanctorum aut voluntarie eam deseruisse, ut anachoretas,
15 aut violentia persecutionis, ut martyres exsilio relegatos,
humana consolatione novimus caruisse. Datum optimum
est centuplum hoc, desursum est, descendit a Patre luminum[c].

57, 1 Et : At *A Cl R Rg*, sed *Sc W*. — forte : fortasse *W* ‖ 4 An :
magis *add Sc W* ‖ 9 forte : *om Sc W* ‖ 11 voluptatum : voluntatum
Cm Cl R Rg W ‖ 13 haec : *om Cm Cl Rg*, universaliter *R Sc W* ‖
15 persecutionis : -toris *Cr R Sc* ‖ 17 desursum : *om Cl Rg*. — est : *om
Cr Cl R Rg Sc W*

a. Ps. 63, 7   b. Apoc. 2, 17   c. Jac. 1, 17

Chapitre 57

Que ce centuple est spirituel

69. Il se peut qu'à cela une personne encore séculière réponde : « Montre-moi le centuple que tu promets et volontiers je quitte tout. » Pourquoi le montrerais-je ? La foi est sans mérite en effet lorsque la raison humaine lui fournit l'expérience. Croirais-tu un homme qui donne des preuves plutôt que la Vérité qui fait des promesses ? Pénétrant, tu manques de pénétration ; à moins de croire, tu ne comprendras pas [1]. C'est une manne cachée qui est promise au vainqueur dans l'Apocalypse de Jean. C'est un nom nouveau que nul ne connaît s'il ne le reçoit. Plusieurs pensent peut-être en effet que le nom de centuple en cet endroit désigne l'actuelle communion des saints, de leurs richesses comme de leurs voluptés. Grande est cette consolation, mais elle n'est pas à ce point générale qu'elle puisse convenir à tous. Car nous savons que beaucoup de saints, tels les anachorètes, ont renoncé volontairement à la consolation humaine, ou que, par la violence de la persécution, elle a manqué à d'autres, tels les martyrs relégués en exil. Ce centuple est le don le meilleur, il est d'en haut, il vient du Père des lumières.

---

1. La foi condition de l'intelligence est un écho de la *fides quaerens intellectum* d'Anselme de Cantorbéry.

Capit. LVIII

Quid sit hoc centuplum

70. An non denique omnia possidet, cui omnia coo-
474 perantur in bonum[a] ? An non centuplum habet omnium,
qui impletur Spiritu Sancto, qui Christum habet in pectore ? Nisi quod longe plus quam centuplum est visitatio
5 paracliti Spiritus et praesentia Christi. *Quam magna,*
inquit, *multitudo dulcedinis tuae, Domine, quam abscon-
disti timentibus te, perfecisti eis qui sperant in te*[b] ! Vides
quomodo memoriam abundantiae suavitatis huius eruc-
tuet[c] anima sancta, quomodo exprimere gestiens verba
10 multiplicet. *Quam magna,* inquit, *multitudo*[d] ! Hoc ergo
centuplum adoptio filiorum[e] est, libertas et primitiae
Spiritus[f], deliciae caritatis, gloria conscientiae, regnum
Dei quod intra nos est[g] ; non utique esca vel potus, sed
iustitia et pax et gaudium in Spiritu Sancto[h]. Gaudium
15 sane non modo in spe gloriae, sed etiam in tribulationibus. Hic est ignis quem voluit Christus vehementer accendi[i]. Haec virtus ex alto[j], quae Andream fecit amplecti
crucem, Laurentium ridere carnificem, Stephanum in
morte pro lapidantibus flectere genua ad orationem[k].

58, 16 voluit : vult *Sc* ‖ 17 amplecti : desiderare *Cm*

a. Rom. 8, 28   b. Ps. 30, 20   c. Ps. 144, 7   d. Ps. 30, 20
e. Rom. 9, 4   f. Rom. 8, 23   g. Lc 17, 21   h. Rom. 14, 17

Chapitre 58

Qu'est-ce que ce centuple ?

70. Enfin, ne possède-t-il pas tout, celui pour qui tout coopère au bien ? N'a-t-il pas le centuple de tout, celui qu'emplit l'Esprit-Saint, qui porte le Christ en son cœur ? À moins que la visite de l'Esprit Paraclet et la présence du Christ ne soient beaucoup plus que le centuple ! « Quelle est grande, dit-il, la multitude de ta douceur, Seigneur, que tu as cachée pour ceux qui te craignent, que tu as parfaite pour ceux qui espèrent en toi. » Vois comment l'âme sainte exprime le souvenir de l'abondance de cette suavité, comment, brûlant du désir de l'exprimer, elle multiplie les mots : « Quelle est grande, la multitude » dit-elle. Ce centuple est donc l'adoption des fils, la liberté et les prémices de l'Esprit, les délices de la charité, la gloire de la conscience, le royaume de Dieu qui est au-dedans de nous ; non certes nourriture et boisson, mais justice et paix et joie dans l'Esprit-Saint. Joie, à vrai dire, non seulement dans l'espérance de la gloire, mais même dans les tribulations. C'est le feu dont le Christ a voulu qu'il brûle avec véhémence. C'est la vigueur d'en haut qui a fait qu'André a embrassé la croix, que Laurent s'est moqué de son bourreau, qu'Étienne mourant s'est mis à genoux pour prier pour ceux qui le lapidaient.

i. Lc 12, 49   j. Lc 24, 49   k. Act. 7, 60

20 Haec illa pax, quam suis reliquit Christus quando dedit
et suam[1]. Siquidem donum et pax est electis Dei[m] : pax
utique praesens et donum futurae. Illa superat omnem
sensum[n], sed et huic quidquid sub sole placet, quidquid
in mundo concupiscitur, non poterit comparari. Haec
25 gratia devotionis et unctio docens de omnibus[o], quam
expertus novit, inexpertus ignorat, quam nemo scit nisi
qui accipit[p].

25 docens : quae docet *Cm, om Sc W*

l. Jn 14, 27   m. Sag. 3, 9   n. Phil. 4, 7   o. I Jn 2, 27   p. Apoc.
2, 17

C'est cette paix que le Christ a laissée aux siens, lorsqu'il leur a donné aussi la sienne. Oui, il existe pour les élus de Dieu le don et la paix : la paix d'à présent et le don de la paix à venir. Celle à venir surpasse toute intelligence, mais à celle d'à présent aussi, rien de ce qui plaît sous le soleil, rien de ce que l'on désire au monde, ne saurait être comparé. Elle est la grâce de la dévotion et l'onction qui instruit de toutes choses : qui en a l'expérience la connaît, qui n'en a pas l'expérience l'ignore ; personne ne la sait, sinon qui la reçoit [1].

1. Le lyrisme de cette page et l'allusion finale à une expérience personnelle laissent soupçonner en Geoffroy plus qu'un moraliste : un mystique dont la vie intérieure s'exprime également dans le chapitre 60 quand il chante les vertus de la paix spirituelle.

Capit. LIX

Exhortatio brevis

71. Utinam hic filiorum hominum concupiscentia vigilet, utinam vel curiositas excitetur, ut dicant in cordibus
suis[a] : Non videtur hoc verbum adinventionis humanae,
cui sic consonant uno ore testimonia Scripturarum. Quod
5 si ita est, sine dubio vehementer erramus. Probare libet
an haec ita se habeant, gustare quid hoc absconditum
manna sapiat[b], experiri quid sit hoc centuplum, quale
gaudium in Spiritu Sancto[c]. Cras profecto respondebit ei
iustitia sua[d], qui id studiose quaesierit. Confestim ut
10 gustaverit, videbit quoniam suavis est Dominus[e], quoniam bonus non modo tenenti, sed et quaerenti se,
animae speranti in se[f]. Alioquin : *Venite et arguite me,
dicit Dominus*[g], si non omnis qui reliquerit patrem aut
matrem aut domum aut agrum propter nomen meum,
15 centuplum acceperit, utique nunc in hoc tempore —
parum est — et vitam aeternam possidebit[h].

59, 1-2 vigilet : evigilet *A Sc W* ‖ 9 id : vel *Cm, om Sc w* ‖ 14 agrum :
agros *Cm* ‖ 15 utique : *om Cl R Rg Sc W*. — tempore : isto *add Cm,*
hic ponunt titulum capituli LX A Cm R Rg W ‖ 16 possidebit : -dere *A*
R Rg W

Chapitre 59

Brève exhortation

71. Puisse la convoitise des fils d'hommes veiller ici ;
puisse au moins leur curiosité s'exciter pour qu'ils disent
dans leur cœur : « Cette parole n'est visiblement point
d'invention humaine, puisqu'y consonnent d'une seule
bouche les témoignages des Écritures. S'il en est ainsi,
assurément nous nous trompons fort ». Il y a plaisir à
éprouver s'il en est ainsi, à goûter la saveur de cette
manne cachée, à expérimenter ce centuple et cette joie
dans l'Esprit-Saint. Demain certes sa propre justice répondra à celui qui l'aura sérieusement cherché. Aussitôt
qu'il aura goûté, il verra que le Seigneur est doux, qu'il
est bon non seulement pour qui le possède, mais aussi
pour celui qui le cherche, pour l'âme qui espère en lui.
D'ailleurs : « Venez et mettez-moi en cause », dit le Seigneur, si tout homme qui aura quitté père, mère, maison,
champ à cause de mon nom n'obtient pas le centuple
dès maintenant, en ce monde-ci, — c'est peu de chose
— et ne possède pas la vie éternelle.

a. Ps. 34, 25   b. Apoc. 2, 17   c. Rom. 14, 17   d. Gen. 30, 33
e. Ps. 33, 9   f. Lam. 3, 25   g. Is. 1, 18   h. Matth. 19, 29

Capit. LX

De vita aeterna

72. Verum si in praesentis comparatione centupli sermo deficit et ex abundantia cordis angustia oris obstruitur [a], quidni ad promissionem aeternae vitae defectum proprium ipsa etiam cogitatio fateatur ? Si id quod ex
5 parte est [b] non valet eloqui nec expertus, quid inexpertus de perfectione balbutire conetur ? Oculus non vidit, Deus, absque te, quae praeparasti diligentibus te [c]. Pax enim est quae est super omnem sensum [d], pax super pacem, in-
475 deficiens exultatio, torrens voluptatis divinae [e], flumen
10 laetitiae [f], plenum gaudium [g]. Cogita quidquid vis, quidquid potes exopta ; excedit cogitatum omnem, desiderium omne exsuperat illa felicitas, aeternitas illa, illa beatitudo.

Ad quam nos sua miseratione perducat, praeveniens in benedictione dulcedinis [h] et indeficienter nobis interim
476 15 tribuens promissam centupli gratiam, ad solatium utique laboris huius, ne deficiamus in via [i], et ut de exhibitione praesentium munerum firma sit exspectatio futurorum,

---

60, 1 si : *om Cr R Sc W.* — comparatione : commendatione *Cm Cl R Rg Sc W* ‖ 3 quidni : multo magis *add Sc W* ‖ 3-4 defectum... etiam : ipsa quoque defectum suum *Sc W* ‖ 4 id : *om Sc W* ‖ 5 eloqui : loqui *Cl* ‖ 7 absque : praeter *R* ‖ 10 gaudium : est *add A Sc W* ‖ 13 praeveniens : -niat *Sc W* ‖ 14 benedictione : -nibus *Rg Sc W.* — nobis : *om Cl R Rg Sc W* ‖ 15 utique : et remedium *add Cm Crpc Cl R Rg Sc W* ‖ 16 laboris huius : *om W*

Chapitre 60

De la vie éternelle

72. A vrai dire, si la parole manque face au centuple présent et si l'abondance du cœur étouffe l'étroitesse de la bouche, la pensée elle-même n'avouera-t-elle pas sa propre impuissance face à la promesse de la vie éternelle ? Si l'expert lui-même n'a pas pouvoir de parler de ce qui est partiel, que pourrait balbutier l'inexpert sur ce qui est parfait ? Dieu, à part toi, l'œil n'a pas vu ce que tu as préparé à ceux qui t'aiment. Car c'est une paix qui surpasse tout sentiment, paix au-delà de la paix, exultation sans répit, torrent de volupté divine, fleuve de liesse, joie plénière. Pense ce que tu veux, choisis ce que tu peux, elle excède toute pensée, elle surpasse tout désir, cette félicité, cette éternité, cette béatitude.

Qu'il nous y conduise par sa commisération, nous prévenant de ses plus douces bénédictions, et, durant ce temps, qu'il nous accorde sans défaillance la grâce promise du centuple, pour nous soulager de ce labeur, pour que nous ne faiblissions pas en route, et pour que la profusion des biens présents confirme notre attente des

a. Rom. 3, 19   b. I Cor. 13, 10   c. Is. 64, 4   d. Phil. 4, 7
e. Ps. 35, 9   f. Ps. 45, 5   g. Jn 16, 24   h. Ps. 20, 4   i. Matth. 15, 32

qui venit ut vitam habeamus et abundantius habeamus [j]
Iesus Christus Dominus noster qui cum Patre et Spiritu
20 Sancto vivit et regnat Deus per infinita saeculorum sae-
cula. Amen.

19 Dominus noster : *om Sc W* ‖ 19-21 qui cum... amen : *om Cm Cl R*
‖ 20 infinita : omnia *Sc W* ‖ 21 Amen : Explicit liber de lectione
evangelica Ecce nos reliquimus omnia collectus ex dictis domni Bernardi
venerabilis abbatis Clarevallis *add A*. — Explicit tractatus Gaufridi
super ewangelium Ecce nos reliquimus omnia. *add Cr*. — Explicit

biens futurs, lui qui est venu pour que nous ayons la vie et l'ayons en abondance, Jésus Christ, notre Seigneur, qui, avec le Père et l'Esprit-Saint, vit et règne, Dieu, à travers les siècles infinis des siècles. Amen.

opusculum abbatis Igniacensis super Dixit Symon Petrus ad Ihesum *add Cl in marg.* — Explicit expositio super Dixit Simon Petrus ad Ihesum *add R*

j. Jn 10, 10

INDEX SCRIPTURAIRE

Les chiffres de la colonne de droite renvoient aux chapitres.

Genèse

1,27	25^c
3,19	22^h, 31^q
23	23^g
4,13	55^c
14	55^e
21,6	47^i
22,2	47^g
13	47^k
27,38	55^a
28,12	38^a
13	35^j, 38^d
30,33	59^d
32,31	7^f
40	52^a
40,12-13	52^h
13	52^c
19	52^{dj}
43	49^i

Exode

3,14	41^k
8,26	36^a
12,36	1^h

16,3	16^c
19,5	47^h
20,7	46^b
25,5	48^f
26,7	48^e

Deutéronome

9,19	21^q
18,1	9^j
25,4	49^c
32,14-15	10^d
27	24^b
29	14^d

Juges

19,14	7^b

I Samuel

9,16	14$^{a'}$
15,22-23	1^d
30	55^f
16,7	55^g
17,5	10^b

II Samuel

12,13	55[h]

III Rois

19,4	6[a]
7	31[p]

IV Rois

4,40	16[b]
40-41	52[m]
5,13	47[j]

II Chroniques

10,10	13[d]
23,19	14[g]

Tobie

1,2	15[q]
4,6	15[n]

Judith

8,20	8[u]

Job

2,7	21[p]
5,7	3[h], 23[h], 32[b]
7,20	5[c]
10,22	10[k]
14,2	32[c]
13	22[g']
17,1	44[a]
19,23	32[d]
21,13	21[c]
38,2	Prol.[b]
41,25	21[l]

Psaumes

1,4	5[i], 30[a]
4,3	30[c]
10	33[b]

10 H,4	20[ce]	
H,11	21[b]	
H,13	20[bd]	
H,14	4[a]	
11,9	26[ab]	
15,2	43[e]	
9	30[h], 52[l]	
16,4	1[g]	
18,6	2[e], 31[cm]	
8	1[j]	
20,4	60[h]	
21,3	2[b]	
22,4	18[af]	
24,4	45[f]	
18	36[c]	
26,4	55[b]	
12	50[e]	
,13	40[d]	
29,6	15[c]	
30,12	48[b]	
20	58[bd]	
21	54[b]	
33,9	59[e]	
34,25	59[a]	
35,3	18[e], 20[a], 21[f], 22[e]	
7	16[i]	
9	40[a], 60[e]	
13	21[o]	
36,7	18[b]	
35-36	41[g]	
44,14	48[c]	
16	53[a]	
45,5	60[f]	
48,13 et 21	3[i]	
49,21	50[cf]	
50,3	23[m]	
21	6[b]	
51,5	15[v]	
54,23	28[f], 54[l]	
61,10	41[j]	
62,12	45[e]	
63,6	12[i]	
7	57[a]	

65,5	16^j, 23^f		14,12	38^b
67,14	45^b		13	23^j
34	Prol.^{e}		21,5	49^a
68,10	12^l, 41^h		30,15	5^a
70,18	44^b			
72,5	4^b, 10^j, 18^l		**Ecclésiaste**	
5-6	10^a, 21^n			
73,19	30^i		1,8	5^b
22	54^g		14 et 17	4^d
75,2	42^l		3,1	30^d
76,3	55^d		4,12	17^m
78,13	22^d		7,3	23^k
80,17	10$^{d'}$			
83,6 et 8	37^b		**Cantique**	
11	39^e			
84,9	5$^{d'}$		1,3	13^n, 31^l
89,3	26^d		4	48^k
90,3	8^{kn}		4-5	48^d
92,5	21^h		5	48^{gh}
93,20	47^d		2,4	13^n
98,8	20^f		8	31^k
101,5	25^a		11	42^d
102,14	44^h		13	42^e
106,26	32^g		3,6	37^c
108,7	12^g		6,12	26^e
109,1	31^g, 35^d		8,5	37^d
4	41^d			
110,9	22^g		**Sagesse**	
111,7	8^o			
114,7-8	33^d		2,20	35^h
118,14	53^b, 56^d		3,9	58^m
119,4	46^c		6,6-7	21^k
121,5	42^{jn}		10,17	56^c
130,1	28^e			
141,8	33^e		**Siracide**	
143,13	10^c			
144,7	58^c		5,8	44^f
147,14	10$^{d'}$		8,21	44^f
			11,4	Prol.^{d}
Proverbes			13,16	27^h
			22,2	49^{bg}
6,10	31^j		32,24	27^f
27	27^k		40,1	3^q
7,20	13^g		45,6	36^b

Isaïe

1,3	49[d]
18	59[g]
23	12[h]
5,4	43[a]
8	9[d]
7,15	23[l]
14,13	41[f]
24,2	9[f]
26,10	21[aegr]
28,15	15[l]
20	8[w]
40,2	13[c]
7	18[c]
7-8	50[b]
43,25	18[h]
46,8	37[i]
47,2-3	50[d]
53,2	48[m]
12	52[b]
59,1	44[d]
61,7	40[c]
64,4	60[c]

Jérémie

2,8	15[s]
3,3	18[i]
13,21	23[n]
14,18	15[t]
17,16	19[f], 36[d]
20,7	27[i]
48,17	18[a]

Lamentations

3,25	59[f]
40	54[j]
51	3[t]
4,5	49[f], 55[k]

Baruch

3,38	7[d]

Ézéchiel

8,8	12[b]
,13	12[c]
16,33-34	3[k]
42	18[j]
24,23	32[h]

Osée

4,8	16[df]
6,10	14[j]
8,4	13[i]
10,8	16[k]

Joël

1,5	23[e]

Amos

6,4	10[e]

Michée

7,6	27[m]

Habacuc

3,2	22[f]
15	7[a]

Zacharie

3,1	12[d]
5,7	5[d]

Malachie

1,13	10[i]
2,7	21[j]

Matthieu

3,7	22[a]
15	38[f]
4,20	27[b]
5,3	8[s], 9[g]

5,6	25[b]
10	15[p]
12	3[n], 41[i]
13	9[h]
26	16[n]
6,19	8[a]
24	3[s]
7,5	15[k]
7	15[j]
7-8	3[g], 55[i]
13	5[g]
25	1[c]
8,19	14[i]
19-20	28[c]
20	31[be]
22	28[a]
11,9	10[g]
28-29	5[e]
29	30[bk], 47[b]
30	3[mr], 47[f]
12,29	1[i]
33	17[h]
13,12	50[a]
14,29	7[c]
15,14	15[r]
32	60[i]
16,24	3[b], 39[d]
18,6	3[d]
19,11	8[f]
21	7[h]
24	5[fj], 8[j], 14[eh]
27	1[a], 2[ad], 9[e], 23[o], 27[a], 45[g]
27-28	29[a]
28	31[a], 32[a], 34[a], 35[ag], 40[b], 41[e], 42[i]
29	45[ad], 47[e], 53[f], 54[ah], 56[a], 59[h]
20,2	43[d]
28	31[h]
21,12	10[f]
33	13[f]
22,4	3[f]
23,6	42[bg]
15	10[d'']
16	16[m]
24,45	15[ad]
25,11	3[g]
36	8[l]
37-39	23[b]
41	8[p], 22[ci]
26,15	12[j]
23	12[f]
50	17[i]
27,38	52[b]

Marc

8,2	8[i]
10,29-30	45[h]
30	45[j]
13,31	54[e]
16,19	35[b]

Luc

2,7	31[f]
3,7-8	10[h]
8	16[h]
16	6[c]
6,16	5[h]
24	8[r]
38	8[v]
9,58	8[b], 54[k]
62	28[b]
10,18	21[m]
11,3	56[b]
9-10	55[i]
12,32	41[c]
49	27[e], 48[j], 58[i]
14,8-10	42[h]
18-19	3[v]
19	3[ael]
33	7[g]
15,11-19	49[j]
15	52[e]
16,2	16[g]

3	13^e, 16^e
9	8^{gqt}, 9^b
10	46^d
19	23^a
25	23^{cdi}
17,21	58^g
19,42	22^b
20,46	48^o
21,18	44^e
26	33^a
22,27	31^i
23,30	16^k
40	52^g
41	52^k
43	52^{fi}
24,49	58^j

Jean

1,13	29^c
14	7^e
29	29^e
2,4 et 10	4^c
2,15	12^k
3,5	29^d
7	29^b
9	47^a
18	42^m
30	42^a
4,23	17^k
34	15^b
6,16	21^s
38	54^o
61	8^m
71	14^b
7,18	54^c
10,1	17^g
8	11^f
9	11^e
10	15^u, 17^j, 60^j
12-13	15^w
35	54^m
12,6	5^h, 14^c, 54^i

13,8	9^j
23	19^c
29	17^d
14,6	41^k
27	58^l
16,24	60^g
19,17	39^a
34	39^b
20,27	53^e
21,15-17	11^c

Actes

1,7	44^g
2,26	30^h
3,6	8^c
7,55	35^e
60	58^k
10,38	31^d

Romains

1,17	38^g
30	15^o
3,19	60^a
5,3	53^c
12	22^j
16	48^p
6,6	32^f
9	34^f
8,23	58^f
28	58^a
29	30^j
30	13^b
9,4	58^e
10,8-9	26^c
12,2	13^h, 15^i
9	15^m
14,17	58^h, 59^c

I Corinthiens

1,20	46^a
21	27^d

1,25	27[c]
26	13[a]
2,9	46[e]
10	37[f]
11	15[g]
13	6[f], 37[h]
14	45[i], 54[d]
4,1	17[e]
2	11[g]
5,6	28[d], 54[n]
6,3	41[a]
9	51[a]
17	34[i]
20	43[b]
7,40	15[f]
9,9	3[h], 49[c]
13	17[b]
14	17[f]
24	31[o]
27	36[e]
10,11	6[e]
11,28	27[l]
29	16[a]
13,7	Prol.[a]
10	60[b]
14,15	33[c]
38	15[e]
15,26	34[e]
28	2[f]
43	34[c]
44	34[b]
55	34[d]

II Corinthiens

3,7	17[l]
17	9[i]
18	37[e]
4,2	12[a]
18	42[f]
5,10	16[l]
6,2	44[c]
9 et 10	48[a]
10	48[l]
9,7	31[n]

Galates

3,3	14[a], 67[j]
5,13	9[c]
17	32[e]
6,3	24[c]
8	30[e]
14	47[l]

Éphésiens

3,19	38[h]
4,2	30[k]
5,5	14[k]
29	30[f], 36[f]

Philippiens

2,7	3[c]
8-10	35[i]
9-10	1[f]
21	13[j], 15[x], 34[h]
3,8	3[o], 49[eh]
13	37[a]
19	14[l]
20-21	30[g]
4,7	58[n], 60[d]

Colossiens

1,12	45[c]
2,17	6[d]
3,4	35[c]
5	14[k]
25	53[d]

I Thessaloniciens

5,3	21[d]
19	48[i]

II Thessaloniciens

3,8	8[e]
10	11[b]

I Timothée

1,15	1[b], 24[a]
3,8	13[p]
13	11[a]
15	21[i]
4,9	1[b]
5,18	3[j], 17[a]
6,5	13[q]
7	14[f]
8	8[d], 17[c]
9	8[h]
10	13[l]
18	9[a]

II Timothée

2,10	18[g]
4,2	Prol.[f]
3	3[u]

Tite

2,12	38[e]

Hébreux

5,4	11[d]
9,11-12	35[f]
10,27	13[m]
12,6	18[k]

Jacques

1,14	55[j]
17	57[c]
24	19[e]
4,4	19[ag]

14	41[b]
15	18[d]

I Pierre

1,19	12[e]
4,10	37[g]
5,7	28[g]

II Pierre

2,22	54[f]

I Jean

2,6	39[c]
15	19[b]
15-16	19[d]
16	38[c]
17	2[c]
27	15[h], 58[o]
3,16	1[e]
4,16	13[k]
18	Prol.[c]

Apocalypse

1,1	27[j]
2,17	57[b], 58[p], 59[b]
3,16	27[g]
5,9	43[c]
6,9-10	33[g]
11	33[f]
13	42[ck]
14,13	31[r]
21,4	34[g]
5	47[c]

SOURCES NON BIBLIQUES

Signalées dans les notes en bas de page de la traduction ; comme elles sont peu nombreuses, je renvoie simplement ci-dessous aux chapitres et aux notes.

BENOÎT (Saint), Règle (éd. Butler, 1927) : 1 n. 1 ; 15 n. 1 et 3 ; 16 n. 1 ; 37 n. 1, 2 et 5 ; 38 n. 3.
BERNARD (Saint) : 5 n. 1 et 5 ; 9 n. 1 ; 11 n. 1 ; 21 n. 1 ; 23 n. 1 ; 37 n. 3 ; 38 n. 2, 4 et 5.
GEOFFROY d'AUXERRE : 38 n. 2.
GRÉGOIRE (Saint) : 24 n. 1 ; 38 n. 1.
HORACE : 10 n. 1 et 2 ; 17 n. 2 ; 23 n. 1.
JÉRÔME (Saint) : 6 n. 1 ; 9 n. 2 ; 17 n. 1 ; 27 n. 1 ; 47 n. 2.
LITURGIE : 5 n. 2 et 27 n. 2 (Noël) ; 24 n. 2 (Martin) ; 32 n. 1 (Agnès) ; 37 n. 4 (Benoît) ; 53 n. 1 (Messe pour la paix).
VIRGILE : 13 n. 2 ; 21 n. 1.
NON IDENTIFIÉS : 16 n. 2 ; 28 n. 1 ; 54 n. 1.

INDEX DES MOTS LATINS

Cette table vise à permettre une meilleure utilisation du texte édité. Elle comporte en une seule liste alphabétique tous les noms de personnes (en capitales) et de lieux (avec initiale majuscule), et une sélection de noms communs. Pour éviter de donner à cette table des proportions exagérées, je me suis tenu généralement — sauf quelques rares adjectifs moins courants et quelques verbes plus rares encore qui m'ont paru significatifs — aux substantifs choisis surtout en fonction du vocabulaire de la spiritualité. Je n'ai pas fait intervenir les substantifs des citations bibliques explicites, mais, en revanche, j'ai tenu compte des titres donnés dans le corps du texte et, dans ce cas, le numéro du chapitre est suivi de l'indication : « titre ». Les chiffres se rapportent aux chapitres et aux lignes du texte.

AARON : 11,14 ; 20,19.
abominatio maior : 12,5.
ABRAHAM : 6,1 et 10 ; 47,15 ; -hae iudicium 23, titre.
abstinentia corporalis : 37,2.
accipiter : 10,12.
accusatio (populorum) : 16,24.
ADAM : - filii 3,43 ; 45,11. Adae temperantia 15,54. Adae dictum est 22,30.
adinventio humana : 38,25. -onis humanae verbum 59,3.
adorator : -res quaerere 17,29-30.
adversa/prospera : 15,44.
aer : -rem deglutire 25,10.

affectio : - sermo cordis 20,14-15 ; - cordis 32,9 ; - propria iudicet 47,26 ; -num motus 34,22.
affectus : -tus nequitiae 15,40. -tu materno educare 13,15. -tu pleno petere 55,34. -tum pensare Prol. 25-26.
afflictio : - duplex 40,13-14. - intolerabilis 44,10-11. - spiritus 4,21. -ni non parcens 36,24-25.
ager : agrum agro copulare 9,10.
Agnus : -i immaculati carnes 12,11-12.
agricola : 10,20 et 50.

alea : 10,12.

altare : -ria circuire 12,14. sub - Dei 33,13. super - Domini 6,9.

altarium : -rio servire 17,28. de -rio vivere 17,3.

Amalecitae : -arum rege servato 55,20.

ambitio : - et elatio cordis contendunt 4,8. - ait 4,14. - non ex Patre 19,16-17. - infelix 42,1. -one pleni 48,36.

amicus : - pensabit affectum Prol. 25-26. - mundi 19, titre. - saeculi 53,11-12. -cis egere 9,15. -cis retinere 54,38. -cos sibi facere 9,3-4. -cos consulere 27,36-37.

anachoreta : 1,21 ; 57,14.

ANDREAS apostolus : 27,7 ; 58,17.

angelus : - magni consilii 5,19 et 27,23-24. - Domini 12,10 et 21,20. - pessimus 22,23. -li (diaboli) 22,12. -orum concilium 21,1-2. -orum aliquis 43,7-8. -los iudicare 41,5. in -lis pravitas 21,22.

anima : - carior carne 51,2. - carnalis 45,32. -/corpus 29,14. - immunis a peccato 29,24-25. - mea 31,16. - (prior) 29,18. - rationalis 25,24. - sancta eructuat 58,8-9. - sperans 59,12. - unita corpori 36,33. - interim regeneratur 30,25. - ne veniat in consortium 21,50. - periit 55,14. - renuit consolari 55,9-10. - sedebit 34,19. -ae cura 30,1. -ae iumentum corpus 51,11-12. -ae panis 25,22. -ae salus 30,17. -ae prodesse 36,27-28. ex -a pendere 30,16. -am agitare 32,20. -am corrodere 50,11. -am distrahere 3,39. -am ponere 1,8-9. propter -am venire 30,23. -ae miserorum 23,43-44. -arum frenesis 21,41. -arum regeneratio 35,19-20. -abus advenire 29,22. -abus tempus assignatum 30,9-10. -as convertere 1,23.

animadversio : - divina 23,23-24.

animus : -/corpus 5,4. -mi voluptas 51,6. -mo introire 17,32. -mo audire 47,19. -mo tenere 13,32.

anxietas : -tis punctiones 47,28-29. -tem abigere 44,41.

apex : -ices muti Prol. 12.

Apocalypsis Ioannis : 57,7-8.

apostasia : -ae saltum praesumere 55,37.

appetitus : - laudis 4,17.

archidiaconatus : -tu dignus 13,16. ad -um evolare 21,28.

arena : -am marinam masticare 25,2-3.

argentum : voir aurum/argentum.

aries : - morietur 47,26-27. -tes mactare 6,9-10. -tum pelles 48,15.

artificium : -cio novo discernere 10,7-8.

ascensio : -nes disponere 37,7.

ascensor : -res scalae 38,40.

ascensus : - periculosus 36,17.

asinus : non sit de -nis cura Deo 3,12.

asperitas : 36,9.

auctor : -ris saeculi inimicus 53,12. -ris saeculi iudicium 22,26-27.

auctoritas : - iudiciariae potestatis 42,36. -te preminere 9,19-20.

aureus : -a et argentea vasa 10,33.

aurum : -/argentum 8,5 ; 9,33 ; 14,17 ; 43,6-7. - repudiare 6,35. - Templi Iudaeorum 6,33-34.

avaritia : -/appetitus laudis 4,17. - humana 46,7-8. - idolorum servitus 14,26. - pleni 48,35-36. -ae famulari 34,13-14.

baculus : -/virga 18, titre.

balneum : 10,14.

BAPTISTA : voir IOHANNES B.

basis : -es scalae 35,29 ; 39, titre. -ibus subnixa 40,2.

beatitudo : - exsuperat desiderium 60,12. - promissa centupli 55,50. -ine plena 34,20.

benedictio : -one celesti indignus 55,5. in -one dulcedinis 60,14.

BENEDICTUS (Sanctus) : 38, titre et 27.

beneficium : a -cio generali se excipere 53,25. pro -cio magno 55,15. -cia ecclesiastica 13 titre et 9.

bestia : -tiis bestialior 3,15.

blasphemia : -ae verbum 12,20.

bos : boum iuga 3, titre et 12.

bravium : ad - pervenire 31,21.

CAIN : - iustitia 15,33. (fratricida primus) 55,8.

calliditas : - humana 28,15.

camelus : Qui te -le gibbum 5,26-27. -um traducere 8,14.

caminus : -no additur oleum 10,26.

capax : - Dei 25,26.

capitellum : de -is 40, titre.

caput : -ta scalae 35,29. -te truncato 52,26.

carcer : - labore tolerabilior 22,17. -rem iniquitas habet 22,15-16. in -re tribus 52, titre.

caritas : passim et -tis deliciae 58,12. -tis supereminentia 38,59-60. ex -te coherere 6,28-29.

caro : -/spiritus 14,4 ; 32,13-14 ; 55,41. - requiescat in spe 52,28-29. - misera 30,23. -nis concupiscentia 19,19 ; 38,42. -nis cura 30,2. -nis illecebra 36,15. -nis iudicium 30,16. -nis molestiae 29,23. -nis in occasionem 9,7. -nis prudentia 28,11. -nis sapientia 23,40. -nis voluptas 38,49. -ni servire 53,4-5. -ni subtrahere 37,5. -ni utilius 30,16. -ne sua carior anima 51,2. in -ne gloriari 47,32. in -ne seminare 30,12. -nem domare 36,1. -nem minus odire 36,34. -nem vulnerare 36,29. circa -nem infirmari 36,18-19. -nes Agni immaculati 12,12. -nes meretriciae 12,13-14. -nes sugere 25,12.

castitas : -tis consilium 8,7-8.

cathedra : - sanctitatis 15,56. -as primas amare 42,3 et 16-17.

cauterium : -rio gravi inurere 10,1.

cella : a - 38,11 et 16. in - commorare 38,8. -am ingredi 13,55.

cementarius : 10,36.

centuplum : Quid sit - 58, titre. - promittitur 53, titre et passim. - spirituale 57, titre. nec - habere 54, titre. de -plo et vita aeterna 56, titre.

CHRISTUS : - baiulat crucem 39,5-6. - factus ludibrio 39,6. - flagellatus 39,5. - / Hippocras, Epicurus 30,6. - homo 3,36. - ignem voluit accendi 58,16-17. - neminem excipit

53,23. - prohibet ignem ex-stinguere 48,26. - reliquit pa-cem 58,20. - verus Ioseph 52,3. -ti corpus 34,18. -ti imprope-rium 41,7. -ti iugum 3,35 et 39. -ti praesentia 58,5. ad -ti mandatum 11,12-13. ante -ti tribunal 16,24. -to credere 55,51-52. -to Domino servire 14,30-31 ; 53,5. -to exprobare 41,20. -to non erat species 48,29-30. cum -to praesidere 41,4-5. in -to manere 39,11-12. -tum habere in pectore 58,3-4. -tum lucrifacere 3,41 ; 49,12. -tum sequi 3,44 et 45 ; 54,25. contra -tum agere 17,25. per -tum introire 15,58 ; 16,1-2 ; 17,24. Voir aussi : Agnus. Angelus. Filius. Iesus. Redemptor. Salvator. Veritas.

circuitus : - impiorum 26, titre.

clamor : -/luctus, dolor 34,9.

claritas : - corporis Christi 34,18. de -te in -tem 37,13. in gloria et -te 30,29-30.

claustrum : -tra replere monachis 1,20.

clavis : -ves habere 9,6.

clericatus : in -tu 17,8.

clericus : -ci deserviant 16, titre. -ci usurpant 10, titre. -/bene-ficia 13, titre. -orum officium 11, titre. -orum periculum 9, titre.

clerus : -ri forma 38,33. -ri stipen-dia 17,32. -ri vita informis 38,33. ad electionem -ri 11,1. in honorem -ri 13,6. in clero esse 12,25-26. inter medios -ros 45,5. -/celum 21,18-19.

codex : 19,18.

cogitatio : - fateatur defectum 60,3-4. - misera, seductoria 44,13. -oni humanae obviare 44,40-41. -onum fluctus 34,21.

colloquium : - Symonis et Iesu 1, titre et Prol. 36. - sacratissi-mum 1,13.

comedo : -ere peccata 16,11 et 14-15.

comminatio : - terribilis 21,45-46.

commutatio : - nec inutilis 2,7. - penitentiae 22, titre. -onem re-cipere 46,13.

concilium : - angelorum 21,1-2.

concupiscentia : - carnis 19,19 ; 38,42. - mundi 2,3 et 12-13. - oculorum 19,21-22 ; 38,42. - pacem turbat 32,15-16. - vi-gilat 59,1-2. -ae modum po-nere 24,13-14. a -a alienus, immunis 34,16-17. a -a abs-tractus et illectus 55,44-45. post -as suas vadere 15,67.

condemnatio : -/iudicium 17,30-31 ; 48,38-39.

Conditor : -ris manus 34,10-11.

confirmatio : -onis verbum 29,2.

conformare : -ari huic saeculo 13,41-42.

confusio : 50,6-7.

congregatio : -/concilium 21,1-2. - sanctorum 46,24-25.

consanguineus : -eos extollere 17,12-13.

conscientia : - humana 44,1. - sti-mulans 44,15-16. -ae gloria 58,12. -ae stimuli 18,10 ; 50,14. -ae vermis 50,11. -ae vultus 19,15. -as proprias convenire 38,36-37. -as singuloum convenire 13,6-7.

consilium : - definitum 41,10. - (di-vinum) 38,24. - occultum

15,15-16. -lio adhaerere 54,33-34. -lia aliena prestolari 27,24. -lia spiritualim virorum 54,36-37. in -liis terribilis Deus 16,21.

consobrinus : - episcopi 13,17.

consolatio : - amplior 45,7. - laboris 56,3. - magna 57,12. - praesens 23,38. - terrena 45,37-38 ; 50,4-5. -/virga 18,7. -onis minimae obtentu 46,17. -onis spes 50,12-13. -one celesti se privare 55, titre. -one humana carere 57,16. -onem communicare 8,26-28. -onem habere 23,50-51. -onem praeripere 9,15. -nem recipere 23,45. -onum multitudo 23,42-43. ad -ones miseras converti 50,15-16.

consuetudo : -/incuria 50,22. - prava 15,39.

contemptus : - exteriorum 49,2. - mundi 1,18.

continentia : -ae munus 48,38.

contritio : - duplex 52,27. - vexat hominem 32,17-18.

contumelia : -liis moveri 36,20.

conversatio : - perfectorum 48,1. -onis exemplar 7,11-12. -onis exemplum 11,11. -onis laboriosa et humilia 48,13-14. -onis modus 38,23-24.

conversio : - acceleranda 27, titre. de -one commoneri 44,16-17.

cor : - humanum 2,17. - obdurare 20,1-2. ad - Ierusalem 13,8. ad - revocare 37,18. in - hominis ascendere 46,31. qui intuetur - 55,25. secundum - Dei 47,7. -dis affectio 32,19. -dis aure percipere 1,14. -dis cura 49,1. -dis desertum 37,9. -dis

elatio 4,8 ; 19,25 ; 28,12 ; 38,57. -dis humilitas 30,27-28. -dis oculos avertere 50,15. -dis sermo 20,14-15. -dis virtus 30,4. ex -dis abundantia 60,2. in sanctimonia -dis et corporis 13,29. -di tuo imprimere Prol. 28. -de/corpore 12,9. -de impuro 12,9. -de insensati 50,23. -de/ore 26,17-18. -de vacuo et deserto 49,12-13. in -de tuo firmari 37,1. quod in -de suo 20,14. -da electorum Prol. 29-30. a -dibus nostris 38,29. in -dibus dicere 59,2.

cornicula : - moveat risum 10,41.

corpus : -/anima 29,14. - animale/ spirituale 34,2. -/animus 5,4-5. - castigare 36,22. -/cor 12,9 ; 13,29. - immortalitatis, impassibilitatis 34,14-15. - iumentum animae 51,9 et 11-12. - sedere 33,15. - si perimatur 55,13. secundum - contritio 32,17-18. -oris alimentum 17,21-22. - Christi claritas 34,18. -oris laesio 51,3. -oris valetudo 30,4. -oris voluptas 13,48-49 ; 36,2. -ori anima unita 36,33-34. -ori Filii conformari 30,29. -ori prodesse 36,28. -ore capillum 44,31-32. -orum beatorum terra 45,40. -orum regeneratio 35,18-19. -oribus tempus assignatum 30,9-10.

corrigo, -ere : Prol. 16.

corruptio : - animae et corporis 29,20-21. -nem metere 30,13. a -ne securus 34,16.

corvus : -orum nomen 52,11. -vos pascere 23,4 ; 52,8.

creatura : - Dei 19,8 ; 23,2.

crimen : - par sacrilegii 17,14-15. post -na maiora 55,26.

cruciatus : - intolerabilis 50,17-18. - maneant 23,46. -tuum causa 23,21-22.

Crucifixus : in patrimonium -ci 13,22-23.

crudelitas : -atis argui 23,7. -ate sacrilega 17,16.

crux : - inuncta 47,13. -cis duo ligna 39,2. -cis supplicium 35,20. -ce turpari 39,3. in -ce Domini gloriari 47,32. in -ce pascere corvos 23,4. in -ce tribus 52, titre. -cem amplecti 58,17-18. -cem baiulare 39,5-6. - cem tollere 39,16-17. -ces depictas in pariete 47,14.

cubiculum : - ingredi 13,55.

culpa : - (animae) 29,20. - communis 22,32. -/natura 3,17.

cultus : - Dei = pietas 38,56.

cupiditas : - radix malorum 13,51-52. -ates relinquere 2,12.

cura : - animae 30,1-2. - animarum 15,25-26. - carnis 30,2. - cordis 49,1. - de eo 28,24. sine -ris saeculi 13,28.

curiositas : - excitetur 59,1. - non ex Patre 19,16-17. ne ipsa - caret 19,21. -tis usus 17,33.

custodia : - carceralis 52,3. in -dia gregis 16,6-7.

damnatio : 13,60.

DAVID : - sanctus 10,1. - 55,27.

decanus : prepositus aut - 13,14.

declamatorius sermo Prol. 9.

decor : de -ore sponsae 48, titre.

dedecus : -oris occulta 12,4-5.

dedicatio : - ecclesiarum 47,14.

delectatio : - amplior in virtutibus 53,2. - sensuum 19,20. -nis

copia 53,9-10. -onis introitus 16,9-10. -onis remuneratio 40,16-17.

deliberatio : 27,17 et 23.

deliciae : - caritatis 58,12. - sapiunt 16,27. - spirituales 51,5. - ciis affluere 37,12. -ciis madere 10,38. in -ciis enutrire 13,15. in -ciis mors 16,8-9. -cias quaerere, sustinere 39,4-5. -cias quaerere 17,20. in -cias comedere 16,19.

delictum : -orum cumuli 14,15. -tis/deliciis 13,15-16.

dementia : - extrema 3,22-23 ; 22,7-8.

demon : -num iuga 4,7-8. -niis immolantes 6,23-24. non a -niis exspectantes 6,25. Voir aussi : diabolus, Satan.

desertum : - cordis 37,9. de -to ascendere 37,11-12. in -to manna 56,9. -ta replere anachoretis 1,20-21.

desiderium : - exsuperare 60,11-12. - naturale 26,1. - retributionis 40,6. -rio aestuere 24,20. -rio proprio adhaerere 54,33-34. -rio quaerere 26,9. -rio vehementi petere 55,34. cum -rio expetere 33,12-13. in -rio perficere 30,2-3. in -rio terrenorum 26,14.

desolatus : -tis consolatio 8,26-28.

desperatio : 20,3.

devotio : -onis gratia 58,25. digna -one petere 55,33-34. dignum -one verbum 27,2-3.

diabolus : a duobus bolis - dicitur 14,10-11. -li laqueum 8,13. -li peccatum 21,35-36. -lo paratum stridorem 22,9 et 12. diabolica sapientia 27,19. Voir aussi demon, Satanas.

dies : - humanus 19,22 ; 36,12-13.
- salutis 30,10 ; 44,24. in die
festo 10,32. in hac die vestra
22,3-4. - hominis breves 44,15.
- singuli 44,29. - suos ducere
21,6.

digitus : -tis attrectare 21,39.

dignatio : -one pia largiatur
(Deus) : Prol. 30-31.

dignitas : -atis eminentia 40,18.
-ate pollere 9,19. -atum excel-
lentia 42,13. -atum tituli 24,18-
19 ; 41,8.

dilectio : - operosa : Prol. 32
-oni tuae : Prol. 9.

disciplina : - muliebris 10,17-18.
-nae via et vitae 36,5. -nam
recipere 21,32.

discipulatus : -officium 7,22.

dispensatio : - divina morem gerebat 6,21-22.

dispensator : -ores/ministri 17,17.
inter -ores 11,17.

distinctio : - fastidium non admittat : Prol. 39-40.

diversorium : in -orio locum habere 31,7.

diverticulum : -la quaerere 31,11-
12.

dives : - in evangelio 23,4-5. -tes
fieri 8,12. -tes/potentes 9,2.
-tes in operibus 9,2-3.

divitiae : - 6, titre. - oblectent oculos 16,27-28. -arum fugienda-
rum causa 2,13-14. -arum
cumulos 14,15. in -tiis delectatum esse 56,16-17. -as
congregare 10,30. -as quaerere 13,48.

doctor : - insipientium 15,9.

dolor : -/gemitus 34,6. - inconsolabilis 44,11. -/labor 4,1 et 21.
-/luctus, clamor 34,8-9. -ris

sensus 32,18. Quid -oris 50,7.
-rem spes extenuat 50,18-19.

domesticus : 20,5.

domicilium : -luteum 33,1.

domus : in -mo Dei 14,24 ; 21,14.
qui in -mo erant 28,5. -mum
ad -um coniungere 9,9.

dubium : in - venire 38,22-23. nec
-quin 54,21-22.

dux : - ignorat itineris viam 15,12.
-/praeceptor 28,18. -ces caeci
16,26. -ces populi 15,48.

ecclesia : - clamat 1,16. - inclyta
42,11-12. - quotidie experitur
15,13-14. de -ae bonis 17,9.
de -ae facultatibus 17,12. ab
-a panis petitur 56,10-11. in
-a laus : Prol. 6. -ae dotatae
et ditatae 9,1. -arum facultates 17,16. in -arum dedicatione 47,14. de -iis habere 16,
titre. in -iis videre 38,32.

edificatio : Prol. 27437,30.

educo : materno -cavit affectu
13,15.

efficacia : -ae vox : Prol. 31.

egenus : -num alere 8,17.

egestas : - interior 49, titre.

Egyptii : -orum abominationes
36,3-4.

Egyptum : - spoliare 1,21-22. in -
descendere 49,14.

elatio : - cordis 4,8 ; 19,25 ; 28,12 ;
38,57.

electio : ad -nem cleri 11,1.

electus : - in apostolum 14,6. in
-orum cordibus : Prol. 29-30.
-tis Dei, pax 58,21. omnia
propter -tos 18,9.

emulatio : - sanctitatis 1,23-24.

EPICURUS : -ri schola 30,5.

episcopatus : ad -tum aspirare
21,28. -ata progenies 13,18.

314 INDEX DES MOTS LATINS

episcopus : -pi consobrinus 13,17. -po tradere 13,11.

equus : -orum falerae 10,11-12.

eruditio : - utilis 15,21. super tua -one : Prol. 23.

ESAÜ : 55,2.

EVA : -vae prudentia 15,53.

evangelium : - frequentare 28,1. -lio obedire 28,1-2. -lio servire 17,19. de -lio vivere 17,20. -lia 8,1.

evangelicus : Prol. 35.

evangelizo : -zat ut manducet 13,33.

examinatio : -ne sollicita discutere 16,4-5.

excusatio : 12, titre. - de peccato 44,3. - saecularium 44, titre.

exhortatio : - brevis 59, titre. -onis gratia : Prol. 37. -onis schedulae : Prol. 1.

experientia : de - perhibere 53,6-7.

experimentum : - praebere 57,4.

explorator : - sedulus 13,19.

expositio : -onis gratia : Prol. 37.

exspectatio : - futurorum munerum 60,17. - iustorum 45,10. - longa nimis 44,9. ab -one liberari 33,2-3. de -one dicere 33,9.

extorsio : - violenta 6,31.

extremitas : -ate contentus 37,3.

exultatio : - indeficiens 60,8-9. - interna 48,20-21. -nis origo 53,4. in maxima -one salvari 46,18.

faber : -bros numerare 10,36.

facultas : -tes ecclesiarum 17,16. -tum communio 57,10. -tibus ecclesiae 17,12. -tibus uti 23,3.

falerae : de -ris cogitare 23,11-12. -ras equorum 10,11-12.

fames : - innaturalis 25, titre.

fastidium : - non admittere : Prol. 40.

favor : - populi 36,12. -ibus adeptis 24,18-19.

felicitas : - exsuperat desiderium 60,12. -tis consortium 30,18-19. -tis consummatio 56,4. -tis gloria 38,27. -ate gemina 34,15.

fenum : - arescet 50,3. -ni flos decidit 18,2.

fervor : -/vigor 15,41 et 45. -/hilaritas 27,34-35.

festuca : -/trabs 15,29-30. -cam quaerere 54,9-10.

fides : - apostolica 27,2. -/ratio 51,15-16 ; 57,3-4. non est omnium - 46,18-19. de -de in -dem 38,58.

fiducia : - maxima 38,20. - nova 44,19. -ae verbum 9,11. cum - convenire 23,52.

figura : totum fuit - 6,35. in - contigisse 6,17-18.

filia : -as nuptui tradere 17,13-14.

Filius : - (Domini) 30,27. - hominis 8,3 ; 35,4 ; 54,23.

flabellum : 25,9.

flagellum : 12,23. - deberi 22,14-15. - timere 22,3. -la sustinere 4,5.

fletus : in -ibus liquefieri 34,11-12.

foedus : - cum inferno inire 15,33.

foramen : - acus 5,28-29 ; 8,15 ; 14,14. - angustum 14,19. - arctissimum 5,24 ; -nis angustia 14,21.

fornax : - accensa 25,5-6.

fornicarius : sub typo -riae mulieris 3,26.

fornicatio : 12,7 ; 20,12.

fortitudo : Petro defuit - 15,54.

fovea : - vulpis 54,23. -am parat 4,9.

frenesis : - animarum 21,41. viri frenitici 25,1.

frontositas : -/impudentia 20, titre.

fructus : -/arbor 17,26. -tu orationis 11,12. -tu temporali abuti 17,36-37. -tus paenitentiae 10,46 ; 16,17-18. -tuum praesagia 42,6-7. -tuum tempore 10,21.

frumentum : -ti adipe 10,25.

funiculus : - triplex 17,34.

fur : -/latro 11,16.

gaudium : - immolare 47,21. - Isaac 47,22. - plenum 60,10. - in Spiritu Sancto 58,14 ; 59,8. - in tribulationibus 58,14-15. -dii extrema 23,31.

gehenna : -nae metus 13,54. os putei - nae 27,27.

gemitus : -/dolor 34,6. - fundere 16,17.

Gentiles : a -lium ritu 6,23.

gloria : - a solo Deo 41,23-24. - ab intus 48,6. - conscientiae 58,12. - felicitatis 38,27. - interna 48,16. - mundi 36,11-12 et 19. - perfectorum 42,34. - saecularis 19,23-24. - vana, mendax 41,21-22. - riae cupidus 40,8. -riae desiderium 36,23-24. -riae munera 43,18. -riae praesentis vapor 41,6-7. in spe -riae 58,15. -ria plenus 34,17. in -ria et claritate 30,29-30. in -ria surgere 34,3. -riam Domini videre 21,46. -riam sustinere, quaerere 39,4-5.

gradus : -dum acquirere 11,3. -dum ministri sperare 11,9-10. - ecclesiasticos quaerere 13,26-27. - gratiae et virtutis 36,10.

- scalae 35,28-30 ; 37, titre ; 38,43.

gratia : - centupli 54,21 ; 60,15. - consolationis 55,33. - devotionis 58,25. - exhortationis Prol. 37. - multiformis 37,15. - non sit - 53,15. - sanctitatis 38,26. - spiritualis 48,2. -tiae dona 43,17. -tiae gradus 36,10. -tiae tempus 7,4. -tiae verbum 9,11. -tia Dei egere 53,17. sine - multa 53,14. -tiam consequi 6,7. -tiam deesse 54,21. -tiam obtinere 6,6. -tiam promereri 53,15. apud quem habemus -tiam 13,11-12.

GREGORIUS papa : 38,4.

grex : - Domini 16,4. -gis custodia 16,6-7. -gem dominicum pascere/tondere 11,10.

grossus : de -sis ficuum 42, titre.

gula : - exigit 3,51. -lae irritamenta 17,22.

herba : -arum sucis 10,25.

hereditas : nec nostra dividatur - 13,13-14.

hilaritas : -/fervor 27,34-35.

HIPPOCRAS : -tis schola 30,5.

hora : - (pauperum) 8,25. veniat - tua 4,16-17.

honor : -saecularis 41,1. -rem quaerere proprium 14,47-48. -rem sibi sumere 11,13.

horreum : -rea innovari sibi 10,22.

humilitas : -sola iustitia 38,54. - solida 36,24-25. -tis afflictio 40,13-14. -tis gradus 37,19-20. ex -te refugere Prol. 17. in -te cordis 30,27-28. -tem amplecti 39,17-18.

hyrcus : -cos immolare 6,10.

IACOB patriarcha : 6,2 ; 7,14 ; 49,14.

IACOBUS apostolus : 19,5.

ianitor : - inexorabilis 14,18-19.

idolatra : Quidni -tras ministrantes 14,25.

Ierusalem : ad cor - 13,8.

IESUS : Prol. 36 ; 1,1 ; 1,3 ; 1,10 ; 3,1 ; 19,6 ; 29,1. Iesus Christus 13,49 ; 46,9 ; 60,19.

ignis : - aeternus 22,25. - est lux interior 48,21-22. ignem accendi 58,16-17. ignem extinguere 48,24. ignem in sinu 27,29. ignem paratum 22,12.

ignominia : - revelabitur 50,9. in - seminari 34,2-3.

ignorantia : - suspecta Prol. 13-14. quando excusare - possit homines 15,8.

illecebra : - carnis superare 36,15. nullis -bris enervari 15,46-47.

imago : - Dei 25,24. - vitae 7,11. -ni Filii conformis 30,26-27.

imitatio : - provocat 40,5.

imitator : -ores sanctorum 6,8.

imito : -tari corporaliter 7,12.

immortalitas : -atis corpus 34,14.

impassibilitas : -atis corpus 34,14-15.

impatientia : -tiae clamores 4,20.

imperfectio : -onis remedium 9,21-22.

imperfectus : de remedio -orum 8, titre.

impietas : 20,16 et 21.

imprimo : -ere cordi tuo Prol. 28.

impudentia : -/frontositas 20, titre. -tiae clamores 4,20.

inambulabilis : - via 26, 22.

incestus : 20,13.

incommutabilitas : -ti aeternae immersa 34,22-23.

incompositio : - exterior 48,8.

incredulitas : de -te 46, titre. in -te mori 56,17.

incurvo : sub corporis sensibus -vatur 3,19-20.

indignatio : -/misericordia 21,3. -onem vereri 21,39-40.

indissimilis : - visio 38,9.

inexcogitabilis : -lia meditari 5,13.

infernus : cum -no inire foedus 15,33. in profundum -ni descendere 38,39. ad inferos descendere 21,6-7.

infirmitas : -atis remedium 8,2 ; 90,20-22.

infirmus : -um visitare 8,17-18.

informis : - vita 38,33.

inimicitia : -as cumulare 19,29-30.

iniquitas : - ad odium 18,4 ; 21,10 ; 22,15. - mentitur sibi 50,17. - resedit 5,17. -tis mammona 9,4. -ti favere 15,35. -tem operari 21,36.

iniuria : -arum patiens 36,24.

insania : - spiritualis 21,41. quid -niae est 13,52-53 ; 46,3-4.

inspiratio : - divina 38,19.

intellectus : -tum praeripere 45,36.

intentio : - casta 14,2. -/opus 17,26-27. - (sermonis) 37,18. -one duplici petere 55,6.

interim : 3,41 ; 5,22 ; 7,9 ; 30,25 ; 36,6 ; 46,1 ; 52,19 et 23 ; 60,14.

invidia : - pleni 48,35-36.

iocunditas : -tis verae fons 53,3.

IOHANNES apostolus : 8,4 ; 19,10 ; 57,7-8.

IOHANNES BAPTISTA : 38,52.

IOSEPH patriarcha : 52,2 et 3.

ira : -/iniquitas 18,14. - ventura 22,2. irae multitudo 20,16-17. irae thesaurus 14,13. iram fugere 22,2.

irremuneratus : -tum bonum 44,30-31.

irreverentia : - perire 48,41.

ISAAC : 6,2 ; 47,18-30 passim.

Israel : - filii 56,8. - tribus 42,28. -lis scelera 3,26.

Iudaea : 42,30-31.

Iudaeus : - inter aquas 7, titre. -deo negare aliquid 46,8. placeant et Iudaei 6,37. -orum Templi aurum 6,33-34. -orum superstitiones 6,36. iudaicis oculis considerari 48,29.

IUDAS apostolus : de loculis Iudae 14, titre, 5 et 11 ; 17,11. (traditor) 19,31.

iudex : 21,3. -ces 9,22. -ces universitatis 41,4.

iudicium : -/condemnatio 17,30-31 ; 48,38-39. - Abrahae 22, titre. - auctoris saeculi 22,26-27. - carnis 30,16. - grave 21,24 et 40. - tale 23,31. -cii exspectatio 13,54. in die -cii 44,2. -cium manducare et vestire 16,7. -cium mercari 16,28-29. in -cio 40,18. de -cio futuro 41, titre. -orum Dei abyssus 16,20. in -ciis terribilis Deus 23,21.

iugum : -ga boum 3, titre. suave 47,12. - tollere 47,5 et 11.

iustitia : - Cain 15,54. - et pax 58,14. - exhibeatur proximo 38,55. - (foveat) pietatem 38,58. - impugnat vanitatem 38,49-50. - panis animae 25,22. - respondebit 59,8-9. - sola humilitas 38,54. -tiae amatores 15,40-41. pro -tia 15,44. -tiam facere 20,4 ; 21,4 et 10-11. -tiam prodere 12,18-19.

labor : - corporis 10,29. -/dolor 4,1 et 21. - manuum 8,6. - (muliebris) 10,17-19. - nec modicus 11,4. -/voluptas 10,5-6. -ris afflictio 40,13-14. -ris asperitas 37,2. -ris brevitas 44,38. -ris consolatio 56,3. -ris quantitas 46,8. -ris sententia 22,30. -ris solatium 60,15-16. -re tolerabilior carcer 22,17. -re victum quaerere 10,37-38. de -re ficto 47, titre. in -re hominum esse 4,4 ; 10,52 ; 18,18. in -re non subsistere 53,14. -rem amplecti 39,17. -rem declinare 22,8-9 et 28. -rem refugere 23,26. -rem remunerare 44,28-29. ad -rem natus homo 23,25-26 ; 32,3-4. -res tolerare 10,49. a -ribus quiescere 31,26.

lac : -te indignus 16,5.

lacrima : -mam abstergere 34,7. -mae felices 34,10.

laetitia : - exspectatio iustorum 45,10. - non peribit 47,27. - sempiterna 40,13. -tiae flumen 60,9-10. -tiae origo 53,4.

laqueus : - diaboli 8,13. - venantium 8,16. ad -eum trahere guttura 12,19-20.

lascivio, -ire : in stratis - 10,31-32.

latus : -era aquilonis 41,16. -era bona 37,3-4. -era scalae 35,28 ; 36, titre ; 38,41 et 58 ; 39,1.

LAURENTIUS martyr : 58,18.

lazarus : -ros esurientes 23,10.

lectio : - evangelica Prol. 35. - utilis 15,20. -onis verba 1,15. -onem distinguere Prol. 39.

Libanum : -ni cedri 41,17.

libellum : - de gradibus humilitatis 37,19-20. - edidisse Prol. 10.

liber : in tot -ros dividere 13,13.

libertas : -/centuplum 58,11. -ate spiritus 9,28. cum -ate convenire 23,52.

libido : -nis incentiva 17,22.

loculus : -li Iudae 14, titre ; 17,11. -li pecuniae, propriae voluntatis 54,19. -li proditoris 5,27. -li in scriniis 10,34-35. -los habere 54,18.

lorica : -cae pondus 10,16.

lucrum : -cri turpis odor 13,59. -cra perdere 44,22-23.

lupus : -/baculus 18,8-9. -/diabolus 22,13.

luxuria : -a pleni 48,36.

magister : - infantium 15,9. -trum salutare 20,6. supra -trum 31,12-13.

maiestas : -tis Dominus 7,7-8.

malitia : -am fovere 15,34-35.

mammona : - iniquitatis 9,4.

manna : - absconditum 57,7 ; 59,6-7. - in deserto 56,9.

mansuetudo : ex -dine refugere Prol. 16-17. in -dine 30,27-28.

mantica : -cas refertas variis opibus 10,33-34.

MARCUS : 45,27.

martyr : -res in exilio 57,15. -res sancti 45,39-40.

massa : -sam corrumpere 28,17 ; 54,30.

maternus : -no affectu 13,15.

mediator : -oris nomen 19,29. -res fraudulenti 16,26-27.

memoria : - abundantiae suavitatis 58,8. - mortis 13,53.

mens : - inhiat 55,31. -tis incultae signum 49,3. -tis sanae 29,18 ; 53,1. -te psallere 33,4-5. -tem inquinare 36,29-30. -tes tenerae et infirmae 48,12-13.

merces : - copiosa 41,20-21. - in fine datur 56,5-6. - operum 53,16. -dem habere 52,26.

metus : - gehennae 13,53-54. - mortis 32,18-19. -um foras mittit caritas Prol. 24-25.

miles : 10,10 et 48.

minister : -tri gradum sperare 11,9-10. -tri/dispensatores 17,17. -orum dextras 10,33.

ministerium : - perfectionem exgit 15,55-56. - spirituale 13,37-38. in sortem -rii 16,1. de -rio iudicetur 21,19. -ria sanctuarii 13,26-27.

miraculum : - evidens 38,3.

miseratio : - benignissima 43,14-15. - crudelis 21, titre. -one perducere 60,13.

miseria : - prolongetur 44,12. Quid -riae 42,37-38 ; 50,7. causam -riae sciscitatur 25,15.

misericordia : -/indignatio 21,3. -diae finis 21,47-48. -diae recordari 22,19. -diam nolere 21,48.

mollities : - vestium 10,14-15.

monachus : -chis claustra replere 1,20.

mors : - differenda 44,18. - durissima turpissima 35,22. - in deliciis 16,8. in - olla 52,30. - in ollis 16,8. - /inimica victoria 34,3-4. - non dominabitur 34,5-6. -tis memoria 13,53. -tis futurae metus 32,18-19. -tis ministratio 32,18-19. -tis responsum 52,9. in -te flectere genua 58,19.

MOYSES : 20,19.

muliebris : - verecundia 10,17-18.

muliercula : 10,15.

mundus : - iudicandus 42,29-30. - retinet aurum 14,17-18. -di amicus 19, titre. -di gloria 36,19. -do servire 53,5. -do subtrahere 37,5. ex -do esse 38,46-47. -dum calcare 36,1-2. -dum odire 36,34-35.

munus : -ra diligere 12,17-18 ; 14,29. exhibitio praesentium -rum 60,16-17.

mus, muris : -rium pelles 10,13-14.

natura : -/culpa 3,17. modico - contenta 13,38. a - alienus 36,30.

necessitas : - naturalis 51,1. -/tristitia 48,19. -atis iuga 3,16. -ate famis 49,13. a -ate liber 34,15-16. pro -ate temporis 56,6-7.

negotiator : 10,28 et 50.

negligentia : - humana 42,39.

negotium : ad fidele - 46,6. summa -tii 23,18. sententiae aptae -tio Prol. 7. -tia exercere 13,36.

nepos : -tes extollere 17,12-13.

nequitia : affectus -tiae 15,39.

nidus : - volucris 54,24. -dum habere 31,7. -dum parare 4,9.

nigredo : - sponsae 48, titre.

novitas : 47,4-5.

nudus : -dum vestire 8,17. -de -dam promere veritatem 9,29-30.

nummularius : 10,35-36.

nuptiae : - spirituales 3,8. a -tiis excusare 3,56.

nuptus : filias -tui tradere 17,13-14.

obedientia : - amica salutis 1,4. -tiae remuneratio 1,11-12. -tiae patrum committere 54,36-37. -tiam non implere 1,9.

oblivio : Prol. 14.

obstinatio : -oni locus remaneat 45,26.

odium : iniquitas ad - 18,4 ; 21,11 ; 22,15. ex -dio detrectare 46,15.

odor : - turpis lucri 13,59.

odoratus/tactus 3,52.

officium : - celeste 21,19-20. - discipulatus 7,22. - reconciliationis 19,28-29. -cio fungi 9,20. de -cio clericorum 11, titre.

oleum : additur - camino 10,26-27.

olla : in - mors 16,8 ; 52,30. in -lis carnium 16,8.

onus : - importabilius 5,15-16. - leve 47,12.

operarius : - dignus est mercede 3,23. -rii huius saeculi 56,4-5. -rios numerare 10,37.

opus : - / intentio 17,26-27. - recompensari 44,26-27. -re consummato 31,8. in -re cibus 56,5. -ra carnalia 13,36. -rum merces 53,16. in -ribus bonis 9,2-3.

oratio : - in peccatum 12,16. -nis fructus 11,12. -nis studium 13,31. in -ne (= Pater) 56,11. ad -nem flectere genua 58,19.

ordo : - perversus 13,33-34. - repellit et accusat 10,53-54. in -ne suo 10,47. -nem instituere 38,16-17. -nes hominum 10,50-51 ; in -nibus ecclesiasticis 13,46-47.

oriens : -tis trames 38,11.

ostentatio : -onis edere paginam Prol. 26-27.

otiosus : copiis affluunt -osi 10,38-39.

otium : otio torpere 10,21.

ovis : oves pascere 16,6. - pascuae 22,13-14. - / virga 18,8-9.

pagina : -nam edere Prol. 27.

palatium : -tia fabricare 17,10.

pallium : - breve 8,30.

panis : - animae 25,22. - quotidianus 56,11.

parabola : 10,2.

paradisus : - voluptatis 23,23. -sum parare 23,24-25.

paries : -etem fodere 12,5.

pasco/tondo : 11,8 et 10.

passio : socia -nis 30,18.

pastor : - non invenit pascua 15,12. - / virga, baculus 18,8.

pater : - defunctus 28,3. e sermonibus -trum nostrorum Prol. 5. de divitiis -trum 6, titre. -trum obedientiae committere 54,36-37. antiquorum -trum diebus 7,6. ritus -trum 6,11. -tribus meliores 6,4.

Pater = Deus 44,36. - adoratores quaerit 17,29-30. a -tre luminum 57,17-18. a -tre promissum 35,12. cum -tre 60,19. ex -tre 38,44 et 46.

patria/via : 53,9 ; 56,2 et 3.

patrimonium : in - Crucifixi 13,22-23. -nia pauperum 17,15.

PAULUS apostolus : 8,5 ; 9,3 ; 17,21 ; 21,15 ; 35,16 ; 49,6.

pauper : - et modicus 24,11. -rum patrimonia 17,15. res -rum non -ribus dare 17,14. -ribus communicare consolationem 8,23-24.

paupertas : - voluntaria 1,19-20.

pax : - consummata 31,27. electis Dei 58,21. - et iustitia 58,14. - praesens 58,21. - quam reliquit Christus 58,20. - super pacem 60,8. - super sensum 60,7. -cem concupiscentia turbat 32,15-15. ad -cem vobis 22,4.

peccatum : - diaboli 21,35-36. - nihil est 14,20-21. -ti corpus 32,22. -to consentire 15,34. -to immunis 29,25. oratio in -tum 12,16. -ta diluere 16,25-26. -ta dimitti 18,11. -ta mundi tollere 29,22-23. -ta populi 16,11 et 14. a -tis obdormiscere 48,40.

pecunia : amator -niae 24,15. -niae loculi 54,19. cum thesauro -niae 14,12-13.

penitentia : -tiae commutatio 22, titre. -tiae fructus 10,46 ; 16,17-18. de - commoneri 44,16-17. -tiam cupiens 13,44.

perditio : ire in -onem 15,52.

perfectio : - virtutis quadrifariae 15,55. -nis consilium 8,1. -onis evangelicae forma 7,8. -nis locum 7,22 ; 9,19. de -one balbutire 60,6.

perfectus : -ta quies 31,27-28. -ti 6,28. -ti viri 6,19. -torum conversatio 48,1. -torum gloria 42,34.

periculum : - clericorum 9, titre. - divitum 28,25-26. - horribilius 36,20-21. - minus 13,39-40. - tertium 17,5. - vitae 10,29. Quid -li sit 15,11. -la tolerare 10,49.

pernicies : in -ciem omnium 15,48-49. in -ciem trahere 17,35.

persecutio : - terrena 45,38. -onis nomen 45,37. -onis violentia 57,15. -ne cessante 42,11. -nem sustinere 15,45. inter -nes 45,39.

pertica : -as oneratas 10,34.

PETRUS apostolus : 1,1 et 3 ; 2,1 ; 7, titre et 5 ; 8,4 ; 11,6 ; 14,8 ; 15,54 ; 23,51 ; 24,1-2 ; 27,3 et 6 ; 28,22 ; 45,17. Voir aussi SIMON.

petulantia : -tiae famulari 34,13-14.

pietas : - cultus Dei 38,56. - exhibeatur Deo 38,54-55. -tis studium 37,5-6. -tem fovere 38,57-58. quaestum estimant -tem 13,60.

piscator = Petrus 24,10.

plenilunium : 13,25.

plenitudo : 35,12. - secura 34,20.

ploratio : -onis convallis 37,10.

poena : - communis 22,32-33. - corporis 29,20. -nis corpus exponere 29,24.

populus : nos - eius 22,13. - / sacerdos 9,13. -li duces 15,48. -li peccata comedere 16,11 et 14. cum omni -lo 15,47. -lo redemptionem mittere 22,19-20. Quid dicitur -lo 8,8. -li carnales 6,21. -lorum querela 16,24.

possessio : - divitiarum 6,5. -ones 9,34. -ones ecclesiasticae 21,13. -ones relinquere 2,10-11.

potestas : - iudiciaria 40,8-9 ; 42,36.

pravitas : - in angelis 21,22.

prebenda : -das multiplicare 21,27.

preceptor : dux et - 28,18. -orem sequi 38,21-22.

predestinatus : -ta anima 30,25-26.

predicatio : 11,11-12 ; 13,31.

predo : servire quinque -onibus 3,48-49.

premium : de -mio interrogare 28,25 ; -a repromittere 40,4.

presbyter : -ro derogare 9,27.

presumptio : - temeraria 50,21.

prevaricator : -res ad cor revocare 37,18.

princeps : -ipis filius 13,16-17. maligno -ipis servire 53,5.

prodesse/obesse : 30,15.

proditor : -oris loculi 5,27. -oris scelus 19,29.

promissio : 29,10. - divina 44,8. - duplex 45, titre ; 56,12. - evacuata 55,49. -onis terra 56,8-9. -onis verbum 42,38. -nem accipere 52,6-7. ad -nem vitae aeternae 60,3.

propositum : - immutabile 41,11.

prosperitas : in seculi huius -ate tentatus 6,39. pro -ate praesenti 54,38-39.

providentia : - in occasionem carnis 9,7. -tiae divinae committere 54,35-36.

prudens : fidelis et - 15,6. -tes nostri 10,30-31.

prudentia : 10,6. - carnis 28,11. - Evae 15,53. - humana 38,25.

psalmus : -mos frequentare 12,15.

pudor : -rem foras mittit caritas Prol. 24-25.

puritas : - / humilitas 36,24-25. -atis auctor 12,9.

pusillanimitas : simulatio / - 4,19. -atis consulere 44,40.

quadratus : -ta rotundis mutare 17,10.

querela : - nova 44,13. - populorum 16,24. -lae Domini 13,42.

querimonia : - Salvatoris 43, titre.

quies : - imperturbata 40,17-18. - perfecta 31,27-28.

radix : - malorum cupiditas 13,51-52. - /palmes 17,26. ex una -ice pullulant 5,1-2.

ratio : -observanda 51,12-13. -ni consentaneum 13,35. -ni

contrarium 36,30-31. -ni se-ipsum obligare 16,29. qua -ne accipere 47,1-2. quae -ne carent, sine -ne degens 3,18-19. in -ne dati vel accepti 46,13-14. -nem humanam consulere 51,15-16. -nem reddere 16,16.

reconciliatio : -onis officium 19,28-29.

recubitus : -us primos eligere 42,17-18.

redemptio : - copiosa 22,19-20. ubi nulla - 22,16.

Redemptor : -rem sequi 27,7.

reditus : - expendere 17, titre.

regeneratio : - animarum 35,19-20. - corporum 35,18-19. - felix 32,2. - secunda 29, titre. -nis tempus 30, titre. -ne restitueri 33,12. in -ne sors promissa 45,8-9.

remuneratio : - certior, copiosior 43,13-14. - copiosa 3,37. - duplex 40,16. - obedientiae 1,11-12.

reprehensio : Prol. 15.

requies : - sessionis 32,10. -ei tempus 31,25. -em habere 21,29 ; 26,3. -em invenire 24,21 ; 47,5-6 et 11. -em sperare 52,25.

resurrectio : -onis corpus 34,5.

retributio : -onis aeternitas 44,38-39. -onis desiderium 40,6. -ones sequi 12,18 ; 14,30.

revelatio : - visionis 38,8-9.

rex : -gis filia 48,6. -gis pincerna et pistor 52,2. -gi propinare 52,7. -ge introducente 13,55-56. cum -ge sedere 41,16. -gem sequere 21,26.

rubor : 42,18.

sacerdos/populus : 9,13.

sacramentum : - rei 47,13. -ta vendere 12,18.

sacrificium : - / divitiae 6,20-21. - mutari 6,27.

sacrilegium : par -gii crimen 17,14-15. -gia 20,13. -gia recensere 12,17. -ga vox 12,21.

SALOMON : 23,34-35.

salus : - animae 30,17. -tis dies 30,10. sapientia inimica -tis 27,19-20. -tis testimonium 52,28. -ti amica obedientia 1,4. -tem operetur 13,30-31.

Salvator : 23,5 ; 28,26 ; 29,22 ; 38,52 ; 40,4. - instituit orationem 56,12. - vitae 1,7-8. -oris querimonia 43, titre. in sanguine -oris 12,12-13. cum -ore crucifigi 52,12.

SAMUEL : 20,19 ; 55,21.

sanctimonia : - cordis et corporis 13,28-29.

sanctitas : -atis cathedra 15,56. -atis emulatio 1,23-24. -atis gratia 38,26.

sanctitudo : in domo Dei quam - decet 21,15.

sanctus : - presbyter 9,27-28. - Samuel 55,21. - vir 38,19. -ta anima 58,9. -to oleo linire 47,14-15. -to congratulari 12,2-3. -ti 24,3-4 ; 57,13-14. -ti martyres 45,39. -torum collegia 54,33. -torum communio 57,10. -torum congregatio 46,24-25. -torum forma 38,33-34. -torum nomina 21,14. - torum vita 48,1-2.

sanctuarium : ad -pertinens 13,47. -rii ministeria 13,26-27.

sanguis : - immolabatur 6,34-35. - uvae 10,24. in -ne Salvatoris 12,12-13. -nem sitire 24,17. ex -nibus nasci 29,7-8.

sanguisuga : -gae filiae 5, titre.

sapiens : -tis consilium 44,33.
sapientia : - artifex 39,2. - carnis 23,40. - huius saeculi 2,26. - mundi 27,12 et 19.
sarcina : - gravior 5,16. -nam gravissimam ponere 3,4-5. -nas non admittere 5,29.
SATANAS : 21,32-33.
SAULUS rex : 14,5 ; 19,31 ; 55,20.
scala : - spiritualis 37, titre ; 38,1. -lae ascensores 38,40. -lae bases 39, titre. -lae gradus 38,46. -lae latera 35,28 ; 38,46.
schedula exhortationis : Prol. 1.
scientia : zelus sine -tia 30,14-15.
scintilla : micantes -las excipere 25,6.
sciolus : -los se facere 54,34.
scrinium : 10,34-35.
sectator : -ores viarum 38,38.
securitas : -te perire 48,41.
secutor : - hilaris 31,20.
sedes : - consummata 35,10. in -de maiestatis 35,4 et 19.
sensualitas : oppressus corporis -tate 3,9.
sensus : - doloris 32,18. -sum superare 58,22-23. super -sum pax 60,7-8. -suum delectatio 19,20. sub corporis -sibus incurvatur 3,19-20. serviunt corporum -sibus 4,2-3.
sententia : - Abrahae 23,47. - Dei Abrahae 23,14. - firma stabilisque 8,11. - laboris 22,30. - laboris 22,30. - Salomonis 23,34-35. - sancti cuiusdam 17,7-8. - / verba Prol. 19-20. in -tia persistere 55,22. -tiam deludere 22,27-28. -tiam ferre 23,17. -tiis brevibus distinguere lectionem Prol. 38-39. -tias decerpsisse Prol. 7.

sermo : - cordis 20,14-15. - declamatorius Prol. 9. - deficit 60,2. - dirigitur 37,17. - durus 8,18 ; 21,45. - fidelis 1,2 ; 24,7. - nequam 12,21. - vivus et efficax 1,23. -nis occasio Prol. 38 ; 37,20. -nes Patrum Prol. 5.
sessio : 32,7 et 8. - Domini 35, titre. - imperfecta 33, titre. - plena 31,28. - perfecta 34, titre. -nis requies 32,10. -nem concupiscentia impedit 32,15-16. ad -nem renasci 32,3.
sexus : 10,18.
significatio : 6,32.
silere / loqui 15,36-37.
SIMON Petrus Prol. 36 ; 1, titre ; 1,3 ; 2,1 ; 27,5.
simulatio : - / pusillanimitas 4,19. -nibus decipere semetipsos 50,16-17.
SION : 37,8.
sobrietas : - exhibeatur nobis 38,54-55. - foveat pietatem 38,57-58. - impugnat voluptatem 38,48-49.
solatium : - laboris 60,15-16. vox -tii 5,18.
sollicitudo : - exteriorum 49,2-3. - spei et timoris 32,20-21. -ne inani, seculari aestuere 54,39-40. -nem in Dominum proicere 28,22-23.
somnus : dulces capere -nos 10,31.
spes : spei sollicitudo 32,20-21. spe blandiatur 50,18. spe consolationis 50,12-13. spe mediante 38,59. spe mutata 6,27. in spe constituti 33,4. in spe gloriae 58,15. in spe gloriari 53,10-11. in spe requiescere 52,29.

spiritualis : -lis gratia 48,2. -lis
    quispiam 48,12. -lis scala 38,1.
    -le corpus 34,2. -le exercitium
    37,4 ; 49,1. -le ministerium
    13,37-38. -le studium 28,19.
    -les deliciae 51,5. -les nuptiae
    3,8. -lia -libus comparare 6,26-
    27 ; 37,16. -lia / corporalia 51,
    titre. -lia spiritum tangere 51,
    titre. -lium virorum consilia
    54,36-37. in -libus oblectari
    51,15.
spiritus : - / caro 14,3-4 ; 32,13-
    14 ; 55,41. cuius sit - 19,13. -
    iustorum 37,21. - / veritas
    17,29. - unus cum Deo 34,23-
    24. - libertas 9,28. - afflictio
    4,21. -tui incubans 5,12. -tu
    contrario ducti 23,48. -tu
    psallere 33,4-5. a -tu commo-
    neri 44,16-17. -tum Deum solo
    -tu sequi 7,9. -tum exstinguere
    27,13-14. -tum spiritualia tan-
    gere 51, titre. aurae -tum at-
    trahere 25,8.
Spiritus (Sanctus) : - Dei 45,33 ;
    54,6. - dicet 31,26. - Domini
    37,13. - paracliti visitatio 58,4-
    5. - primitiae 58,11-12. -tu
    sancto impleri 58,3. cum -tu
    sancto 60,19-20. ex -tu nasci
    29,7-99. in -tu sancto gau-
    dium 58,14 ; 59,8.
sponsa : - in Canticis 42,8-9. - re-
    gis 13,55. de nigredine - 48,
    titre.
sponsus : ad immortalem -sum
    1,15-16. -sum sequi 3,7-8.
STEPHANUS   (primomartyr)
    35,14 ; 58,18.
stipendium : -dia cleri 17,32. -dia
    ministrari 56,6. -diis vivere
    16,25.

studium : - pietatis 37,5. - spiri-
    tuale 28,19. -dia sua scrutari
    54,20. a -diis converti 48,39-
    40.
stultitia : 27,8 ; 45,33 ; 54,6.
sublimitas : - dignitatum 42,13-14.
    -tatis comparatio 41,2. -tatis
    remuneratio 40,16-17.
substantia : - mundi 2,13 ; 23,7-8.
    - nostra limosa et glutinosa
    2,15-16.
suffragium : -gia sibi mendicare
    13,20.
sumptus : - ecclesiastici 16,11-12.
superbia : - ascendat semper 21,25-
    26. - saeculorum 42,12. - vitae
    19,24-25 ; 38,43. -biae fastus
    10,10-11. -biae filii 41,15-16.
    -bia pleni 48,35-36. in - ele-
    vari 34,12.
superfluitas : in -tate dispergere
    17,11-12.
superstitio : - Iudaeorum 6,36.
supplicium : - crucis 35,20.
suspicio : -ne carens caritas Prol.
    24.
tabernaculum : -la aeterna 8,26 ;
    9,5 et 8. -la aliena, propria
    9,16-17.
tactus : odoratus et - 3,52.
talentum : - plumbi 5,17.
tedium : - longioris vitae 44,18.
temeritas : - frontosa 20,9. quid
    istud -tatis 13,52. -tate loqua-
    tur 13,43.
temperantia : - Adae 15,53.
templum : aureum -pli 6,33-34.
    pinnaculum -pli 25,7.
tentatio : incidere in -nem 8,12-13.
    -num conflictus 34,21.
tepiditas : mater -tatis 27,20.
thalamus : - ornatus 10,14.
timor : - Dei 13,53. - in finibus

nostris 33,3-4. -ris sollicitudo 32,20-21. a -re liberari 33,2.

tormentum : -to interrogatus 35,20-21. -ta pati 21,25.

trabs / festuca 15,29-30.

trepidatio : -nem praevenire 44,41.

tribulatio : -ni nequaquam cedere 15,44. in -ne gloriari 53,11. in -nibus gaudium 58,15-16.

turpitudo : - nudabitur 50,8.

tyrannus : - impius, inhumanus 5,10. quinque -nis servire 3,48-49.

unctio : - docens de omnibus 58,25. - necessaria 15,21.

universitas : - fidelium 42,31. -atis iudices 41,4.

usura : - saeculi 46,10.

uva : uvae sanguis 10,24.

vanitas : - / fastus 36,27. - / voluptas 5,4 ; 38,56-57. - extrinseca 19,24. - fugiatur 36,37. - saeculi 36,3 et 25 ; 38,49-50. -tatis usus 17,33. in -tate dispergere 17,11-12.

verbum : - adinventionis humanae 59,3. - Domini 55,48-49. -borum consequentia 45,23-24.

Verbum (Dei) : - caro 7,10.

verecundia : - muliebris 10,17-18.

veritas : - / spiritus 17,29. - revelata est 6,15. -tatis speculum 19,14. -tatis testimonium 55,38. -tatis via 15,50. -tati acquiescere 53,20. -tati perhibere testimonium 53,7. -tate certa subnixa 54,28. -tatem nudam promere 9,29-30.

Veritas : - ait 15,18. - comparat 48,31. Deus ipse - 41,24-25. - promittens 57,5-6. -tatis promissio 1,24. -tati promittenti credere 46,26.

vertex : -ticem celsum inclinare 38,52-53.

vicarius / dominus 15,13.

victus, -tus : - / vestitus 8,5-6 ; 17,18. -tu carnali 13,36. -tum quaerere 10,37-38.

vigor : - / fervor 15,41.

vilitas : 36,9 ; 37,3.

vindicta : - / paenitentia 13,44.

vinitor : -ores fodiunt 10,20.

vinum : - bonum ponere 4,16. -na mutuantur peregrinum saporem 10,26.

virga : - / baculus 18, titre. nobis - debetur 22,15. -gam declinare 22,3.

virtus : - cordis 30,4. - divina 27,36. - ex alto 58,17. - interna 36,10. - oboedientiae 1,8. - propria 27,35. -tutis quadrifariae perfectio 15,55. -tutis vox Prol. 31. de -tute in -tutem 37,7-8. -tutes / vitia 53,2. -tutum Dominus 53,3. de quatuor -tutibus 15, titre.

viscera : - claudere 23,9. -eribus nudatis 27,30.

visio : -onis revelatio 38,8-9.

vita : - in voluntate eius 15,4-5. -tae necessaria 13,33. -tae periculo 10,29. -tae Salvator 1,7-8. -tae superbia 19,24-25. -tae via 36,5.

vita aeterna : passim et 60, titre.

vitium : -tia / virtutes 53,2. de dominio -tiorum 4, titre. servire -tiis morum 5,2.

vocatio : 13,34.

voluntas : - Dei 15,15 et 23. - Domini 15,13 et 30-31. - habendi 24,8. ex radice propriae -tatis 5,1-2. -tatis propriae loculi 54,19-20. propria -tate 3,16-

17 ; 22,6-7. vita in -tate 15,4-
5. in -tate Patris 44,36-37. ex
-tate viri 29,8. -tatem suam
facere 54,32.
voluptas : - carnis 38,49. - corporis
13,48-49 ; 36,2. - / labor 10,5-
6. - non ex Patre 19,17. - non
excusatur 36,36. trahit
quemque sua - 3,54 ; 13,58-
59. - / vanitas 5,4 ; 38,56-57.
dies -tatis 30,10-11. torrens
-tatis 40,7 ; 60,9. usus -tatis
17,33. in paradiso -tatis 23,23.
-tati opera dari 30,4-5. -tate
satiari 24,16-17. communio
-tatum 57,10-11. nullis -tati-
bus capi 15,46. -tatibus indulgere 39,9-10.

zelus : - comedens 12,24. -lum habere 30,14.

TABLE DES MATIÈRES

Pages

<small>INTRODUCTION</small> ....

    Geoffroy ou Bernard ? 9
    Les manuscrits 13
    Le texte 23
    L'Œuvre 28
    Les idées de Geoffroy 37
    Les sources 46
    Conclusion.................................... 46

<small>TEXTE ET TRADUCTION</small> ....

    Prologue 49
    Titres des chapitres 53
    Chapitre   1 61
       —   2 65
       —   3 67
       —   4 73
       —   5 77
       —   6 81
       —   7 85
       —   8 89
       —   9 93
       —   10 97
       —   11 103
       —   12 105
       —   13 109
       —   14 115
       —   15 119
       —   16 125
       —   17 129
       —   18 133
       —   19 137
       —   20 141
       —   21 145
       —   22 151
       —   23 155

Chapitre 24 161
—   25 165
—   26 169
—   27 173
—   28 177
—   29 181
—   30 185
—   31 189
—   32 193
—   33 197
—   34 199
—   35 203
—   36 207
—   37 211
—   38 215
—   39 221
—   40 223
—   41 225
—   42 229
—   43 233
—   44 235
—   45 239
—   46 243
—   47 247
—   48 251
—   49 255
—   50 257
—   51 261
—   52 265
—   53 269
—   54 273
—   55 277
—   56 283
—   57 285
—   58 287
—   59 291
—   60 293

INDEX SCRIPTURAIRE 297

SOURCES NON BIBLIQUES 305

INDEX DES MOTS LATINS 307

TABLE DES MATIÈRES 327

SOURCES CHRÉTIENNES

Fondateurs : H. de Lubac, s.j.
† J. Daniélou, s.j.
† C. Mondésert, s.j.
Directeur : D. Bertrand, s.j.
Directeur-adjoint : J.-N. Guinot

Dans la liste qui suit, dite « liste alphabétique », tous les ouvrages sont rangés par nom d'auteur ancien, les numéros précisant pour chacun l'ordre de parution depuis le début de la collection. Pour une information plus complète, on peut se procurer deux autres listes au secrétariat de « Sources Chrétiennes » – 29, rue du Plat, 69002 Lyon (France) – Tél. : 78.37.27.08 :

1. la « liste numérique », qui présente les volumes et leurs auteurs actuels d'après les dates de publication ; elle indique les réimpressions et les ouvrages momentanément épuisés ou dont la réédition est préparée. .
2. la « liste thématique », qui présente les volumes d'après les centres d'intérêt et les genres littéraires : exégèse, dogme, histoire, correspondance, apologétique, etc.

LISTE ALPHABÉTIQUE (1-364)

ACTES DE LA CONFÉRENCE DE CARTHAGE : *194, 195, 224.*

ADAM DE PERSEIGNE.
Lettres, I : *66.*

AELRED DE RIEVAULX.
Quand Jésus eut douze ans : *60.*
La vie de recluse : *76.*

AMBROISE DE MILAN.
Apologie de David : *239.*
Des sacrements : *25 bis.*
Des mystères : *25 bis.*
Explication du Symbole : *25 bis.*
La Pénitence : *179.*
Sur saint Luc : *45* et *52.*

AMÉDÉE DE LAUSANNE.
Huit homélies mariales : *72.*

ANSELME DE CANTORBÉRY.
Pourquoi Dieu s'est fait homme : *91.*

ANSELME DE HAVELBERG.
Dialogues, I : *118.*

APHRAATE LE SAGE PERSAN. Exposés : *349* et *359.*

APOCALYPSE DE BARUCH : *144* et *145.*

ARISTÉE (LETTRE D') : *89.*

ATHANASE D'ALEXANDRIE.
Deux apologies : *56 bis.*
Discours contre les païens : *18 bis.*
Voir « Histoire acéphale » : *317.*
Lettres à Sérapion : *15.*
Sur l'Incarnation du Verbe : *199.*

ATHÉNAGORE.
Supplique au sujet des chrétiens : *3.*

AUGUSTIN.
Commentaire de la première Épître de saint Jean : *75.*
Sermons pour la Pâque : *116.*

BARNABÉ (ÉPÎTRE DE) : *172.*

BASILE DE CÉSARÉE.
Contre Eunome : *299* et *305.*
Homélies sur l'Hexaéméron : *26 bis.*

Sur le Baptême : *357.*
Sur l'origine de l'homme : *160.*
Traité du Saint-Esprit : *17 bis.*
BASILE DE SÉLEUCIE.
  Homélie pascale : *187.*
BAUDOUIN DE FORD.
  Le sacrement de l'autel : *93* et *94.*
BENOÎT (RÈGLE DE S.) : *181-186.*
CALLINICOS.
  Vie d'Hypatios : *177.*
CASSIEN, voir Jean Cassien.
CÉSAIRE D'ARLES.
  Œuvres monastiques : Tome I,
  Œuvres pour les moniales : *345.*
  Sermons au peuple : *175, 243* et
  330.
LA CHAÎNE PALESTINIENNE SUR LE
  PSAUME 118 : *189* et *190.*
CHARTREUX.
  Lettres des premiers Chartreux : *88,
  274.*
CHROMACE D'AQUILÉE.
  Sermons : *154* et *164.*
CLAIRE D'ASSISE.
  Écrits : *325.*
CLÉMENT D'ALEXANDRIE.
  Le Pédagogue : *70, 108* et *158.*
  Protreptique : *2 bis.*
  Stromate I : *30.*
  Stromate II : *38.*
  Stromate V : *278* et *279.*
  Extraits de Théodote : *23.*
CLÉMENT DE ROME.
  Épître aux Corinthiens : *167.*
CONCILES GAULOIS DU IVᵉ SIÈCLE : *241.*
CONCILES MÉROVINGIENS (LES CANONS
  DES) : *353* et *354.*
CONSTANCE DE LYON.
  Vie de saint Germain d'Auxerre :
  112.
CONSTITUTIONS APOSTOLIQUES, I : *320* ;
  II : *329* ; III : *336.*
COSMAS INDICOPLEUSTÈS.
  Topographie chrétienne : *141, 159*
  et *197.*
CYPRIEN DE CARTHAGE.
  A Donat : *291.*
  La vertu de patience : *291.*
CYRILLE D'ALEXANDRIE.
  Contre Julien, I : *322.*
  Deux dialogues christologiques :
  97.
  Dialogues sur la Trinité : *231, 237*
  et *246.*

CYRILLE DE JÉRUSALEM.
  Catéchèses mystagogiques : *126.*
DEFENSOR DE LIGUGÉ.
  Livre d'étincelles : *77* et *86.*
DENYS L'ARÉOPAGITE.
  La hiérarchie céleste : *58 bis.*
DHUODA.
  Manuel pour mon fils : *225.*
DIADOQUE DE PHOTICÉ.
  Œuvres spirituelles : *5 bis.*
DIDYME L'AVEUGLE.
  Sur la Genèse : *233* et *244.*
  Sur Zacharie : *83-85.*
A DIOGNÈTE : *33.*
LA DOCTRINE DES DOUZE APÔTRES :
  248.
DOROTHÉE DE GAZA.
  Œuvres spirituelles : *92.*
ÉGÉRIE.
  Journal de voyage : *296.*
ÉPHREM DE NISIBE.
  Commentaire de l'Évangile concor-
  dant ou Diatessaron : *121.*
  Hymnes sur le Paradis : *137.*
EUNOME.
  Apologie : *305.*
EUSÈBE DE CÉSARÉE.
  Contre Hiéroclès : *333.*
  Histoire ecclésiastique, I-IV : *31.*
  — V-VII : *41.*
  — VIII-X : *55.*
  — Introd. et Index : *73.*
  Préparation évangélique, I : *206.*
  — II-III : *228.*
  — IV - V, 17 : *262.*
  — V, 18 - VI : *266.*
  — VII : *215.*
  — XI : *292.*
  — XII-XIII : *307.*
  — XIX-XV : *338.*
ÉVAGRE LE PONTIQUE.
  Le Gnostique : *356.*
  Scholies aux Proverbes : *340.*
  Traité pratique : *170* et *171.*
ÉVANGILE DE PIERRE : *201.*
EXPOSITIO TOTIUS MUNDI : *124.*
FIRMUS DE CÉSARÉE. Lettres : *350.*
FRANÇOIS D'ASSISE.
  Écrits : *285.*
GÉLASE Iᵉʳ.
  Lettre contre les lupercales et dix-
  huit messes : *65.*
GEOFFROY D'AUXERRE.
  Entretien de Simon-Pierre avec Jé-
  sus : *364.*

GERTRUDE D'HELFTA.
  Les Exercices : *127*.
  Le Héraut : *139, 143, 255* et *331*.
GRÉGOIRE DE NAREK.
  Le livre de Prières : *78*.
GRÉGOIRE DE NAZIANZE.
  Discours 1-3 : *247*.
    — 4-5 : *309*.
    — 20-23 : *270*.
    — 24-26 : *284*.
    — 27-31 : *250*.
    — 32-37 : *318*.
    — 38-42 : *358*
  Lettres théologiques : *208*.
  La Passion du Christ : *149*.
GRÉGOIRE DE NYSSE.
  La création de l'homme : *6*.
  Lettres : *363*.
  Traité de la Virginité : *119*.
  Vie de Moïse : *1 bis*.
  Vie de sainte Macrine : *178*.
GRÉGOIRE LE GRAND.
  Commentaire sur le Cantique : *314*.
  Dialogues : *251, 260* et *265*.
  Homélies sur Ézéchiel : *327* et *360*.
  Morales sur Job, I-II : *32 bis*.
    — XI-XIV : *212*.
    — XV-XVI : *221*.
  Sur le Premier livre des Rois : *351*.
GRÉGOIRE LE THAUMATURGE.
  Remerciement à Origène : *148*.
GUERRIC D'IGNY.
  Sermons : *166* et *202*.
GUIGUES Iᵉʳ.
  Les Coutumes de Chartreuse : *313*.
  Méditations : *308*.
GUIGUES II LE CHARTREUX.
  Lettre sur la vie contemplative : *163*.
  Douze méditations : *163*.
GUILLAUME DE BOURGES.
  Livre des guerres du Seigneur : *288*.
GUILLAUME DE SAINT-THIERRY.
  Exposé sur le Cantique : *82*.
  Lettre aux Frères du Mont-Dieu : *223*.
  Le miroir de la foi : *301*.
  Oraisons méditatives : *324*.
  Traité de la contemplation de Dieu : *61*.
HERMAS.
  Le Pasteur : *53*.
HÉSYCHIUS DE JÉRUSALEM.
  Homélies pascales : *187*.
HILAIRE D'ARLES.
  Vie de saint Honorat : *235*.

HILAIRE DE POITIERS.
  Commentaire sur le Psaume 118 : *344* et *347*.
  Contre Constance : *334*.
  Sur Matthieu : *254* et *258*.
  Traité des Mystères : *19 bis*.
HIPPOLYTE DE ROME.
  Commentaire sur Daniel : *14*.
  La Tradition apostolique : *11 bis*.
HISTOIRE « ACÉPHALE » ET INDEX SYRIAQUE DES LETTRES FESTALES D'ATHANASE D'ALEXANDRIE : *317*.
DEUX HOMÉLIES ANOMÉENNES POUR L'OCTAVE DE PÂQUES : *146*.
HOMÉLIES PASCALES : *27, 36, 48*.
QUATORZE HOMÉLIES DU IXᵉ SIÈCLE : *161*.
HUGUES DE SAINT-VICTOR.
  Six opuscules spirituels : *155*.
HYDACE.
  Chronique : *218* et *219*.
IGNACE D'ANTIOCHE.
  Lettres : *10 bis*.
IRÉNÉE DE LYON.
  Contre les hérésies, I : *263* et *264*.
    — II : *293* et *294*.
    — III : *210* et *211*.
    — IV : *100* (2 vol.).
    — V : *152* et *153*.
  Démonstration de la prédication apostolique : *62*.
ISAAC DE L'ÉTOILE.
  Sermons, 1-17 : *130*.
    — 18-39 : *207*.
    — 40-55 : *339*.
JEAN D'APAMÉE.
  Dialogues et traités : *311*.
JEAN DE BÉRYTE.
  Homélie pascale : *187*.
JEAN CASSIEN.
  Conférences : *42, 54* et *64*.
  Institutions : *109*.
JEAN CHRYSOSTOME.
  A Théodore : *117*.
  A une jeune veuve : *138*.
  Commentaire sur Isaïe : *304*.
  Commentaire sur Job : *346* et *348*.
  Homélies sur Ozias : *277*.
  Huit catéchèses baptismales : *50*.
  Lettre d'exil : *103*.
  Lettres à Olympias : *13 bis*.
  Panégyriques de S. Paul : *300*.
  Sur Babylas : *362*.
  Sur l'incompréhensibilité de Dieu : *28 bis*.
  Sur la Providence de Dieu : *79*.

Sur la vaine gloire et l'éducation
des enfants : *188.*
Sur le mariage unique : *138.*
Sur le sacerdoce : *272.*
La Virginité : *125.*
PSEUDO-CHRYSOSTOME.
Homélie pascale : *187.*
JEAN DAMASCÈNE.
Homélies sur la Nativité et la Dor-
mition : *80.*
JEAN MOSCHUS.
Le Pré spirituel : *12.*
JEAN SCOT.
Commentaire sur l'évangile de
Jean : *180.*
Homélie sur le prologue de Jean :
151.
JÉRÔME.
Apologie contre Rufin : *303.*
Commentaire sur Jonas : *323.*
Commentaire sur S. Matthieu : *242*
et *259.*
JULIEN DE VÉZELAY.
Sermons : *192* et *193.*
LACTANCE.
De la mort des persécuteurs : *39*
(2 vol.).
Épitomé des Institutions divines :
335.
Institutions divines, I : *326.*
— II : *337.*
— V : *204* et *205.*
La colère de Dieu : *289.*
L'ouvrage du Dieu créateur : *213*
et *214.*
LÉON LE GRAND.
Sermons, 1-19 : *22 bis.*
— 20-37 : *49 bis.*
— 38-64 : *74 bis.*
— 65-98 : *200.*
LÉONCE DE CONSTANTINOPLE.
Homélies pascales : *187.*
LIVRE DES DEUX PRINCIPES : *198.*
PSEUDO-MACAIRE.
Œuvres spirituelles, I : *275.*
MANUEL II PALÉOLOGUE.
Entretien avec un musulman : *115.*
MARIUS VICTORINUS.
Traités théologiques sur la Trinité :
68 et *69.*
MAXIME LE CONFESSEUR.
Centuries sur la Charité : *9.*
MÉLANIE : voir VIE.
MÉLITON DE SARDES.
Sur la Pâque : *123.*

MÉTHODE D'OLYMPE.
Le banquet : *95.*
NERSÈS ŠNORHALI.
Jésus, Fils unique du Père : *203.*
NICÉTAS STÉTHATOS.
Opuscules et Lettres : *81.*
NICOLAS CABASILAS.
Explication de la divine liturgie :
4 bis.
La vie en Christ : *355* et *361.*
ORIGÈNE.
Commentaire sur S. Jean,
I-V : *120.*
VI-X : *157.*
XIII : *222.*
XIX-XX : *290.*
Commentaire sur S. Matthieu,
X-XI : *162.*
Contre Celse : *132, 136, 147, 150*
et *227.*
Entretien avec Héraclite : *67.*
Homélies sur la Genèse : *7 bis.*
Homélies sur l'Exode : *321.*
Homélies sur le Lévitique : *286* et
287.
Homélies sur les Nombres : *29.*
Homélies sur Josué : *71.*
Homélies sur Samuel : *328.*
Homélies sur le Cantique : *37 bis.*
Homélies sur Jérémie : *232* et *238.*
Homélies sur Ézéchiel : *352.*
Homélies sur saint Luc : *87.*
Lettre à Africanus : *302.*
Lettre à Grégoire : *148.*
Philocalie : *226* et *302.*
Traité des principes : *252, 253, 268,*
269 et *312.*
PALLADIOS.
Dialogue sur la vie de Jean Chry-
sostome : *341* et *342.*
PATRICK.
Confession : *249.*
Lettre à Coroticus : *249.*
PAULIN DE PELLA.
Poème d'action de grâces : *209.*
Prière : *209.*
PHILON D'ALEXANDRIE.
La migration d'Abraham : *47.*
PSEUDO-PHILON.
Les Antiquités Bibliques : *229* et
230.
PHILOXÈNE DE MABBOUG.
Homélies : *44.*

PIERRE DAMIEN.
  Lettre sur la toute-puissance divine : *191.*
PIERRE DE CELLE.
  L'école du cloître : *240.*
POLYCARPE DE SMYRNE.
  Lettres et Martyre : *10 bis.*
PTOLÉMÉE.
  Lettre à Flora : *24 bis.*
QUODVULTDEUS.
  Livre des promesses : *101* et *102.*
LA RÈGLE DU MAÎTRE : *105-107.*
LES RÈGLES DES SAINTS PÈRES : *297* et *298.*
RICHARD DE SAINT-VICTOR.
  La Trinité : *63.*
RICHARD ROLLE.
  Le chant d'amour : *168* et *169.*
RITUELS.
  Rituel cathare : *236.*
  Trois antiques rituels du Baptême : *59.*
ROMANOS LE MÉLODE.
  Hymnes : *99, 110, 114, 128, 283.*
RUFIN D'AQUILÉE.
  Les bénédictions des Patriarches : *140.*
RUPERT DE DEUTZ.
  Les œuvres du Saint-Esprit.
  Livres I-II : *131.*
  — III-IV : *165.*
SALVIEN DE MARSEILLE.
  Œuvres : *176* et *220.*
SCOLIES ARIENNES SUR LE CONCILE D'AQUILÉE : *267.*
SOZOMÈNE.
  Histoire ecclésiastique, I : *306.*
SULPICE SÉVÈRE.
  Vie de S. Martin : *133-135.*

SYMÉON LE NOUVEAU THÉOLOGIEN.
  Catéchèses : *96, 104* et *113.*
  Chapitres théologiques, gnostiques et pratiques : *51 bis.*
  Hymnes : *156, 174* et *196.*
  Traités théologiques et éthiques : *122* et *129.*
TARGUM DU PENTATEUQUE : *245, 256, 261, 271* et *282.*
TERTULLIEN.
  A son épouse : *273.*
  Contre les Valentiniens : *280* et *281.*
  De la patience : *310.*
  De la prescription contre les hérétiques : *46.*
  Exhortation à la chasteté : *319.*
  La chair du Christ : *216* et *217.*
  Le mariage unique : *343.*
  La pénitence : *316.*
  Les spectacles : *332.*
  La toilette des femmes : *173.*
  Traité du baptême : *35.*
THÉODORET DE CYR.
  Commentaire sur Isaïe : *276, 295* et *315.*
  Correspondance, lettres I-LII : *40.*
  — lettres 1-95 : *98.*
  — lettres 96-147 : *111.*
  Histoire des moines de Syrie : *234* et *257.*
  Thérapeutique des maladies helléniques : *57* (2 vol.).
THÉODOTE.
  Extraits (*Clément d'Alex.*) : *23.*
THÉOPHILE D'ANTIOCHE.
  Trois livres à Autolycus : *20.*
VIE D'OLYMPIAS : *13.*
VIE DE SAINTE MÉLANIE : *90.*
VIE DES PÈRES DU JURA : *142.*

SOUS PRESSE

BERNARD DE CLAIRVAUX : **Vie de saint Malachie** et **Éloge de la Nouvelle chevalerie.** P.-Y. Émery.

CÉSAIRE D'ARLES : **Œuvres monastiques,** tome II : **Œuvres pour les moines.** J. Courreau et A. de Vogüé.

EUSÈBE DE CÉSARÉE : **Préparation évangélique,** livres VIII-X, É. des Places.

JEAN CHRYSOSTOME : **Trois catéchèses baptismales.** A. Piédagnel, L. Doutreleau.

TERTULLIEN : **Contre Marcion,** tome I et II. R. Braun.

EN PRÉPARATION

Actes de la Conférence de Carthage, tome IV. S. Lancel.

Apophtegmes des Pères, tome I. J.-C. Guy.

ATHÉNAGORE : **Supplique au sujet des chrétiens** et **Traité de la Résurrection.** B. Pouderon.

BASILE DE CÉSARÉE : **Homélies morales.** E. Rouillard, M.-L. Guillaumin.

BERNARD DE CLAIRVAUX : **Livre du libre arbitre.** F. Callerot. **Traité du précepte et de la dispense.** A. Lemaire et M. Standaert.

CYRILLE D'ALEXANDRIE : **Lettres festales.** Tome I.

EUGIPPE : **Vie de Saint Séverin.** P. Régerat.

GRÉGOIRE DE NAZIANZE : **Discours 42-43.** J. Bernardi.

GRÉGOIRE LE GRAND : **Lettres.** P. Minard (†).

HERMIAS : **Moquerie au sujet des païens.** R.P.C. Hanson (†).

JEAN DAMASCÈNE : **Ecrits sur l'Islam.** R. Le Coz.

LACTANCE : **Institutions divines.** Tome IV. P. Monat.

ORIGÈNE : **Commentaire sur le Cantique des Cantiques,** tome I. L. Brésard, H. Crouzel, M. Borret.

Également aux Éditions du Cerf

LES ŒUVRES DE PHILON D'ALEXANDRIE
publiées sous la direction de
R. ARNALDEZ, C. MONDÉSERT, J. POUILLOUX.
Texte original et traduction française.

1. **Introduction générale. De opificio mundi**, R. Arnaldez.
2. **Legum allegoriae**, C. Mondésert.
3. **De cherubim**. J. Gorez.
4. **De sacrificiis Abelis et Caini**. A. Méasson.
5. **Quod deterius potiori insidiari soleat**. I. Feuer.
6. **De posteritate Caini**. R. Arnaldez.
7-8. **De gigantibus. Quod Deus sit immutabilis**. A. Mosès.
9. **De agricultura**. J. Pouilloux.
10. **De plantatione**. J. Pouilloux.
11-12. **De ebrietate. De sobrietate**. J. Gorez.
13. **De confusione linguarum**. J.-G. Kahn.
14. **De migratione Abrahami**. J. Cazeaux.
15. **Quis rerum divinarum heres sit**. M. Harl.
16. **De congressu eruditionis gratia**. M. Alexandre.
17. **De fuga et inventione**. E. Starobinski-Safran.
18. **De mutatione nominum**. R. Arnaldez.
19. **De somniis**. P. Savinel.
20. **De Abrahamo**. J. Gorez.
21. **De Iosepho**. J. Laporte.
22. **De vita Mosis**. R. Arnaldez, C. Mondésert, J. Pouilloux, P. Savinel.
23. **De Decalogo**. V. Nikiprowetzky.
24. **De specialibus legibus**. Livres I-II. S. Daniel.
25. **De specialibus legibus**. Livres III-IV. A. Mosès.
26. **De virtutibus**. R. Arnaldez, A.-M. Vérilhac, M.-R. Servel et P. Delobre.
27. **De praemiis et poenis. De exsecrationibus**. A. Beckaert.
28. **Quod omnis probus libert sit**. M. Petit.
29. **De vita contemplativa**. F. Daumas et P. Miquel.
30. **De aeternitate mundi**. R. Arnaldez et J. Pouilloux.
31. **In Flaccum**. A. Pelletier.
32. **Legatio ad Caium**. A. Pelletier.
33. **Quaestiones in Genesim et in Exodum. Fragmenta graeca**. F. Petit.
34 A. **Quaestiones in Genesim**, I-II (e vers. armen). Ch. Mercier.
34 B. **Quaestiones in Genesim**, III-VI (e vers. armen). Ch. Mercier et F. Petit.
34 C. **Quaestiones in Exodum**, I-II (e vers. armen.) (en prép.).
35. **De providentia**, I-II. M. Hadas-Lebel.
36. **Alexander (De animalibus)**. A. Terian et J. Laporte.